REGRAS DO JOGO

Neil Strauss

REGRAS DO JOGO

TRADUÇÃO DE
Patrícia Azeredo

9ª edição

Rio de Janeiro | 2025

CIP-BRASIL. CATALOGAÇÃO NA PUBLICAÇÃO
SINDICATO NACIONAL DOS EDITORES DE LIVROS, RJ

Strauss, Neil
S893r Regras do jogo / Neil Strauss; tradução: Patrícia Azeredo. – 9ª ed. – Rio de
9ª ed. Janeiro: Best*Seller*, 2025.
il.

Tradução de: Rules of the Game
ISBN: 978-85-7684-920-9

1. Sedução. 2. Relacionamento. 3. Vida social. I. Título.
CDD: 658.3124
15-22567 CDU: 658.33136

Texto revisado segundo o Acordo Ortográfico da Língua Portuguesa de 1990.

Tìtulo original em inglês:
RULES OF THE GAME

Imagens da capa:
Stop Sign (colour litho), Masters, Del (20th century) / Private Collection /
Dato Images / Bridgeman Images
Pin-Up in a Yellow Bathing Suit, c.1948 (colour litho), DeVorss, Billy (1908-85) /
Private Collection / Dato Images / Bridgeman Images
Editoração eletrônica: Guilherme Peres

Impresso no Brasil

ISBN 978-85-7684-920-9

OUTRAS OBRAS DE NEIL STRAUSS

O jogo

Emergência

Fama & Loucura

LEIA ISTO

Você é tão fraco assim?

Vai se deixar ser mandado por um escritor desse jeito? Você vê as palavras "leia isto" no alto da página e simplesmente segue as instruções como um robô?

Eu sei o que você está pensando: isto é um livro. Foi feito para ser lido.

Mas o livro ainda nem começou. Você leu as informações de direitos autorais? Provavelmente não. (Caso tenha lido, bem-vindo ao clube. Existem remédios para gente como nós.)

Já que você está aqui, gostaria de ensinar sua primeira lição, que é pensar por si mesmo e não apenas virar as páginas de um livro de modo servil, como um seguidor.

Porque este não é um livro comum, feito para ser lido da primeira até a última página.

Existem opções.

Se você estiver aqui para ler, vá para *O diário de Style*, que começa mais ou menos a dois terços do livro e tem histórias compiladas do meu diário.

Se você estiver aqui para aprender, comece pela primeira parte do livro, *O desafio Stylelife*, e conheça um programa de malhação para suas habilidades sociais e de namoro. Depois, quando estiver com vontade, mergulhe em *O diário de Style* para ler histórias sobre os benefícios e consequências deste conhecimento que você está acumulando.

Se precisar de algo a mais para ajudá-lo a encontrar as palavras certas, acrescentei *A coletânea de procedimentos* a esta nova edição. É uma compilação de roteiros contendo alguns dos materiais mais requisitados que usei enquanto aprendia a dar um fim permanente a muitos anos de noites solitárias.

E se você estiver apenas folheando este livro em uma loja querendo dicas rápidas para conhecer alguém, rasgue esta página e faça um aviãozinho de papel. Depois atire o aviãozinho no próximo corredor. Você pode fazer o mesmo com todas as páginas até encontrar alguém especial, provavelmente um policial ou segurança.

Por fim, gostaria de retirar o que disse no início desta seção. Você não é fraco. Eu só queria chamar sua atenção. E o bullying sempre funciona melhor nesses casos.

Então, talvez seja hora da segunda lição: o segredo da vida não é levar tudo para o lado pessoal. O que as pessoas fazem ou dizem nem sempre diz respeito a você. Geralmente, diz respeito aos próprios medos delas.

Obrigado por ler.

SUMÁRIO

O
DESAFIO
STYLELIFE

Para sua mãe e seu pai. Fique à vontade para
culpá-los por tudo de errado com você, mas não se
esqueça de lhes dar crédito por tudo de certo.

CUIDADO: NÃO LEIA

A tentação de ler este livro do início ao fim
com poucas pausas pode ser forte.

Normalmente, é assim que livros funcionam.

Mas este é diferente.

Siga as instruções um dia de cada vez.
Estude as orientações em anexo.
Cumpra as missões de campo.

E não pule as páginas.

Perder uma única lição ou experiência vai afetar
os seus resultados, o seu jogo e a sua vida.

VOCÊ FOI AVISADO.

FEEDBACK DE EX-PARTICIPANTES DO DESAFIO STYLELIFE

"Tudo o que eu tenho a dizer é 'Uau!'. Antes deste mês eu nunca tinha abordado uma mulher e muito menos conseguido um encontro. Acabei de ter três encontros em três dias e ainda tenho mais números para ligar."

– NOME DO DESAFIANTE: DIABOLICAL

"Este foi o mês mais inspirador de toda a minha vida. Sinto que tive muitas conquistas! Levando em consideração que tudo isso aconteceu em apenas trinta dias, chega a ser inacreditável!!! Sério, esta era a única área da minha vida que me impedia de estar absolutamente em paz ou feliz: mulheres!"

– NOME DO DESAFIANTE: TONY23

"Desde o Desafio, ouço que sou um vencedor, incrível, perfeito, único, a alma gêmea dela, além de inacreditável! Obrigado, Neil, pelo Desafio!"

– NOME DO DESAFIANTE: GODROCK73

"Esta é uma das melhores coisas de que participei... Mudou minha vida."

– NOME DO DESAFIANTE: MAIDENMAN

"Consegui mais respostas positivas de garotas esta semana do que em toda a minha vida. Quem me conhece diz que agora estou diferente e mais carismático."

– NOME DO DESAFIANTE: SAMX

"Eu já tenho uma namorada e não tenho nenhum problema com as garotas. Então por que entrei no Desafio? Para me aperfeiçoar. Devo dizer que melhorei bastante, tanto em termos de autoconfiança quanto na forma como os outros me veem. Trabalho como garçom e agora os clientes perguntam por mim, as garotas me abordam o tempo todo, minhas gorjetas aumentaram bastante e as pessoas sempre me convidam para festas. Todos querem estar comigo, fazer parte do meu grupo de amigos, além de notar como eu me sinto bem. Antes não era assim."

– NOME DO DESAFIANTE: RACEHORSE

"Ela estava me dando um beijo de língua e perguntando se poderíamos nos ver quando voltasse na terça-feira. Mal posso esperar. Ela não é apenas linda, mas também inteligente e gentil. Se não fosse por Neil e o Desafio, isso jamais teria acontecido."

– NOME DO DESAFIANTE: APOLLO

"Neil Strauss me presenteou com um dom de vida. Não consigo descrever de outra forma. Muito obrigado."

– NOME DO DESAFIANTE: LIZARD

"Acordar a cada manhã é um prazer desde que comecei o Desafio. Fico empolgado como uma criança na manhã de Natal se preparando para abrir os presentes quando subo as escadas para o escritório a fim de ver o que está programado para hoje. É uma experiência que nunca vou esquecer."

– NOME DO DESAFIANTE: REIGN STORM

"Esta foi uma das experiências mais incríveis de toda a minha existência. Muito obrigado por literalmente mudar a minha vida."

– NOME DO DESAFIANTE: BOY

"Uma das experiências mais recompensadoras da minha vida! Estou tão longe da minha zona de conforto que nem encontro palavras para descrever a sensação! E estou me divertindo cada vez mais!"

– NOME DO DESAFIANTE: GRINDER73

"Fiz muitas coisas que podem ser consideradas intensas na vida, mas de certa forma isto supera tudo, porque está literalmente mudando a minha percepção da realidade e abrindo novas possibilidades. Gostaria de viver o Desafio todos os meses."

– NOME DO DESAFIANTE: LPIE

"Obrigado, Neil. Você será eternamente lembrado por isto. Não é apenas mais um livro ou palestra. Funciona mesmo! Um dia vou apertar sua mão e encontrar uma forma de realmente lhe agradecer por ter mudado minha vida!"

– NOME DO DESAFIANTE: GRAND

"Neil, agradeço muito por esta experiência transformadora. Os seus esforços tiveram um grande impacto na minha vida. Não só vou usar as informações que aprendi nos meus relacionamentos, como também em outras áreas da minha vida."

– NOME DO DESAFIANTE: BYRON

"Para ser sincero, nunca pensei que Neil fosse realmente conseguir fazer isso funcionar. Quer dizer, resumir com sucesso o jogo da sedução em trinta etapas não é a coisa mais fácil do mundo, mas Neil fez um trabalho incrível. O material é ótimo, as pessoas são ótimas e o resultado, idem."

– NOME DO DESAFIANTE: VELOS

"Li vários livros sobre namoro e manuais de sedução. Acho que o material apresentado em *Regras do jogo* é simplesmente o melhor do mercado. Meus parabéns ao Neil por oferecer o melhor."

– NOME DO DESAFIANTE: ALBINO

"Preciso dizer que, se você realmente leva a sério a ideia de resolver o lado amoroso da sua vida e escolheu não ler *Regras do jogo* do Neil, então tem que parar, se avaliar e se perguntar o que realmente deseja. O Neil está nos oferecendo o que ninguém na história conseguiu."

– NOME DO DESAFIANTE: BIG SEND

SUMÁRIO

INTRODUÇÃO

Por que estamos aqui?

Eu não queria escrever este livro.

Na verdade, é algo que nunca imaginei fazer.

Estou tão envergonhado por escrevê-lo quanto você deve estar ao comprá-lo. E não tem problema, pois isso significa que estamos juntos nessa.

Deixe-me explicar o motivo da minha vergonha. Depois vou dizer o motivo da sua. E, por fim, vamos concordar em seguir em frente e reconhecer que estamos aqui por uma razão.

Passei a adolescência e boa parte dos meus 20 e poucos anos solitário, desesperado e lamentavelmente inexperiente, sentado em silêncio, observando à distância as mulheres ficarem obcecadas por caras cujo apelo eu não compreendia.

No ponto mais baixo da minha vida amorosa, após dois anos de seca, cheguei a pesquisar catálogos de noivas por correspondência na internet (russas, latinas, asiáticas) e colocar nos favoritos as páginas das garotas com quem poderia aprender a conviver. Eu acreditava que era a única solução.

Foi quando tive a experiência que abalou a minha realidade, um daqueles momentos responsáveis por mudar o rumo da minha vida. Descobri uma sociedade secreta na internet em que homens com fama de serem os melhores artistas da sedução se encontravam para trocar dicas, histórias e táticas aprendidas em boates, ruas e quartos pelo mundo.

Estimulado pelo desespero, disfarcei minha identidade, bati na porta daquele mundo e ela lentamente se abriu. Uma vez lá, caí prostrado diante dos mestres. Pensei que eles teriam a chave para me libertar da prisão formada por minhas frustrações, medos e inseguranças.

Eles não tinham essa chave, mas não trocaria a jornada que fiz por nada no mundo, pois ela me ensinou algo que nunca teria percebido sozinho: na verdade, a chave estava comigo o tempo todo. Eu só não sabia onde encontrá-la ou como usá-la.

Quando escrevi o relato sobre aquela época, *O jogo*, pensei que seriam minhas últimas palavras sobre o assunto. Queria sair com elegância. Mesmo tendo virado involuntariamente o maior especialista da comunidade de artistas da sedução, prefiro ser aluno em vez de professor. Não escrevo para ensinar, e sim porque gosto de contar histórias.

Contudo, este livro não conta uma história, pelo menos não literalmente. É um manual. Não vou escrever a história, você é quem vai vivê-la. O que vai fazê-lo virar as páginas não será a trama, e sim a sua motivação.

A indústria da boa forma e da beleza oferece milhares de programas para ajudar você a alcançar seus objetivos em termos físicos, e há uma imensa e bem-estabelecida indústria de autoajuda para mulheres. Temos as páginas da revista *Cosmopolitan*, as personagens de *Sex and the City* e incontáveis livros, programas de entrevistas e empresas apenas para ajudar a enfrentar os desafios decorrentes do fato de ser mulher neste mundo.

O cenário para os homens, contudo, é bem diferente. A sexualidade masculina é satisfeita por todos os aspectos da sociedade, das páginas da revista *Maxim* aos outdoors vendendo a boa vida, passando ainda pela indústria pornográfica, que fatura 97 bilhões de dólares. Para todos os lugares que olham, os homens veem imagens das mulheres que devem desejar, mas há poucos conselhos substanciais disponíveis para ajudá-los a atrair essas mulheres, bem como melhorar seu estilo de vida e suas habilidades sociais. E levando em conta que as habilidades sociais ditam o rumo da sua vida (carreira, amigos, família, filhos e felicidade), trata-se de uma área importante demais para ser deixada de lado.

Assim, mesmo sem ter a intenção de voltar ao assunto depois de *O jogo*, comecei a usar o tempo livre para ajudar os vários caras que me procuraram após a publicação, fazendo contato por e-mail, telefone e carta cheios de histórias de cortar o coração. Ensinei adolescentes frustrados, virgens de 30 anos, empresários recém-divorciados e até astros do rock e bilionários. Porém, quanto mais pessoas eu ajudava, mais rapidamente a caixa de entrada se enchia de pedidos vindos de todos os cantos do mundo. Centenas viraram milhares, que viraram dezenas de milhares e depois centenas de milhares. E a maioria deles não vinha de babacas ou caras nojentos. Eram sujeitos legais, aqueles que as mulheres sempre dizem procurar, mas pelos quais nunca se sentem atraídas.

Então decidi tomar coragem e ir em frente. E o resultado está em suas mãos.

Este livro é um guia simples e fácil para abordar e atrair mulheres de qualidade. Embora tenha sido feito para os casos mais difíceis, está provado que funciona também para os homens que já têm sucesso com as mulheres.

Não há método, sistema ou filosofia por trás do desafio. É apenas o que funciona melhor e mais rápido. Passei cinco anos acumulando, vivendo e partilhando este conhecimento. Testei o material deste livro com mais de 13 mil homens de várias idades, nacionalidades e histórias de vida.

O resultado foi um programa de um mês para aperfeiçoar suas habilidades sociais, de atração, namoro e sedução.

Eu o chamo de Desafio Stylelife porque é o meu desafio para você: *aprenda o jogo em trinta dias*.

Hesitei em escrevê-lo, pois essa última frase faz parecer que estou me transformando em um daqueles caras que vemos sorrindo nas capas dos livros de autoajuda.

Mas se isto for útil para você, então já valeu a pena. E em trinta dias nós dois poderemos seguir em frente com nossas vidas.

Agora, vamos para sua história.

COMO JOGAR

Jogue fora tudo que você sabe sobre encontros amorosos e namoros.

Se você está lendo este livro é porque algo na sua vida não está funcionando. E se algo não está funcionando, só há um jeito de consertá-lo de uma vez por todas: desmontar completamente e reconstruir, peça por peça. Só assim você terá certeza de que todos os componentes estão funcionando ao máximo, sem erros e com a tecnologia mais atualizada.

Portanto, se você se sente intimidado demais para abordar as mulheres por quem está atraído, é virgem, nunca teve uma namorada de verdade, é incuravelmente tímido, está se recuperando de um fim de relacionamento ou divórcio difíceis, está sofrendo com um longo período de seca, está cansado de ver os outros caras ficarem com toda a diversão, quer atrair mulheres de melhor qualidade, ou se é bom com as mulheres mas não o bastante, bem-vindo ao Desafio Stylelife.

O meu desafio é simples: *consiga um encontro amoroso em trinta dias*.

Ao longo do caminho, independentemente do seu nível de experiência, você receberá habilidades, ferramentas, confiança e conhecimento para entender e atrair praticamente qualquer mulher na hora em que desejar.

Quero que você domine essa parte da vida. E para garantir que isso aconteça, vou segurar sua mão e guiá-lo ao longo de cada etapa do processo.

Por que estou fazendo isso? Porque após realizar a engenharia reversa que significou minha transformação de um cara solitário em alguém com um desejo sexual exagerado e então ao equilíbrio, como descrevi em *O jogo*, idealizei um atalho que comprime anos de aprendizado em um mês. Funcionou não só para mim como para milhares de homens, contribuindo para o sucesso deles com as mulheres, além de torná-los bem-sucedidos em um jogo muito maior: a vida.

Visão geral

- **O objetivo:** conseguir um encontro em trinta dias ou menos.
- **Quem pode jogar:** qualquer pessoa em busca de mais sucesso com as mulheres.
- **O custo:** o preço deste livro. E a disposição para experimentar novos comportamentos e ver se funcionam.
- **O prêmio:** a companhia de mulheres de qualidade, a inveja dos seus colegas, o estilo de vida que você merece.
- **Como jogar:** este livro contém trinta dias de exercícios. Separe pelo menos uma hora por dia (os dias não precisam ser consecutivos) para cumprir as missões sugeridas e ler o material extra.

Diretrizes

As instruções são simples: toda manhã, assim que você acordar, leia as missões do dia. Elas podem ser textos para estudar, perguntas a serem respondidas, exercícios de aperfeiçoamento pessoal a serem realizados ou atividades de campo para fazer você sair de casa e abordar mulheres. Tudo começa com um nível bem básico e vai avançando ao longo do Desafio. Pense nisto como um programa de boa forma física voltado para sua vida social.

Se quiser aproveitar ao máximo o Desafio, de modo que seus amigos e familiares notarão instantaneamente as mudanças em você, é importante completar todas as missões na ordem em que são apresentadas. Não pule etapas. Alguns exercícios podem parecer básicos enquanto outros podem não combinar com você, mas cada exercício se baseia no anterior, então siga a ordem correta.

Várias missões vão exigir a leitura de guias e artigos, que podem ser encontrados nas instruções complementares localizadas imediatamente após a lista das tarefas do dia. Não deixe de lê-las antes de realizar qualquer missão de campo.

O único material necessário além desses será papel e caneta, embora acesso a um espelho, um computador com internet e algum equipamento para gravar sua voz sejam úteis para algumas tarefas. Você também poderá manter um diário se quiser.

Não há necessidade de dinheiro para competir, mas você vai precisar de um pouco de tempo diariamente para fazer algumas tarefas que podem mudar sua vida a longo prazo. Nenhuma delas exige muito mais de uma hora, então mesmo se você tiver três empregos, poderá realizar todas. Se necessário, sempre é possível economizar tempo redirecionando toda aquela energia gasta desejando mulheres distantes (em revistas masculinas, programas de TV, na rua ou na internet) e aprender o que é preciso fazer para tê-las na sua vida.

Embora o Desafio tenha sido criado para ser cumprido sozinho, se você é o tipo de pessoa que se motiva ao conversar com outros que estão no mesmo caminho, fóruns de discussão opcionais estão disponíveis em www.stylelife.com/challenge, nos quais é permitido publicar perguntas, aventuras, pontos em que empacou e sucessos. Meus treinadores qualificados, seus colegas desafiantes e eu estaremos lá para ajudá-lo. Além disso, você encontrará exemplos em áudio e vídeo demonstrando alguns exercícios e abordagens. Observe que todas as ferramentas adicionais fornecidas para complementar o livro são gratuitas.

Como vencer o jogo

Você ganha quando, em algum momento entre o Dia 1 e o Dia 30, conseguir um encontro.

Um encontro é definido como um segundo encontro planejado com a mulher que você acabou de conhecer.

Por exemplo: se você abordar uma mulher em um bar, trocar telefones e tomar um café com ela dois dias depois, isso é um encontro. Se você falar com uma mulher no shopping, marcar de encontrá-la na mesma noite em um bar e ela aparecer especificamente para vê-lo, isso é um encontro, mesmo se vocês não trocarem telefones.

Basicamente, qualquer cenário em que você aborde uma mulher e ela concorde em vê-lo posteriormente (e apareça para isso) constitui um encontro.

Quando você conseguir um encontro, fique à vontade para colocar seu nome no círculo dos vencedores em www.stylelife.com/challenge e contar sua história. Caso vença antes do prazo de trinta dias, fique à vontade para continuar o Desafio e cumprir as missões pelo restante do mês. Elas vão aumentar ainda mais a sua confiança e melhorar o seu jogo.

Quando estiver pronto para receber a primeira missão, vire a página e comece o Desafio.

Aproveite e jogue com honestidade.

O DESAFIO STYLELIFE

MISSÕES DIÁRIAS

DIA

MISSÃO 1: Avalie-se

Programas de boa forma física exigem que você se pese no primeiro dia. Planos financeiros pedem uma lista dos seus bens e dívidas. Então, para remodelar sua vida social será preciso fazer uma autoavaliação nesta área.

A primeira missão consiste em responder às perguntas a seguir. Não se preocupe com o que os outros vão pensar. O objetivo é ser o mais honesto possível.

1. Faça uma ou duas frases descrevendo como você acredita que as outras pessoas o percebem atualmente.

   ____
   ____
   ____
   ____

2. Descreva em uma ou duas frases como você gostaria de ser percebido pelas outras pessoas.

   ____
   ____
   ____
   ____

3. Liste três comportamentos ou características suas que você gostaria de mudar.

   ____
   ____
   ____
   ____

4. Liste três novos comportamentos ou características que você gostaria de adotar.

____

____

____

____

MISSÃO 2: Leia e destrua

Antes de ir à primeira missão de campo, é preciso eliminar todas as crenças autossabotadoras que você possa ter em relação a interagir com mulheres. A próxima tarefa consiste em ler o manifesto intitulado "As correntes que nos prendem", localizado nas Instruções para o Dia 1, ao final das tarefas de hoje.

MISSÃO 3: Operação bate-papo

Primeira missão de campo: puxe papo com cinco desconhecidos hoje.

Não importa se forem homens ou mulheres, jovens ou velhos, amigáveis ou hostis. O desconhecido em questão pode ser um executivo na rua, uma senhora na fila do supermercado, a recepcionista de um restaurante ou um morador de rua.

O objetivo é simplesmente iniciar uma conversa, com a única intenção de preencher o silêncio usando uma pergunta ou brincadeira. O papo não precisa ir além de um comentário e uma resposta.

Se a conversa fiada não for algo natural para você, veja o noticiário antes de sair de casa. Entre os tópicos ideais para bater papo estão:

- O clima: "Está um dia lindo hoje. Pena que estamos presos aqui dentro."
- Esportes: "Você viu o jogo do _________ ontem? Não acreditei naquilo."
- Atualidades: "Ficou sabendo que _________? O que falta acontecer agora?"
- Entretenimento: "Você já assistiu ao filme novo do(a) _________? Queria saber se é bom."

Lembre-se: a resposta não importa. Independentemente de receber uma longa história ou um resmungo apressado, você cumpriu a missão apenas abrindo a boca e falando com um desconhecido.

INSTRUÇÕES PARA O DIA 1

AS CORRENTES QUE NOS PRENDEM

Quando se trata de conhecer mulheres, o meu maior inimigo era eu mesmo.

Costumava me olhar no espelho (1,67 metro, esquelético, careca e narigudo) e pensar que era impossível competir com todos os caras altos e de boa aparência por aí. Estava tão infeliz que cheguei a pensar em cirurgia plástica.

No entanto, depois que comecei a abordar mulheres nas ruas, bares, boates e cafés, descobri que a aparência não importava tanto quanto eu pensava. Desde que estivesse bem-arrumado, tudo o que eu precisava para atrair praticamente qualquer pessoa que eu desejasse era a personalidade certa.

Embora seja uma conquista ambígua ser citado nos meios de comunicação como o melhor artista da sedução do mundo, isso serviu para me ensinar que eu não precisava mudar minha aparência, pois estava indo bem. Na verdade, eu tinha mais chances do que os modelos altos, musculosos e de queixo quadrado, pois era muito menos ameaçador e intimidante. Eu conseguia passar despercebido. No fim das contas, meu problema não estava na aparência, e sim na minha crença limitadora em relação a ela.

Uma crença limitadora é algo em que você acredita com relação a si mesmo, a outras pessoas ou ao mundo e, embora não seja realmente verdade, o fato de você *pensar* que é impede que tenha novas experiências e seja bem-sucedido. Sempre que disser a si mesmo que "não consegue" fazer algo dentro das possibilidades humanas, trata-se de uma crença limitadora.

Eliminar as crenças limitadoras é muito fácil. Basta se perguntar: "Houve algum momento em que..." e inserir a crença limitadora em questão. Por exemplo, se você acredita que fica incomodado perto de mulheres lindas, pergunte-se: "Houve algum momento em que eu me senti bem perto de uma mulher linda?" Cite apenas uma ocasião e você já refutou a crença limitadora.

Quase todos são prejudicados por alguma crença limitadora, independentemente de a pessoa estar consciente disso ou não. Então, antes de mandar você correr pelas ruas e falar com desconhecidos, vamos esclarecer tudo e eliminar algumas das crenças limitadoras mais comuns sobre encontros amorosos e namoros.

CRENÇA LIMITADORA: Se eu falar com ela, vou ser ignorado. Ou pior ainda: ela vai dizer algo cruel que vai me envergonhar.

REALIDADE: Aqui vai algo que pode surpreendê-lo: quanto maior a dificuldade para abordar mulheres, menor a probabilidade de ser rejeitado com grosseria.

Por que isso acontece? Porque a maioria das pessoas foi criada para ser educada e gentil, a menos que se sintam ameaçadas. E um cara tímido não tem muitas chances de intimidar alguém. O pior que pode acontecer é a mulher educadamente dizer que está tendo uma conversa particular ou apenas pedir licença para ir ao banheiro. Criar cenários negativos do tipo "e se" na cabeça prejudica a saúde emocional. Saia de casa para abordar mulheres e você vai descobrir que a maioria dos cenários imaginados nunca vai acontecer.

CRENÇA LIMITADORA: As pessoas estão me olhando, me julgando ou debochando de mim.

REALIDADE: Isso está parcialmente certo. As pessoas até podem observá-lo, mas não necessariamente o estão julgando. A maioria está ocupada demais se preocupando com o que os outros vão pensar sobre elas. Quando você perceber que a maior parte das pessoas é exatamente igual a você e está na verdade procurando sua aprovação, vai passar a ser destemido socialmente.

Além disso, a maioria dos transeuntes que o vir abordando uma garota ou um grupo irá supor que você conhece aquelas pessoas, então aja como se realmente conhecesse. Isso não só vai diminuir seus temores sobre o que os outros estão pensando, como também tornará a abordagem mais eficaz.

CRENÇA LIMITADORA: As mulheres não se sentem atraídas pelos caras bonzinhos, pois gostam de cafajestes.

REALIDADE: Esse é um dos mitos mais antigos sobre encontros amorosos e namoros. E, felizmente, não é verdade. A dicotomia dos encontros e namoros não está de fato entre bonzinhos e cafajestes ou mocinhos e vilões, e sim entre fracos e fortes. As mulheres se sentem atraídas por homens que demonstram força – não necessariamente força física, mas a capacidade de transmitir segurança. Então se você é um cara bonzinho, pode continuar assim, mas também precisa ser forte.

Contudo, veja se você sabe o que significa ser bonzinho. A maioria dos caras que se definem como "bonzinhos demais" só age assim por querer que todos gostem deles e para evitar serem mal falados. Se esse for o seu caso, desça do pedestal. Não confunda ser medroso e bobo com ser bonzinho.

CRENÇA LIMITADORA: Não sou bonito, rico e nem famoso o suficiente para estar com uma mulher bonita.

REALIDADE: Vários astros do rock e multimilionários têm os mesmos problemas com mulheres que você. Eu sei por já ter ensinado vários deles e, ao longo do processo, aprendi que dinheiro, aparência e fama, embora certamente facilitem muito as coisas, não são de fato necessários. Felizmente para os homens, a aparência não importa tanto quanto a forma como nos apresentamos. E isso exige apenas boa higiene pessoal e roupas que transmitam uma identidade atraente. Quando se trata de riqueza e fama, demonstrar o desejo e a capacidade de conquistá-las pode ter o mesmo poder de efetivamente tê-las. Como caçadores de talentos, muitas mulheres se sentem atraídas por homens com objetivos e potencial. Por isso, nos próximos dez dias, vamos melhorar sua aparência, seus objetivos e o potencial que transmite.

CRENÇA LIMITADORA: Tem essa garota...

REALIDADE: Existem muitas mulheres incríveis neste mundo. Se você está fissurado por uma mulher específica, não consegue tirá-la cabeça e ela não deu qualquer indicação de que sente o mesmo, reconheça que isso não é amor, é obsessão. E tal obsessão provavelmente vai afastá-la de você. O melhor a fazer para si mesmo e para ela é sair e interagir com o máximo de mulheres possível até perceber que há um monte de pessoas disponíveis, algumas capazes de reconhecer seu valor e retribuir seus sentimentos.

CRENÇA LIMITADORA: Alguns caras nascem com a capacidade de encantar mulheres. Outros não são assim e nunca serão.

REALIDADE: Felizmente, há um terceiro tipo de cara, aquele que pode aprender a encantar mulheres. Esse sou eu. E quando você entender como a atração funciona e conseguir fazer algumas abordagens bem-sucedidas, esse também será você. Qualquer eventual problema nessa área não resulta do que você é, e sim do que está fazendo e de como está se apresentando. Tudo isso pode ser facilmente resolvido com o conhecimento certo e um pouco de prática. Se você continuar o programa após o Desafio, vai até começar a se sair melhor do que os caras que tanto invejava por acreditar que nasceram com esse talento.

CRENÇA LIMITADORA: Tudo o que eu preciso fazer é “ser eu mesmo” e vou acabar encontrando a mulher certa, que goste de mim como eu sou.

REALIDADE: Isso funciona apenas se você souber exatamente quem é, quais são seus pontos fortes e como transmiti-los com sucesso. Em boa parte dos casos, essa frase é usada como desculpa para não melhorar. O que a maioria de nós apresenta ao mundo não é necessariamente nosso verdadeiro eu, e sim uma combinação de anos de maus hábitos e comportamentos baseados no medo. O nosso verdadeiro eu está enterrado embaixo de todas as inseguranças e inibições. Por isso, em vez de apenas ser você mesmo, concentre-se permanentemente em descobrir e trazer à tona o que tem de melhor.

CRENÇA LIMITADORA: Para descobrir o que as mulheres querem, basta perguntar a elas.

REALIDADE: Isso às vezes pode ser verdade, mas não tanto quanto muitas pessoas pensam. Foi só quando comecei a experimentar comportamentos que pareciam contraintuitivos que descobri o segredo para ganhar o jogo: as mulheres não necessariamente reagem ao que querem. Além disso, o que elas *dizem* querer pode ser o que desejam num relacionamento, mas nem sempre é o que as atrai no período do flerte. Dito isso, a maioria das mulheres dará as informações de que você precisa para atraí-las, mas é preciso ler nas entrelinhas.

CRENÇA LIMITADORA: Se eu abordar uma mulher, ela vai saber que estou interessado e vai me achar um idiota.

REALIDADE: Isso é apenas parcialmente verdade. As mulheres acham isso apenas quando os homens fazem uma abordagem *péssima*, ou seja,quando as deixam desconfortáveis, assustadas ou parecem estar escondendo algo, por exemplo. O maior erro que um homem pode cometer com uma mulher é dar em cima dela antes que ela esteja atraída por ele. E embora isso descreva a "técnica" da maioria dos homens, é um erro que você não vai cometer se cumprir as missões diárias. Poucas mulheres vão ficar ressentidas depois de conhecer alguém simpático, engraçado, sincero, interessante, envolvente, que faz com que elas se sintam bem e não enche a paciência delas falando demais.

CRENÇA LIMITADORA: As mulheres não gostam tanto de sexo quanto os homens. Elas estão mais interessadas em ter um relacionamento.

REALIDADE: Se você acredita nisso, não conviveu muito com mulheres. Aqui estão alguns fatos que podem ajudar a destruir essa crença: são as mulheres que têm um órgão feito exclusivamente para o prazer sexual, o clitóris, que tem o dobro das terminações nervosas do pênis. E são as mulheres, não os homens, que podem ter orgasmos capazes de durar minutos ou mais. A maioria dos homens tem apenas um orgasmo e depois perde a excitação. Já a maior parte das mulheres pode ter um orgasmo atrás do outro e de vários tipos: clitoriano, vaginal, misto, de corpo inteiro e psíquico (pesquise).

Em resumo, quando o sexo é bom é ainda melhor para as mulheres do que para nós. Sendo assim, não faz sentido que elas gostem e queiram mais?

DIA

MISSÃO 1: Defina seus objetivos

Parabéns! Você sobreviveu ao Dia 1.

Não importa se você já sabe quais são os seus objetivos na vida ou se apenas precisa de um empurrãozinho, o primeiro exercício de hoje vai ajudá-lo em suas conquistas e programar sua mente para o sucesso.

Para citar J.C. Penney, fundador da cadeia de lojas de mesmo nome: "Dê-me um estoquista com um objetivo e eu lhe darei um homem que fará história. Dê-me um homem sem objetivo e eu lhe darei um estoquista".

A missão consiste em ler as perguntas a seguir, pensar com cuidado e escrever uma declaração de missão pessoal. Seja o mais específico e ambicioso que puder. (Exemplos de conquistas incluem formar uma banda, comprar uma casa, entrar em forma, abrir uma empresa, virar presidente.)

1. Quais são as três realizações que você gostaria de alcançar para ficar mais feliz?

___
___
___
___

2. Por que essas realizações o deixariam mais feliz?

___
___
___
___

3. Qual é a sua missão pessoal?

Eu serei ______________________ (máximo de quatro palavras)
MEU PAPEL

que vai ______________________ (máximo de quatro palavras)
MEU OBJETIVO EM TERMOS DE FAMA

em até ______________________ dias/semanas/anos.
NÚMERO

4. Liste três resultados específicos para definir quando a missão foi cumprida. (Por exemplo: "Terei conseguido duzentos mil reais"; "Terei perdido 15 quilos"; ou "Terei ganhado cinco Oscars".)

1. Terei ______________________ __________ __________.
VERBO DE AÇÃO NÚMERO ASPECTO

2. Terei ______________________ __________ __________.
VERBO DE AÇÃO NÚMERO ASPECTO

3. Terei ______________________ __________ __________.
VERBO DE AÇÃO NÚMERO ASPECTO

5. Por que agora você está totalmente comprometido com sua missão pessoal?

Porque se eu *não* correr atrás disso *agora*, vou continuar a sofrer pelos próximos anos e

- meu ______________________ vai diminuir/piorar/fracassar.
ELEMENTO/QUALIDADE DE VIDA
- meu ______________________ vai diminuir/piorar/fracassar.
ELEMENTO/QUALIDADE DE VIDA
- meu ______________________ vai diminuir/piorar/fracassar.
ELEMENTO/QUALIDADE DE VIDA

Mas se eu *realmente* correr atrás disso *agora*, vou aproveitar os próximos anos e

- meu ______________________ aumentar/melhorar/virar realidade.
ELEMENTO/QUALIDADE DE VIDA
- meu ______________________ aumentar/melhorar/virar realidade.
ELEMENTO/QUALIDADE DE VIDA
- meu ______________________ aumentar/melhorar/virar realidade.
ELEMENTO/QUALIDADE DE VIDA

MISSÃO 2: Olhe dentro dos seus olhos (opcional)

Há outra etapa pela qual você pode passar a fim de reforçar sua declaração de missão pessoal e fortalecer seu intuito subconsciente: a auto-hipnose. Encomendei um exercício carismático visando moldar a mente especificamente para o Desafio, que ofereço na internet em www.stylelife.com/challenge.

Após fazer o download, encontre um lugar confortável e sem distrações. Diminua as luzes, tire os sapatos e sente-se ou deite-se. Relaxe. Depois coloque fones de ouvido, toque o áudio e entre nesta jornada.

Ouça toda a gravação sem interrupções. É mais importante *sentir* a experiência do que vê-la. Tente ouvir a gravação dia sim, dia não durante o Desafio. Quanto mais você ouvi-la, melhor será o resultado.

MISSÃO 3: Olhe dentro dos olhos deles

Sua missão de campo hoje consiste em sair de casa e bater papo com mais cinco desconhecidos.

Mas dessa vez há algo a mais: faça contato visual com todas as pessoas. Registre a cor dos olhos de cada uma delas no espaço a seguir.

1. ______________________________
2. ______________________________
3. ______________________________
4. ______________________________
5. ______________________________

No primeiro exercício de bate-papo o objetivo era desenvolver a capacidade de falar com qualquer um sem medo. Olhar nos olhos das pessoas (tendo o cuidado de não encará-las) não só aumentará a probabilidade de uma resposta como ajudará você a se conectar com o interlocutor em um nível mais pessoal.

Se quiser desenvolver ainda mais essa habilidade crucial, porém sutil, aqui vai um exercício extra: tente pegar um táxi, conseguir a atenção de um barman ou chamar um garçom para sua mesa sem falar ou fazer gestos, usando apenas o contato visual.

MISSÃO 4: Uma dica para amanhã

Leia a tarefa de amanhã assim que acordar, antes mesmo de tomar banho, fazer a barba ou verificar o e-mail.

DIA

MISSÃO 1: Adote o método de higiene do homem das cavernas

Esta próxima missão vai deixá-lo um pouco incomodado. E isso é bom. O motivo vai ficar claro amanhã. Mas por enquanto:

Não tome banho hoje.

Não faça a barba hoje.

Há uma grande probabilidade de ninguém notar, pois a maioria das pessoas está ocupada demais se preocupando com a própria aparência. Caso alguém note, diga que você está tentando ganhar uma aposta ou participando de um estudo muito bem remunerado para uma empresa de desodorantes.

MISSÃO 2: Fale de modo confiante

Quando eu estava aprendendo o Jogo, tinha problemas para conhecer gente nova porque falava rápido e baixo demais, engolindo as palavras. Em uma boate barulhenta, isso fazia com que conhecer mulheres fosse praticamente impossível. Então fui a um especialista em voz chamado Arthur Joseph.

– A sua voz é sua identidade –, ensina ele. – Ela pode dizer às pessoas tudo sobre quem você é, como se sente em relação a si mesmo e no que acredita.

Por isso hoje nós vamos trabalhar a sua voz.

Existem cinco erros comuns que as pessoas cometem na fala. Tais erros estão definidos, junto com um exercício para cada um, nas Instruções para o Dia 3.

Sua tarefa consiste em ler o artigo e fazer pelo menos três dos exercícios, mesmo se achar que não precisa deles. O resultado pode ser surpreendente.

MISSÃO 3: Fale com o Sr. Moviefone*

Para a missão de campo de hoje, fique em casa. Você vai usar apenas a voz.

A tarefa consiste em ligar para um número aleatório na sua cidade. Quando alguém atender, tente fazer com que ele ou ela recomende um bom filme. Só isso.

O objetivo não é apenas falar com mais desconhecidos, e sim aprender a mudar o rumo de uma interação sem incomodar a outra pessoa. Essa habilidade vai ajudar você a assumir o controle da conversa na vida real e direcioná-la para o resultado que deseja.

Algumas dicas:

Em vez de apenas discar sequências de números ao acaso, procure uma lista de telefones residenciais e escolha números aleatórios. Ou use os primeiros quatro dígitos do seu telefone e invente os últimos quatro.

Aqui está um pequeno exemplo de roteiro que usei quando fiz o Desafio:

– Oi, a Katie está? Não? Bom, talvez você possa me ajudar, de qualquer forma... – Não hesite nem dê à pessoa a oportunidade para dizer não. – Quero ver um filme hoje à noite e estava me perguntando: você viu algum filme bom ultimamente que poderia me indicar?

Veja outro roteiro que funcionou:

– Alô? É do Moviefone? Não? Bom, você se importaria de me recomendar rapidamente um filme para assistir hoje à noite? Viu algo interessante por esses dias?

Se a pessoa com quem você estiver falando hesitar ou perguntar se isso é uma piada, acalme-a dizendo que está falando sério. Uma palavra mágica que pode ser usada é *porque*. Dar um motivo, não importa o quão ilógico ele seja (algo como "Não, estou falando sério. É porque estou com pressa"), influencia psicologicamente as pessoas a aceitarem um comportamento inesperado.

Quando receber uma recomendação de filme de três pessoas diferentes, considere a missão de hoje cumprida.

MISSÃO 4: Hora da hipnose (opcional)

Ouça mais uma vez o exercício carismático de ontem para moldar a mente. Entenda e comece a integrar os novos atributos à sua imagem.

---

* Serviço telefônico nos EUA em que você liga para saber os filmes em cartaz numa determinada região, ouvir críticas e comprar ingressos. (*N. do T.*)

INSTRUÇÕES PARA O DIA 3

TREINAMENTO VOCAL

Com a ajuda de vários especialistas em voz, compilei cinco exercícios criados para eliminar fraquezas no seu discurso e trazer à tona a sua voz de comando mais completa e poderosa.

Antes de começar esta atividade, você vai precisar de:

- Um espelho, preferencialmente de corpo inteiro.
- Um gravador de áudio ou computador com microfone.
- Uma área ampla em que seja possível falar alto.

Conceitos básicos

Há dois fatores que fazem a diferença entre um bom e um mau orador: respiração e postura.

Respirar profundamente antes de falar enche os pulmões de ar e permite que as palavras saiam com força total. Para verificar se está fazendo isso corretamente, respire fundo. Se o tórax se expandir, sua respiração está curta demais.

Tente de novo até o diafragma (o músculo embaixo da caixa torácica) se expandir. Para confirmar isso, coloque a mão no seu estômago e veja se ele se expande a cada inspiração.

A má postura pode restringir o diafragma e a respiração, castrando a força vocal. Sempre que você falar, certifique-se de que a parte superior do corpo esteja ereta e alinhada. Se necessário, use a técnica de se imaginar puxando uma corda que vai da parte inferior da coluna até o alto da sua cabeça. Mas não fique tenso demais, veja se está relaxado e confortável com a posição do seu corpo. Se isso não parecer natural, não se preocupe: amanhã vamos examinar sua postura em detalhes.

PROBLEMA: Voz baixa ou suave

SOLUÇÃO: Encontre um espaço grande e amplo, seja em um ambiente fechado ou ao ar livre. Leve um gravador de áudio, um amigo de confiança ou ambos.

Afaste-se do gravador ou do amigo com três passos largos.

Respire profundamente com o diafragma. Prenda a respiração, depois expire lentamente.

Respire fundo mais duas vezes, depois inspire mais uma vez e, enquanto estiver expirando, diga, usando sua voz normal: "Posso dizer isto sem gritar e ser ouvido mesmo assim."

Agora volte e ouça sua voz na gravação ou pergunte ao seu amigo sobre como ela soou.

Então retorne à mesma posição e repita a mesma frase. Agora, em vez de falar para o seu amigo ou o gravador, mire a voz para um ponto dois ou três metros acima de você. Imagine sua voz como uma bola de basquete fazendo um arco até chegar à cesta. Depois verifique os resultados em busca de melhoras.

Dê mais três passos largos e repita a mesma frase: "Posso dizer isto sem gritar e ser ouvido mesmo assim." Tente aumentar o volume da voz sem gritar ou mudar o tom.

Dê mais três passos largos. Lembre-se de mandar a voz para um arco bem alto, além do ouvinte. Depois ouça a gravação (ou a reação do seu amigo) e critique sua projeção vocal. Veja a que distância você pode ficar e ser ouvido claramente sem gritar. Pratique isso até ficar confortável falando em um volume alto sem mudar o tom de voz. Você vai notar que durante o processo também vai começar a falar com mais clareza.

Se você vem falando baixo a vida inteira, há uma boa probabilidade de o volume da sua voz como você imagina não ser o mesmo ouvido pelas outras pessoas. Então, se normalmente fala no volume cinco, por exemplo, de agora em diante use o volume sete. Não se preocupe em falar alto demais, é muito mais provável que seus amigos comecem a elogiar o fato de você estar se comunicando mais claramente.

PROBLEMA: Fala rápida

SOLUÇÃO: Falar rápido demais é um dos erros vocais mais comuns e prejudiciais. Não só dificulta a compreensão do que se fala como dá aos outros a impressão de que você está nervoso, não é confiante e o que tem a dizer não importa.

Uma voz calma e lenta demonstra autoridade.

Para este exercício, sente-se com a coluna reta em frente a um gravador de áudio ou computador com microfone. Respire fundo. Agora diga, sem diminuir o ritmo, a seguinte frase, de um fôlego só: "Vou parar de falar rápido demais e embolar todas as minhas palavras de um fôlego só porque tenho muitos pensamentos na cabeça e estou tentando expressar todos e tenho medo de que se eu fizer uma pausa, as pessoas vão parar de ouvir."

Ouça a gravação. Muito provavelmente, espremer uma frase inteira em um fôlego só piorou sua pronúncia e fez com que você engolisse algumas palavras.

Agora inspire e diga a mesma frase, mas desta vez num ritmo exageradamente lento e calculado. Faça pausas dolorosamente longas entre as orações, pronuncie cada palavra cuidadosamente e respire mais do que precisaria normalmente. Depois ouça a gravação.

Repita este exercício de cinco a dez vezes, aumentando gradualmente o ritmo, normalizando a respiração e encurtando as pausas entre as palavras, sempre fazendo questão de falar devagar e pronunciar cada palavra com perfeição. Isso vai parecer pouco natural no início, mas continue praticando até encontrar um ritmo confortável, que deixe sua fala clara e chame a atenção dos outros.

Repita a frase completa mais vezes na frente do espelho até se acostumar com o novo ritmo da sua fala.

Mesmo após dominar este exercício sozinho, sua voz pode acelerar novamente em situações sociais. Então monitore-se: respire fundo e diminua o ritmo no momento em que perceber que está falando rápido.

Assim como acontece quando se aumenta o volume da voz, pode levar um tempo para o ouvido interno se acostumar a essa mudança. Você pode pensar que está entediando seus interlocutores, embora não esteja. Quem fala rápido geralmente descobre que, mesmo quando diminui o ritmo para o que parece ser uma lerdeza interminável, ainda está falando mais rápido do que as outras pessoas no recinto.

PROBLEMA: *Tilt* cerebral

SOLUÇÃO: O *tilt* cerebral é inimigo da confiança.

Independentemente de saber ou não o que é um *tilt* cerebral, experimente este exercício antes de ler mais. Grave-se falando com um amigo. Leve um gravador de áudio quando sair de casa ou grave o seu lado da conversa da próxima vez que estiver ao telefone.

Toque a gravação e transcreva cuidadosamente as primeiras frases. Escreva todas as palavras que falou. Não deixe passar nada.

Agora olhe para as anotações. Você notou a presença de *hum* ou *é* em algum lugar? E outras palavras como "sabe", "tipo", "né", "aí"? Tais palavras são os *tilts* cerebrais.

Aprendemos a usar essas expressões sem significado por vários motivos: como curingas, para garantir que não iremos perder a atenção de alguém enquanto estamos pensando no que dizer a seguir, e como um sistema de sonar, para nos assegurarmos de que o interlocutor entende ou concorda com o que estamos dizendo.

Mas você sabe que mensagem esses *tilts* estão realmente mandando para quem ouve? Insegurança.

Pausar por um instante não vai fazer você perder a atenção de ninguém. Sempre fale como se tudo o que está dizendo fizesse sentido, mesmo quando achar o contrário. A verdade é que a forma pela qual você se comunica causa mais impacto do que o conteúdo propriamente dito.

Agora ouça dez minutos da conversa que gravou. Anote cada *tilt* cerebral que você deixou escapar, depois leia em voz alta (a menos que a folha esteja em branco; neste caso, candidate-se imediatamente ao cargo de locutor). Repita até que eles fiquem gravados na sua mente, de modo que você tenha consciência desses deslizes durante as próximas conversas. De agora em diante, vá devagar e escolha cada palavra a ser dita.

O segredo para eliminar os *tilts* cerebrais e quebrar a maioria dos maus hábitos na fala está em fazer a autocorreção. Em outras palavras, ouça a si mesmo quando fala. Se notar um *tilt* cerebral, pare, corrija-se e repita a frase sem ele. Também pode ser útil ter sempre sua lista de *tilts* à mão, servindo como um lembrete para monitorar sua fala em busca desses pequenos marcadores de insegurança.

PROBLEMA: Voz monótona

SOLUÇÃO: Se você fala como um professor idoso de geografia, se os seus amigos fecham os olhos quando conta uma história, se os colegas se desligam no meio das suas apresentações, você talvez tenha uma voz monótona.

Este é um trecho de um conto infantil. Leia-o em voz alta para o gravador agora:

Leopold Elfin tinha um problema: o nariz dele assoviava. Não havia como evitar que isso acontecesse. Toda vez que respirava pelo nariz, saía um som. Não era o ruído discreto que geralmente sai das narinas grisalhas dos homens com o triplo da sua idade, e sim um grunhido alto e agudo como um guarda apitando para controlar o tráfego. Leopold tinha plena consciência desse problema, mas nunca procurou um médico por achar que era mais uma questão de anatomia do que de medicina. Talvez fosse o desvio de septo, as narinas estreitas e ovais ou a curva na ponta do nariz o fator responsável por tal inadequação social.

Agora toque a gravação. Se possível, ouça com um amigo ou parente para conseguir uma opinião mais objetiva.

Você tem uma voz dinâmica ao contar uma história, do tipo que atrai os ouvintes para o mundo que está descrevendo? Ou uma voz monótona, do tipo que faz os ouvintes se desligarem no meio do discurso?

Se o seu caso for o último, ligue a televisão. Encontre um apresentador, comediante ou narrador com uma voz dinâmica de que você goste. Ouça como ele fala. Preste atenção a cada detalhe e nuance que faz com que a voz dele seja atraente. Observe como ele está ligado no material, como sua voz é cheia de energia, calor e urgência.

Agora tente repetir o que ele diz usando exatamente as mesmas palavras, além de imitá-lo em tom e estilo.

Quando se sentir capaz de transmitir algumas das qualidades envolventes dele, volte ao trecho do conto. Releia-o ao gravador, usando as técnicas que acabou de aprender. Experimente mudar volume, tom, velocidade, timbre, ritmo e fluxo da voz enquanto lê. Tente enfatizar palavras diferentes, criar pausas não usuais, encurtar ou alongar palavras e falar com vozes e sotaques diferentes. Leia o trecho várias vezes e não tenha medo de brincar com o exercício se isso ajudá-lo a superar suas limitações.

Quando terminar o processo, leia o parágrafo mais uma vez. Agora imagine que está gravando um audiolivro para crianças. Compare a nova versão à original e descubra o grande contador de histórias que havia em você.

PROBLEMA: Afirmações que parecem perguntas

SOLUÇÃO: Sente-se, pegue seu gravador de estimação e coloque-o na sua frente.

Para o último exercício de voz, imagine que o gravador de áudio é um amigo. E este amigo não gosta de peixe. Seu objetivo consiste em convencê-lo a experimentar sushi com você hoje à noite.

Quando terminar, toque a gravação. Ouça-a com cuidado. Sua voz sobe de tom ao fim das afirmações?

Se isso acontecer, você vai notar que as afirmações se assemelham a perguntas, o que faz com que você pareça inseguro.

Oradores persuasivos terminam frases (e argumentos) de maneira conclusiva.

Se as afirmações terminam em um tom mais alto do que começaram, regrave o mesmo discurso. Desta vez, seja firme. Em vez de fazer perguntas que imploram por se tornarem afirmações, faça afirmações definitivas, que demonstrem certeza. E certifique-se de que o discurso em si não se perca em bobagens e repetições, mas que culmine em uma conclusão definitiva e poderosa. Mostre que sabe o que está falando e que acredita em cada palavra. Mesmo se por acaso não gostar de sushi.

Quando você dominar tal técnica, o exercício acabou.

Parabéns.

Contudo, só porque conseguiu identificar e corrigir esses cinco grandes erros vocais hoje não significa que o problema está resolvido de vez. Revisite os exercícios duas vezes por semana e, sempre que estiver conversando, monitore sua postura, respiração e discurso. Se tiver alguma recaída, corrija-se imediatamente. Em pouco tempo você não só verá as mulheres ansiosas para ouvir tudo o que disser como terá seu próprio programa de rádio.

DIA

MISSÃO 1: Vá para o chuveiro

Assim que acordar, coloque sua música animada favorita em um volume bem alto. Tome uma chuveirada, lave o cabelo e ensaboe-se cuidadosamente. Lave-se duas vezes, se quiser. E... não se masturbe hoje, caso tenha o hábito de fazer isso.

Coloque algo aromático no corpo: um hidratante, talco ou um leve toque de perfume. Gargareje com enxaguante bucal. Qualquer coisa que faça você se sentir e cheirar bem.

Em seguida faça a barba bem rente (preservando bigode, barba ou cavanhaque, caso existam). Raspe ou arranque à pinça os fios indesejados que eventualmente brotam nos seguintes locais: orelhas, narinas, nuca.

Coloque roupas limpas e que lhe caiam bem. Você deve se sentir o máximo.

Agora olhe-se ao espelho e leia o seguinte:

"Você é incrível. As pessoas te amam e respeitam. Você irradia carisma, charme, graça e se destaca de todos ao redor. Falar com você é um privilégio. Você merece o melhor que o mundo tem a oferecer. Está tudo lá, lhe esperando."

Leia isso quantas vezes for necessário, em voz alta se preciso, até você realmente se sentir desse jeito e incorporar esse discurso.

Agora guarde essa sensação.

MISSÃO 2: Pergunte a um especialista

O que você viveu na missão anterior é um ritual simples que ajuda muitos homens a incorporarem um estado mais confiante, positivo, e a sentirem-se imbatíveis. Reserve um momento para desenvolver um ritual próprio, a fim de se estimular antes de sair para encontrar mulheres. Isso pode envolver a prática de exercícios físicos, algum hábito relacionado à higiene, repetir afirmações, ler algo inspirador, relembrar sucessos anteriores, tocar sua música favorita bem alto, cantar, tomar um banho, dançar, ligar para alguém que o faz rir ou qualquer combinação das opções anteriores.

Hoje é o primeiro dia em que você vai conhecer mulheres com as quais poderá namorar. Estas abordagens devem ser feitas logo após você ter saído de casa limpo, bem barbeado e sentindo-se bem consigo mesmo.

A missão: peça a três mulheres para recomendarem uma loja bacana que tenha roupas masculinas. Essa missão estará completa quando você tiver abordado três mulheres *e* recebido uma recomendação de loja. (Em outras palavras, se você abordar três mulheres e obtiver uma sugestão de loja de roupas, completou a missão. Se abordar três mulheres e não conseguir uma recomendação, continue perguntando até conseguir.)

Quando você conseguir uma recomendação, anote o nome da loja e o local, caso ela saiba onde fica. Mantenha essas informações à mão.

Aqui estão algumas dicas:

- Aborde mulheres que pareçam morar na cidade e tenham um estilo bacana.
- Se estiver falando com pessoas na rua, não as aborde por trás porque pode assustá-las. Faça a abordagem de frente ou ultrapasse-as e olhe para trás enquanto continua a andar. Elas vão se sentir ainda mais confortáveis se você aumentar a distância enquanto anda, como se tivesse algum lugar para ir. Também é possível fazer abordagens em cafés, shoppings ou qualquer lugar em que se sentir confortável.
- Tenha consciência de que apenas uma em cada três mulheres vai conseguir pensar em uma loja logo de cara. Algumas pessoas têm um branco quando são pegas de surpresa.

Assim que ela responder, mesmo se for só para dizer "Não sei", você completou a abordagem. Diga "Obrigado pela ajuda" (ou "Obrigado mesmo assim" se ela não tiver nenhuma ideia) e vá embora, se quiser. Ou continue a interação. A decisão é sua.

Boa sorte.

MISSÃO 3: Mantenha a coluna reta

Antes mesmo de você abrir a boca, as mulheres já formaram uma impressão inicial a seu respeito. E essa impressão se baseia basicamente na linguagem corporal. Hoje você vai aprender a demonstrar confiança por meio de um simples exercício, chamado postura de parede.

Fique em pé com as costas em uma parede. Verifique se os calcanhares, nádegas e ombros estão encostados na parede. Além disso, a parte de trás da cabeça, logo acima da altura do queixo, também deverá encostar na parede.

Permaneça nesta posição por um minuto. Alcance as costas com as mãos e verifique se não há muito espaço entre a parte inferior das costas e a parede. Se houver, contraia o abdômen a fim de trazer as costas para mais perto da parede.

Agora afaste-se da parede e ande pela sala por um minuto sem mudar a postura. Guarde na memória a posição e o alinhamento do seu corpo.

Repita este exercício mais uma vez hoje e, se possível, uma vez por dia ao longo do Desafio. De agora em diante, verifique sua postura regularmente e alinhe-se caso perceba que está andando curvado.

Como a postura é crucial tanto para a confiança quanto para a aparência e saúde, preparei um tutorial extra em vídeo no site www.stylelife.com/challenge. Ele mostra os conceitos básicos da Técnica de Alexander, escola de movimento que melhora não só a forma como você fica em pé, anda e se senta, como também seu modo de falar e o que sente com relação a si mesmo.

DIA

MISSÃO 1: Lá vem o noivo

Hoje é o dia da higiene pessoal e o foco é a sua aparência.

Quando os homens conversam sobre habilidades de atração geralmente agem como se a aparência fosse a única variável que não podem controlar, talvez por pensarem que a aparência é genética. Isso não é verdade.

Assim como qualquer garota pode emagrecer, colocar implantes de silicone e pintar o cabelo de louro para chamar a atenção, qualquer cara pode ter uma boa aparência. Da mesma forma que é possível aprender a usar quebra-gelos e meus procedimentos ou a demonstrar confiança, é possível aprender a ter boa aparência. Não importa como os outros enxergam você atualmente. Se estiver disposto a fazer algumas mudanças, pode passar a ser considerado bonito.

Já peguei os piores cenários possíveis (homens gordos, carecas e cheios de espinhas usando óculos de fundo de garrafa) e, através dos milagres do bronzeamento, lentes de contato, decisões como raspar a cabeça, dermatologia, academias de ginástica e roupas masculinas, eu os transformei em homens bacanas e de boa aparência que exalam confiança e poder.

Agora é a sua vez.

Sua tarefa consiste em ler a lista de apresentação pessoal nas Instruções para o Dia 5 e fazer pelo menos uma tarefa dali. Nem todas as sugestões vão se aplicar a você, então escolha uma na área em que sua deficiência for maior.

Se tiver uma amiga de confiança, pergunte: “Se você tivesse que escolher algo para mudar na forma como eu me arrumo, o que seria?” Deixe claro que você gostaria de uma opinião sincera e construtiva, e não leve para o lado pessoal quando ela responder.

MISSÃO 2: Faça uma mudança

O primeiro passo para melhorar a aparência consiste em aprimorar a forma como você se apresenta. O segundo, em se comprometer com o estilo certo.

O ideal é que o estilo e as roupas transmitam a ideia de que você pertence a um de três segmentos da sociedade: o mesmo nicho, grupo ou tribo ao qual a mulher em que você está interessado pertence; uma tribo à qual ela deseja pertencer; ou uma tribo que ela queira visitar. Por exemplo: homens usando camisas sujas e largas e bermudas cáqui de caimento ruim pertencem a uma tribo que agradaria a poucas mulheres, enquanto astros do rock com piercings e tatuagens pertencem a uma tribo que a maioria das mulheres pelo menos gostaria de visitar.

Assim, a missão de hoje consiste em conseguir uma consultoria de estilo grátis.

Para isso, verifique os resultados do exercício de campo de ontem e escolha a loja de roupas que recebeu a maior quantidade de recomendações. Se possível, evite grandes cadeias de lojas. Escolha uma loja pequena e independente.

Vá até a loja escolhida, de preferência quando a probabilidade de estar lotada for menor, e fale com a vendedora que parecer mais solícita. Diga que você pretende mudar de estilo e peça para ela criar um visual completo. Se ela quiser mais detalhes, diga que vai a um desfile de moda, vernissage, estreia de cinema, boate sofisticada ou outro evento imaginário que se encaixe melhor no seu novo visual.

Vista as roupas novas e olhe-se no espelho. Embora o estilo da roupa faça a diferença, ter o caimento perfeito é ainda mais importante.

Se você realmente detestar as roupas, diga a vendedora o motivo e peça a ela para criar outro visual. Se ela não for solícita ou forçar muito a barra para você comprar, procure outra loja.

Se gostou do visual e puder pagar, compre. Quando chegar em casa, cuide bem das peças, pendurando-as em um cabide e lavando-as a seco quando ficarem sujas.

Se as roupas estiverem além de seu poder aquisitivo, lembre-se das marcas, tamanhos e do estilo para poder comprá-las no futuro, encontrar peças equivalentes em uma loja de roupas usadas ou adquirir tudo mais barato pela internet.

Se você comprou as roupas, pergunte à vendedora onde encontrar um bom par de sapatos. Na loja de sapatos, mostre as roupas a um funcionário e peça um belo par de sapatos que combine com elas.

MISSÃO 3: Renovação

Escolha um dos itens a seguir para repetir: o áudio da auto-hipnose, os exercícios vocais ou a postura da parede, com vídeo. Tente revisar pelo menos um desses três fundamentos todos os dias ao longo do Desafio.

MISSÃO 4: Separe o seu uniforme

Se você comprou alguma roupa ou acessório novo hoje, prepare-se para usá-los amanhã.

INSTRUÇÕES PARA O DIA 5

LISTA DE APRESENTAÇÃO PESSOAL

Escolha pelo menos um dos itens desta lista e faça a mudança sugerida. Nem todas as dicas vão se aplicar a todos os leitores. Algumas são excessivamente corretivas e outras, meticulosas demais. Algumas podem ser implementadas em poucos minutos sem custos enquanto outras podem exigir tempo ou dinheiro. Evite as tarefas com as quais você se sente mais à vontade. As mudanças incômodas é que vão gerar mais resultados.

- **Mude o cabelo.** Procure revistas de música e moda masculina, encontre o corte de cabelo que você mais gostaria de ter e marque um horário no melhor salão de beleza da cidade, levando a foto em questão. Peça ao cabeleireiro recomendações de produtos necessários para manter o novo visual.
- **Jogue fora os óculos.** Compre lentes de contato ou faça cirurgia a laser. Se os óculos complementam seu estilo, pense em adquirir uma armação de grife bacana.
- **Pegue um bronzeado.** O jeito mais rápido e fácil de fazer isso é por meio de bronzeamento com spray, feito em salão especializado. Exija o uso de uma marca que tenha um resultado relativamente natural, como a Mystic Tan.
- **Faça as unhas das mãos e dos pés.** Vá a qualquer salão de beleza. Não é necessário colocar esmalte colorido, apenas peça para fazer as unhas ou para passar uma base. Não só isso transmite um

cuidado com a higiene pessoal como vai ajudá-lo a entender que o motivo pelo qual uma mulher presta atenção aos pequenos detalhes em você é o fato de ela prestar atenção a esses detalhes em si mesma.

- **Retire o excesso de pelos.** Pegue uma pinça ou tesoura especial para aparar os pelos do nariz e retire todos os pelos das narinas, assim como aqueles entre as sobrancelhas, nas orelhas e na nuca. Se você tiver muitos pelos em outros lugares, apare, raspe ou tire com uma pinça.
- **Examine-se minuciosamente diante do espelho.** Se possível, compre um espelho de aumento. Retire a cera visível dos ouvidos com um cotonete, remova os pelos indesejados, corte e limpe as unhas das mãos e dos pés e verifique se a pele está oleosa, seca, se há bolsas sob os olhos ou outras áreas problemáticas que exijam o uso de produtos específicos para o rosto.
- **Cuide das sobrancelhas.** Vá a um spa ou salão de beleza e peça para fazer as sobrancelhas com pinça (ou cera) e, opcionalmente, pinte-as em um tom um pouco mais escuro ou mais claro.
- **Faça branqueamento nos dentes.** Compre um produto de branqueamento dental na farmácia, como o Oral-B 3D Whitestrips e comece a usá-lo hoje à noite. Se você não vai ao dentista há mais de um ano, marque uma consulta.
- **Deixe o hálito fresco.** Use o fio dental todos os dias. Pense em comprar um limpador de língua se o mau hálito for um problema. Compre chicletes ou balas de menta e os tenha sempre no bolso.
- **Marque uma consulta dermatológica.** Se você considera sua pele um grande problema, vá ao consultório de um dermatologista e pergunte quais produtos faciais ele recomenda para o seu tipo de pele. Não tenha vergonha de pedir amostras grátis ou comprar equivalentes mais baratos na farmácia.
- **Use acessórios.** Compre um cordão, anéis, uma pulseira, bracelete ou qualquer outro acessório de bom gosto. Tente não comprar algo que pareça barato demais e produzido em série, mesmo se for. Na dúvida, use algo simples por enquanto.
- **Entre em uma academia.** Marque horário com um professor para obter uma avaliação física e um regime de exercícios que inclua tanto o treinamento aeróbico para reduzir a gordura quanto a

musculação para aumentar a massa muscular. Leve a preocupação com a boa forma a um nível quase obsessivo.

- **Tenha uma alimentação mais saudável.** Controle a ingestão de calorias e reveja a dieta, de modo a limitar gorduras saturadas, açúcar refinado, sal em excesso e alimentos com alto teor de conservantes e carboidratos. Coma frutas frescas, vegetais e proteínas magras. Se você estiver mais de quarenta por cento acima do peso ideal, consulte um médico a fim de saber quais são as opções para emagrecer.
- **Verifique o caimento das suas roupas.** Abra o armário e experimente tudo. Se as jaquetas ficarem caídas nos ombros, os jeans estiverem largos na cintura, as mangas curtas pararem nos cotovelos ou as golas das camisas forem até o peito, mande um alfaiate consertar as peças ou doe-as para um brechó. O mesmo vale para tudo o que não lhe cair bem. Comprometa-se a substituir as peças por roupas de bom caimento que se adaptem melhor ao seu tipo físico.

Se você tiver algum problema com a aparência ou a higiene pessoal não listado aqui – seja suor nas axilas, chulé, manchas ou cicatrizes indesejadas, ou até o nome da ex-namorada tatuado no pescoço –, hoje é o dia para começar a resolver essa questão. Pesquise soluções na internet, fale com outros desafiantes no fórum do Stylelife e, caso seja necessário, compre os produtos recomendados ou marque uma consulta médica.

Não dê folga a si mesmo quando se trata da aparência. Você não tem mais desculpa.

DIA

MISSÃO 1: Acabando com a AA

Hoje nós vamos discutir o maior problema enfrentado pelos aspirantes a Don Juan: a ansiedade da abordagem.

A ansiedade da abordagem é uma doença debilitante que ocorre quando um homem se vê diante da possibilidade de abordar uma mulher atraente. Entre os sintomas estão: mãos suadas, batimentos cardíacos acelerados, falta de ar e nó na garganta. Psicologicamente falando, é mais medo de rejeição do que medo de se aproximar.

Se você hesitou antes de abordar as pessoas durante alguma das tarefas de campo até agora, então sofre de ansiedade da abordagem. Se você ainda não ficou nervoso, provavelmente vai ficar à medida que as missões ficarem mais avançadas ou quando vir aquela garota especial. Acontece até com os melhores.

Então leia as Instruções para o Dia 6 enquanto ainda há tempo e conheça a cura proposta por Don Diego Garcia, treinador sênior na Academia Stylelife.

MISSÃO 2: Se você não puder dizer algo bom...

Não se esqueça de tomar banho, fazer a barba e se sentir bem antes de sair de casa hoje. Se você criou um ritual para aumentar a confiança no Dia 4, faça-o. Caso tenha comprado peças de roupa novas ontem, use-as. Você vai sair de novo.

A missão: faça elogios espontâneos a quatro mulheres. Duas podem ser pessoas que você conhece: amigas, colegas de trabalho, até a sua mãe, mas duas precisam ser desconhecidas.

Evite elogios genéricos como "Você é linda" e evite dizer algo que possa ser considerado demonstração de interesse sexual, como "Você é gata". Em vez disso, concentre-se em elogiar algo específico relacionado a unhas, sapatos, bolsa ou postura da moça em questão. Após passar um tempo examinando-se com rigor ontem, você provavelmente irá achar mais fácil detectar e apreciar esses detalhes.

A resposta mais comum será um agradecimento sincero, educado ou indiferente. Saia após o elogio, a menos que ela continue a conversa.

O objetivo é não ser percebido como alguém que está tentando agradar ou dar em cima dela, mas apenas fazendo uma demonstração de apreciação sincera por algo que você notou espontaneamente.

Embora elogiar não seja recomendado para todas as abordagens, gerar atração não é o objetivo hoje. Este exercício foi feito para ajudar a eliminar a ansiedade da abordagem, aumentar a capacidade de observação, além de sair do seu mundinho e ficar ciente da realidade de outra pessoa.

MISSÃO 3: A regra das oito horas

Tenha uma boa noite de sono porque amanhã é um dos dias mais importantes no Desafio Stylelife.

INSTRUÇÕES PARA O DIA 6

ACABE COM A ANSIEDADE DA ABORDAGEM

Por Don Diego Garcia

Existem milhões de conselhos sábios oferecidos por especialistas em criar e desenvolver um relacionamento íntimo com sucesso, mas sete palavras se destacam entre eles: *Você não pode ganhar se não jogar.*

Esse é o mais importante dos pontos principais. Se ficar na sua caverna solipsista, você nunca vai construir um novo relacionamento. Você *precisa* sair de casa e interagir com gente nova.

A ansiedade da abordagem é o nome do demônio interno que impede os homens de falarem com desconhecidas atraentes quando não há barreiras externas. Antes de trabalhar algumas formas de transformar a ansiedade da abordagem em empolgação da abordagem, vamos falar de dois conceitos principais: a mente limitadora e a mente libertadora.

A mente limitadora

Quando nascemos, a natureza instala dois medos instintivos para nos manter seguros: medo de altura e de ruídos altos.

O medo moderado é bom, pois nos protege de perigos. Por exemplo, o medo de altura impede o ser humano de cair de precipícios. Já o medo de ruídos altos nos permite reagir rapidamente a avisos de perigo. Porém, a maioria dos medos e limites que temos não é inata, e sim adquirida. Nós nos impomos limites como resultado de experiências negativas ocorridas na infância e da influência de figuras de autoridade.

A mente libertadora

A mente libertadora biológica nos dá sinais de fome para que queiramos comer, sede para que queiramos beber e desejo de procriar. Atualmente, também temos desejos culturais de alcançar poder por meio da carreira, prazer por meio de jogos e propósito por meio de práticas espirituais.

Quando nossa mente limitadora está em equilíbrio homeostático com a mente libertadora, tudo vai bem. Vivemos em harmonia com o mundo, resolvendo problemas de modo eficaz quando eles surgem. Mas quando há um desequilíbrio entre a mente libertadora e a limitadora, surgem vários tipos de problemas.

Identifique sua mente limitadora

A maioria das crenças da sua mente limitadora foi alimentada por seus pais, tutores, professores, líderes religiosos, colegas ou qualquer pessoa que você admirava na infância. Embora haja valor em encontrar a fonte da sua mente limitadora, é mais importante entender a estrutura dela. A mente limitadora tende a se comportar em espiral descendente. Pôr a culpa em outros ou em si mesmo pelo que está na sua mente limitadora serve apenas para fortalecê-la. É melhor perdoar, esquecer e seguir em frente.

O primeiro passo da maioria dos caminhos para a recuperação é a aceitação: admitir que há um problema. O segundo passo para superar a fonte dessa ansiedade é tirá-la da escuridão inconsciente e trazê-la para a luz da nossa consciência. Só assim podemos começar a desmontá-la, ver como funciona e criar procedimentos para anulá-la.

A mente limitadora pode apresentar vozes que atrapalham, bem como imagens ou sensações físicas na hora de abordar desconhecidas. Vamos identificar os meios que ela pode usar para intimidar você, levando-o a abortar alguma missão social.

Entre as vozes da mente limitadora estão:

- **Insegurança:** "Você não vai saber o que dizer" ou "Lembra como você fracassou da última vez?".
- **Insegurança em relação aos outros:** "Ela provavelmente tem namorado", "Ela não vai se interessar por mim" ou "Ela está ocupada e eu iria atrapalhar".
- **Insegurança do entorno:** "Todo mundo vai debochar de mim" ou "Está barulhento demais para que ela consiga me ouvir".
- **Racionalização existencial:** "Por que me dar ao trabalho? Não vai dar certo mesmo", "Não estou no clima para isso agora" ou "Estou me divertindo demais com meus amigos".
- **Julgamentos falsos:** "Ela não é atraente o bastante" ou "Ela parece muito fútil para mim".

Entre os cenários lançados pela mente limitadora estão: ser ignorado, ser alvo de deboche ou *bullying*, ficar triste e sozinho, ser observado e julgado, levar uma surra, ser rejeitado e ver homens mais qualificados ou bem-sucedidos no recinto.

A mente limitadora também se expressa por meio de sensações físicas. Quando uma ameaça em potencial é registrada pelo seu radar, a resposta aguda ao estresse (também conhecida como o dilema do bater ou correr) lança adrenalina no seu organismo. Esse hormônio aumenta a respiração e a frequência cardíaca, contrai os vasos sanguíneos, deixa os músculos tensos, dilata as pupilas, aumenta o nível de glicose no sangue e enfraquece o sistema imunológico.

Desperte sua mente libertadora

Para abolir a ansiedade da abordagem, convença-se logicamente de que o diálogo travado por sua mente limitadora está incorreto e na verdade é uma autossabotagem. Na leitura para a tarefa do Dia 1, várias crenças limitadoras foram refutadas. É esse tipo de resposta racional que sua mente libertadora pode usar quando a mente limitadora ameaçar surgir.

Por exemplo, se a mente limitadora disser "Ela não vai ouvir você", a mente libertadora deverá responder de volta: "Se ela não me ouvir da primeira vez, eu sorrio e repito educadamente o que falei em um tom mais alto, mais devagar e com mais clareza."

Se a mente limitadora disser que você vai ficar nervoso, a mente libertadora poderá responder: "Posso ter uma reação natural ao estresse desta situação porque, afinal de contas, é algo bem estressante. Mas não significa que não serei capaz de seguir em frente. No passado, o nervosismo me deu a energia necessária para fazer o meu melhor e me sentir bem. Então vamos lá!"

Reserve um momento para escrever os medos da sua mente limitadora em relação à abordagem. Depois escreva as respostas da sua mente libertadora que o deixem mais forte. Use a palavra *você* para as frases da mente limitadora e as palavras *eu* e *mim* para as respostas da mente libertadora. Isso vai ajudá-lo a se dissociar da mente limitadora e se aproximar da mente libertadora.

Cabe a você alimentar sua mente libertadora com frases positivas regularmente para dar a ela o poder de superar, perseverar e vencer. Para isso, escolha três frases ou afirmações da mente libertadora que você acha mais adequadas para substituir seus medos específicos, seja os que acabou de escrever ou os que estão incluídos neste livro. Anote-as em uma folha de papel, depois as leia em voz alta com convicção durante seu ritual matinal ou noturno para a mente libertadora e lembre-se deles ao longo do dia. Depois que começar a sentir as mudanças positivas, passe para outro conjunto de afirmações, de acordo com as novas necessidades.

Mude suas submodalidades

Submodalidades são os meios através dos quais seus sentidos recebem, guardam e processam informações. Por exemplo: as submodalidades auditivas são volume, tonalidade, ritmo e timbre.

Para ajudar a eliminar diálogos internos negativos, tente ajustar a submodalidade na voz da mente limitadora. Faça com que ela fique mais baixa, distante, titubeante e aguda, ou use a voz de uma pessoa de quem você não gosta.

Simultaneamente, dê à mente libertadora uma voz forte em tom grave, calma e próxima. Pense em usar a voz de alguém que você respeite: um mentor, ator ou sua futura versão melhorada.

Se você achar que estes exercícios à primeira vista parecem aquele papo esotérico, é a mente limitadora agindo de novo. O processo a seguir é exatamente o que os treinadores ensinam aos atletas de elite para que eles possam dominar suas habilidades. Também é utilizado por terapeutas para eliminar fobias.

Visualmente, coloque suas imagens e filmes mentais na mesma sintonia. Primeiro, substitua as imagens de fracasso da mente limitadora pelas imagens de sucesso da mente libertadora. Mude a imagem de ser ignorado para a de ser adorado, mude a imagem de ser rejeitado para a visualização bem nítida de uma linda mulher colocando o número de telefone dela na sua mão.

Agora mude as submodalidades. Transforme as imagens da mente limitadora em algo pequeno, distante, preto e branco, em câmera lenta, embaçadas e escuras. Desassocie-se dessas imagens negativas, vendo-as não pelos seus olhos e sim como se estivesse se observando como personagem em uma tela de cinema.

Sempre que as imagens da mente limitadora aparecerem, substitua todas instantaneamente por imagens grandes, luminosas, nítidas e coloridas de situações de sucesso. Associe-se a essas novas imagens vendo-as através dos seus olhos.

Esses exercícios mentais funcionam melhor logo após acordar ou antes de dormir, pois é quando o subconsciente está mais aberto a mudanças. Ao repetir o exercício o máximo que puder, você vai chegar ao ponto de rejeitar automaticamente as imagens negativas que a mente limitadora tenta jogar sobre você antes de cada abordagem.

Deixe de lado a preocupação com o resultado

Um dos maiores problemas que os homens enfrentam ao abordarem mulheres é aumentarem exageradamente o significado da interação e se concentrarem demais em conquistar um resultado específico, seja trocar números de telefone, ficar com ela naquela noite, chegar ao sexo ou iniciar um relacionamento romântico.

Afastar-se emocionalmente do resultado enquanto trabalha de modo racional para conquistar seus objetivos vai aliviar significativamente a sua ansiedade. É por isso que o Desafio Stylelife oferece objetivos pequenos e fáceis de conquistar, em vez de objetivos grandes e pouco prováveis.

As pessoas podem ser criaturas aleatórias, imprevisíveis e caóticas. E às vezes você pode ser verdadeiramente surpreendido. Por isso abordar os outros é tão divertido. Então por que restringir as possibilidades de um novo encontro ficando dependente de um resultado específico?

Retire o fracasso do seu vocabulário

A palavra *fracasso* tem significados diferentes para cada pessoa. A maioria acredita que fracasso significa abordar e ser rejeitado. A minha definição de fracasso consiste em desistir, abandonar tudo ou nunca fazer a abordagem.

Rejeição é outra palavra mal-utilizada e mal-representada. A definição dela no dicionário é "não aprovar, recusar". Então se você oferecer um chiclete a uma moça e ela disser "Não, obrigada", você foi rejeitado. Você ficou emocionalmente abalado por conta disso? Provavelmente não.

Se você convidar alguém para um evento social e ela disser "Não, obrigada", não deveria ser diferente. Mas a maioria das pessoas não pensa assim, e o motivo é o seguinte: quando o chiclete é rejeitado, nós pensamos que a pessoa não quer o chiclete, mas quando fazemos um convite e somos rejeitados, pensamos que ela não nos quer.

Mas como ela pode ter decidido que não nos quer? Ela nos conhece há pouco tempo, é praticamente uma estranha. Ela não sabe das nossas qualidades, diferentemente de nossa família e amigos. Por que valorizamos mais a opinião dela? Por que atribuímos tanta bagagem emocional à opinião desinformada de uma quase desconhecida? Você acertou: por causa da mente limitadora.

Pratique a estratégia do fracasso total

Se após ler isto você ainda tiver um medo paralisante da rejeição social, saia e tente ser rejeitado. Todo artista social de sucesso que conheço tem uma tonelada de rejeições no currículo. Esse é simplesmente o preço que se paga pela excelência.

Para citar Michael Jordan: "Errei mais de nove mil arremessos na minha carreira. Perdi quase trezentos jogos. Por 26 vezes confiaram em mim para fazer o arremesso que ganharia o jogo e eu errei. Fracassei repetidamente na vida. E é por isso que tive sucesso."

Após algumas rejeições, você vai ver que não é tão ruim assim e que a rejeição na verdade não tem nada a ver com quem você é. Parece alguém dando um peteleco no seu ombro: você sabe que aconteceu, mas não dói e nem incomoda. Na verdade, é imaturo e embaraçoso da parte de quem deu o peteleco.

Uma vez eu levei um aluno para sair e procurei fazer com que fôssemos rejeitados para ajudá-lo a superar seus medos, mas aconteceu algo engraçado: meu plano deu errado e não fui rejeitado em momento algum. A conversa foi mais ou menos assim:

EU: Oi, como você está? Você poderia nos dispensar? Precisamos ser dispensados.

ELAS: Hein?! Como assim?

EU: Ah, é quando dois caras chegam e vocês não estão no clima, aí vocês são totalmente grosseiras e não querem falar e então mandam os caras...

ELAS [INTERROMPENDO]: Ah, mas nós não somos grosseiras! Nem um pouco!

Acabamos tendo uma conversa agradável por 45 minutos e trocamos informações de contato. O exercício era pra demonstrar que as rejeições são indolores, mas acabou demonstrando uma lição diferente: você pode começar dizendo praticamente qualquer coisa quando está confiante, em harmonia e empolgado.

Fique à vontade para provar isso a si mesmo. Da próxima vez que vir alguém com quem deseja falar, abra a boca e diga a primeira coisa que lhe vier à cabeça. Desde que seu comentário ou pergunta não seja grosseiro nem hostil, você vai se surpreender com o quanto é difícil ser totalmente rejeitado.

Após experimentar essa estratégia algumas vezes, também vai notar que as reações das pessoas variam e, dessa forma, vai poder ajustar sua atitude a fim de não esperar nada e se preparar para tudo. Ou, como disse o poeta Samuel Hazo:

Espere tudo e o tudo parece nada.
Não espere nada e o nada parece tudo.

PARE!

VOCÊ ELOGIOU QUATRO MULHERES?
COMPROU ROUPAS NOVAS?
CRIOU SUA DECLARAÇÃO DE MISSÃO, FEZ OS EXERCÍCIOS DE POSTURA E OBTEVE RECOMENDAÇÕES DE FILMES DE TRÊS DESCONHECIDOS?

SE VOCÊ RESPONDEU "SIM" A TODAS ESSAS PERGUNTAS, ENTÃO VÁ PARA A PRÓXIMA PÁGINA.

SE NÃO ESTIVER CUMPRINDO AS MISSÕES, APENAS LENDO PARA OBTER AS INFORMAÇÕES, ENTÃO NÃO VÁ ALÉM DESTA PÁGINA ENQUANTO NÃO PUDER RESPONDER "SIM" ÀS PERGUNTAS ACIMA.

LER ESTE LIVRO SEM PARAR É COMO IR À ACADEMIA PARA VER TELEVISÃO. VOCÊ NÃO VAI MELHORAR SE NÃO FIZER OS EXERCÍCIOS.

DIA

MISSÃO 1: Aprenda a quebrar o gelo

A primeira lição de hoje: não existe isso de cantada infalível.

Se houvesse uma frase que magicamente fizesse as mulheres se apaixonarem ou desejarem alguém, todo homem a usaria. Boa parte do que as pessoas chamam de cantada infalível na verdade são bordões bem-humorados que nunca foram verdadeiramente usados para conhecer mulheres.

O que existe é um processo sequencial específico que pode ser usado para desenvolver um relacionamento romântico ou sexual com uma mulher.

E tal processo começa com o quebra-gelo, talvez a parte mais importante da interação.

Sua tarefa consiste em consultar as Instruções para o Dia 7 e ler o guia de campo dos quebra-gelos antes de começar a próxima missão.

MISSÃO 2: Prepare seu quebra-gelo

A missão consiste em desenvolver um quebra-gelo original com base nas instruções de hoje.

A forma mais simples de criar um quebra-gelo é pensar em algo que lhe desperte curiosidade, que você queira saber ou sobre o qual está confuso. Escolha um assunto que atraia o interesse da maioria das pessoas. Pode ser algo significativo e capaz de gerar debate com base em uma crise espiritual ou em um relacionamento; ou pode ser um tema específico e trivial, com base em algum aspecto da cultura pop, viagens, saúde ou costumes sociais.

Então, em vez de perguntar a um amigo sobre o assunto em questão ou pesquisar sobre ele na internet, use-o como motivo para falar com outras pessoas. Por exemplo: se você não consegue se lembrar de quem canta uma determinada música, dê a si mesmo a missão de perguntar a desconhecidos quando sair de casa hoje até conseguir a resposta correta. Se a namorada do seu amigo tentou beijá-lo e você não sabe se conta para ele ou não, vá logo pedir o conselho de mulheres na rua.

Até perguntas improváveis podem ser quebra-gelos eficazes, desde que sejam sinceras. Por exemplo: eu estava falando com um amigo outro dia sobre os nomes dos oceanos. Então, em vez de procurar a gratificação imediata do Google, fizemos disso o quebra-gelo da noite:

– Ei, você era boa em geografia no ensino médio? Tá, quantos continentes existem? Certo, sete. E quantos oceanos? Aham, cinco. Então a pergunta é a seguinte: quais são os cinco oceanos? Meu amigo e eu estamos empacados nisso o dia todo. Só conseguimos nos lembrar de quatro.

Por mais ridículo que pareça, isso conseguiu iniciar uma conversa em todas as tentativas.

Embora as instruções de hoje mencionem tipos diferentes de quebra-gelo, para esta tarefa concentre-se nos quebra-gelos indiretos que não transmitam interesse sexual ou romântico. Mantenha a atitude positiva sobre o assunto que perguntar e evite discutir algo que possa pegar mal para você, como assuntos assustadores, do tipo assassinos em série, ou perguntas inseguras sobre si mesmo.

MISSÃO 3: Teste seu quebra-gelo

Arrume-se, vista-se e empolgue-se. A missão de hoje é abordar três mulheres diferentes (ou grupos que incluam mulheres) e usar um quebra-gelo inventado por você ou aprendido no material de hoje. Você pode abordar na rua, em um café, bar, shopping, na sala de espera de um consultório ou em qualquer outro lugar da sua preferência.

Não é preciso continuar a conversa depois, mas fique à vontade para fazê-lo se estiver indo bem. Quando a discussão chegar a um encerramento natural, saia com uma frase simples: "Obrigado. Foi bom conhecer você", por exemplo.

Não é necessário conseguir três interações bem-sucedidas, basta fazer três abordagens. Amanhã vamos acrescentar itens que vão aumentar muito o sucesso e a eficácia dos seus quebra-gelos.

MISSÃO 4: Avalie suas abordagens

No espaço a seguir, monte uma lista das abordagens que fez hoje.

Se alguma delas foi bem-sucedida, anote os motivos pelos quais você acredita que deu certo. Se alguma fracassou, escreva por que não foi bem-sucedida na sua opinião.

Abordagem 1:

____

____

____

____

Abordagem 2:

____

____

____

____

Abordagem 3:

____

____

____

____

Agora revise a lista. Algum dos motivos põe a culpa do resultado negativo em outra pessoa? ("Ela estava andando rápido demais", "Ela era arrogante", "Ela não era o meu tipo", "O cara que estava com ela era um babaca" etc.) Se for o caso, risque e substitua por um erro cometido por você, depois escreva uma sugestão de algo que você poderia ter feito diferente de modo a fazer a abordagem ser um sucesso.

INSTRUÇÕES PARA O DIA 7

GUIA DE CAMPO PARA O QUEBRA-GELO

"Qual é o seu nome?"; "Em que você trabalha?"; "Viu algum filme bom ultimamente?"

Que chatice!

Ouça qualquer homem conversando com uma mulher que acabou de conhecer e há uma boa probabilidade de ela ser submetida a um bombardeio ininterrupto de perguntas que incluem uma ou todas as anteriores. E como ela está respondendo, o sujeito vai pensar que está indo bem.

Uma pergunta para você: quantas vezes acha que ela já respondeu a essas perguntas?

Resposta: inúmeras.

Geralmente, o cenário acaba assim: aos poucos ela começa a olhar na direção do bar, perdendo o interesse. O cara faz uma tentativa desesperada e pede o telefone dela. A moça educadamente diz que tem namorado, mesmo não tendo. Fim de jogo.

Por que isso acontece?

O comediante Chris Rock sabe o motivo. Em um stand-up, ele alega que tudo o que um homem diz a uma mulher poderia ser traduzido como "Quer um pau?".

Se você bombardear uma mulher com perguntas genéricas, o que ela ouve é "Quer um pau?". Ofereça-se para comprar uma bebida e ela ouve "Quer um pau?". Apresente-se, comente sobre o colar dela, pergunte sobre o tempo: "Quer um pau?"

O seu objetivo como desafiante é começar um papo com uma mulher sem dizer "Quer um pau?".

Isso é possível por meio do que conhecemos como quebra-gelos indiretos. Um quebra-gelo indireto é uma forma de começar uma conversa com uma pessoa ou grupo de pessoas que você não conhece sem dar em cima de ninguém ou demonstrar qualquer interesse romântico. Se você fizer isso suficientemente bem, logo *ela* vai fazer aquelas perguntas genéricas a você.

O guia a seguir contém os princípios básicos para utilizar e desenvolver quebra-gelos. Amanhã você aprenderá duas técnicas adicionais para fazer com que eles sejam praticamente infalíveis.

Tipos de quebra-gelo

Um quebra-gelo bem-sucedido atende a quatro objetivos básicos:

- Não é ameaçador e nem deixa as pessoas incomodadas.
- Gera curiosidade e cativa a imaginação da pessoa ou do grupo.
- É um trampolim para continuar a conversa.
- Serve de veículo para que você mostre sua personalidade.

Existem vários tipos e classes de quebra-gelos, como:

- Direto, no qual o homem mostra seu interesse romântico ou sexual logo de cara.
- Situacional, no qual o homem comenta sobre algo no ambiente.
- Indireto, no qual o homem inicia uma conversa espontânea e divertida que não seja sobre a mulher ou o ambiente.

Todos esses quebra-gelos podem funcionar, mas os dois primeiros geralmente caem na categoria "Quer um pau?". Não há problema em usá-los, mas só se a mulher estiver inicialmente interessada ou predisposta a se sentir atraída por você. E mesmo assim eles nem sempre funcionam.

Prefiro quebra-gelos indiretos porque, quando usados corretamente, eles funcionam 95 por cento das vezes. E essa é uma probabilidade muito boa neste ou em qualquer jogo.

A maioria dos quebra-gelos indiretos é premeditada e pré-fabricada. Pode parecer forçado e pouco natural preparar algo para dizer, mas quando você tem um material para iniciar a conversa, pronto para usar a qualquer momento, não precisa hesitar e pensar em algo inteligente para dizer toda vez que vir uma mulher atraente.

Você vai acabar conseguindo começar uma interação bem-sucedida dizendo de maneira espontânea praticamente qualquer coisa, mas por enquanto pense em usar quebra-gelos indiretos pré-fabricados como rodinhas de bicicleta: eles funcionam tão bem que muitos caras nem pensam em retirá-los.

Antes do quebra-gelo

O jogo começa antes mesmo de você abrir a boca.

A abordagem inicial é um momento tão crítico que tudo ganha uma importância a mais, da linguagem corporal ao nível de empolgação. Aqui estão alguns pontos para se ter em mente quando abordar uma mulher ou grupo de desconhecidos:

- Sempre tenha algo melhor a fazer do que conhecer mulheres. Assim que você começa a encarar, avaliar ou despir com os olhos a mulher que está na sua frente, mesmo se ela não conseguir vê-lo, acabou de perder todas as que estão atrás de você. O motivo não é só o fato de parecer assustador e desesperado, como também o de não parecer interessante, divertido ou alguém que valha a pena conhecer.

- Todos querem estar com a pessoa mais popular do recinto. Como a maioria dos grupos em locais públicos não se conhece, tudo o que você precisa fazer é criar a ilusão de ser popular naquele momento. Assim que você entrar no local, envolva-se em uma conversa animada com seus amigos. Sorriam, gargalhem, divirtam-se e apreciem a companhia uns dos outros.
- Depois, quando notar alguém que deseja abordar, vá até lá e inicie uma conversa. Não hesite ou perca tempo avaliando a situação. A arte da abordagem é a arte da espontaneidade. Se você esperar muito ela vai notar que está sendo analisada e se assustar ou, mais provavelmente, você vai pensar demais, ficar nervoso e desistir.
- Não encare a pessoa ou grupo na primeira abordagem. É direto e agressivo demais. Prefira virar a cabeça e perguntar por cima do ombro. Seu objetivo é dar a impressão de que estava a caminho de outro lugar e só fez uma breve pausa para uma pergunta rápida direcionada a algumas pessoas aleatórias. Quando o grupo começar a gostar da conversa, você poderá se virar para encará-los.
- Não fique pairando ou se incline na direção da pessoa ou do grupo. Se você estiver competindo com música alta ou eles estiverem sentados, apenas fique em pé com a coluna reta e fale mais alto. Se tudo der certo, logo você estará sentado com eles ou indo para algum lugar mais silencioso junto com quem te interessa.
- Sorria durante a abordagem. Mesmo se não for algo natural para você, finja. Isso predispõe a mulher ou grupo com o qual você está prestes a interagir a responder positivamente. Em um nível subconsciente, sinaliza que você é amigável, em vez de hostil.
- O nível de empolgação deve ser igual ou levemente maior do que o da mulher ou grupo que você está abordando. A maioria das pessoas sai para se divertir, então se você puder auxiliar nisso será bem-vindo. Se jogar o grupo para baixo ou dificultar a comunicação, não importa o que diga: eles vão querer se livrar de você o mais rapidamente possível. Entre as formas de aumentar a empolgação estão falar mais alto, gesticular, fazer um esforço para se conectar às pessoas

com quem está conversando e sorrir com a boca e os olhos. Mas não exagere, senão fica irritante.

- Faça com que todos o escutem, prestem atenção e se envolvam na conversa. Se você perder uma pessoa, corre o risco de perder o grupo todo. Então se você sentir o interesse de algum integrante diminuir, puxe-o para a conversa, abordando essa pessoa diretamente, ou comentando algo que ela está vestindo ou fazendo.
- Não tenha medo de abordar grupos que tenham homens. Quanto mais homens estiverem no grupo, menor a probabilidade de as mulheres dali terem sido abordadas. Você ficará surpreso com a quantidade de vezes em que os caras que estão com elas não são namorados ou maridos.
- Preste muita atenção aos homens do grupo. Se eles sentirem que você não está respeitando ou reconhecendo a presença deles, vão tentar acabar com a interação. Se achar que algum dos homens está pensando incorretamente que você está dando em cima dele, mencione uma ex-namorada ou uma atriz por quem você tenha uma queda.
- Se estiver interessado em uma mulher atraente ou em um grupo de mulheres que foi bastante assediado, não faça uma abordagem direta. Abra um grupo ao lado dela ou delas e, durante um ponto alto da interação, envolva casualmente na conversa a mulher em quem você estava de olho.

O que dizer

Existem três características que um quebra-gelo indireto deve ter para ser bem-sucedido: parecer espontâneo, ser movido pela curiosidade e ser interessante para a maioria das pessoas.

Há também muitas sutilezas. Jamais comece perguntando algo que exija uma resposta do tipo sim ou não. Se você disser: "Posso fazer uma pergunta rápida?", o grupo sempre pode responder "Não" e aí você fica empacado.

Para evitar isso, comece com uma observação do tipo "Vocês parecem especialistas no assunto", ou um pedido como "Preciso de ajuda para resolver uma discussão rápida", ou ainda "Quero saber qual a sua opinião sobre isso". Depois faça uma breve pausa para garantir a atenção de todos e continue.

Mesmo quando fizer a pergunta em si, não é necessário obter uma resposta. Faça uma pausa e, se ninguém quebrar o silêncio com uma opinião, continue com a sua história.

Não comece o quebra-gelo com "Desculpe", "Com licença" ou "Perdão". Claro que sua família lhe deu educação, mas iniciar uma conversa assim faz você parecer na melhor das hipóteses inseguro e na pior, um pedinte. Enquanto os homens são inicialmente atraídos pela beleza, a maioria das mulheres fica inicialmente atraída pelo status. E um homem com status elevado nunca se desculpa por sua presença.

O tipo de quebra-gelo indireto mais utilizado que inventei é o de opinião, no qual você pede ao grupo um conselho sobre alguma história pessoal. Um quebra-gelo de opinião bem camuflado pode gerar dez minutos de respostas empolgadas, que também são dez minutos que você poderá usar para mostrar humor e personalidade.

Um quebra-gelo fácil para iniciantes é o "quebra-gelo do amigo misterioso", baseado em uma garota com quem namorei. Um bônus deste roteiro é ajudar você a descobrir se a garota em quem está interessado é ciumenta demais para namorar sério.

Aqui está um roteiro palavra por palavra. Ele foi criado originalmente em bares e boates, então, se você estiver sozinho durante o dia, em vez de apontar um amigo no recinto, finja que acabou de sair de uma ligação telefônica com ele.

VOCÊ: Ei, pessoal, posso ouvir a opinião de vocês sobre uma coisa? Estou tentando dar um conselho ao meu amigo ali, mas somos só um bando de caras, então não somos muito qualificados para comentar esses assuntos.

ELA: O que é?

EU: Olha, é uma pergunta de duas partes. Se você está saindo com um cara há três meses e ele não quer que você saia com um dos seus amigos homens, qual é a resposta adequada? Supondo que o cara seja apenas seu amigo e nada fosse rolar.

ELA: Eu provavelmente terminaria com esse cara.

VOCÊ: Tá, agora vamos para a segunda parte da pergunta: e se este amigo for alguém com quem você já transou? Isso mudaria alguma coisa?

ELA: Bom, eu sou amiga de alguns ex-namorados, mas de outros eu não consigo. Então depende.

VOCÊ: Certo, faz sentido. O motivo da pergunta é que o meu amigo ali está namorando uma garota há três meses e ela quer que ele pare de falar com uma amiga. Eles não estão juntos há vários anos, e os dois são só amigos mesmo. O problema é que, se ele parar de falar com ela, vai ficar ressentido com a namorada. Mas se continuar falando, a namorada vai ficar ressentida com ele.

ELA: Uma vez aconteceu um negócio parecido comigo e...

Se estiver falando com um grupo, faça questão de pedir a opinião de todos, incluindo os homens. Ninguém deve ser excluído porque, caso isso aconteça, a pessoa vai se sentir desprezada ou se entediar e poderá influenciar o grupo a dispensar você.

O mais importante quando disser esse ou qualquer outro quebra-gelo é lembrar que as palavras exatas não importam, e sim a atitude. O quebra-gelo é usado apenas para iniciar a conversa e obter a atenção do grupo. Ele não contém uma fórmula mágica que fará uma mulher desmaiar aos seus pés. É só um jeito de manter a boca em movimento enquanto exibe sua personalidade encantadora.

Após o quebra-gelo

Um bom quebra-gelo naturalmente levará a outras perguntas e assuntos para conversa.

Geralmente vão perguntar sua opinião sobre o dilema para o qual você pediu conselho. Tenha sempre uma resposta pronta. Se você normalmente for uma pessoa sarcástica ou negativa, tal visão de mundo pode criar afinidade com algumas mulheres, mas raramente gera atração. Eu sei, porque costumava ser assim até descobrir que uma das chaves para atrair pessoas, e manter essa atração, é irradiar positividade.

Por isso, é melhor evitar quebra-gelos sobre sua vida. Se o quebra-gelo em questão for sobre alguém em uma universidade, você precisa saber o nome da universidade. Se for sobre alguém em outro país, tem que saber qual. Determine antecipadamente as idades, profissões, relacionamentos e outros detalhes das pessoas citadas nos quebra-gelos utilizados por você. Se usar o quebra-gelo corretamente, é provável que ela fique curiosa e faça mais perguntas, então esteja preparado.

Mas não se prepare demais. Você vai inventar um monte de respostas inteligentes para perguntas comuns, assuntos relacionados à discussão e detalhes interessantes na hora. Por exemplo, se estiver usando o quebra-gelo do amigo misterioso e ele gerar uma série de opiniões conflitantes, pode se pegar dizendo, com um sorriso perplexo: "Vocês são ótimas. Parece uma mesa redonda."

Tenha cuidado, contudo, com um erro comum entre os iniciantes: explorar demais o quebra-gelo. Assim que a empolgação começar a diminuir ou você se pegar pensando demais em algo para continuar a conversa, o quebra-gelo acabou. Corte o assunto e siga em frente.

Você vai aprender exatamente o que dizer a seguir nas próximas tarefas do Desafio, mas por enquanto lembre-se do seguinte: assim que começar a ter dificuldade para manter um assunto, pode muito bem estar perguntando sem perceber: "Quer um pau?"

A regra do esforço

Agora que está aprendendo a desempenhar um papel, é importante se lembrar da regra do esforço: *não exagere.* Se você se esforçar demais, vai afundar com a mesma rapidez.

Assim que se pegar tentando impressioná-la, obter validação dela, fazendo de tudo para chamar a atenção ou se esforçando demais em qualquer aspecto, é fim de jogo. Um dos paradoxos do jogo é que ele exige muito esforço para parecer algo que não exigiu esforço algum.

Embora seja possível que certos roteiros e frases deste livro possam ficar bastante conhecidos no futuro, os princípios nos quais eles se baseiam sempre foram e sempre serão verdadeiros. Então fique à vontade para, a qualquer momento, ir ao site www.stylelife.com/challenge aprender quebra-gelos novos e comprovadamente eficazes criados por desafiantes e treinadores.

À medida que avançar, vai depender menos de quebra-gelos pré-fabricados. Você vai conseguir sair com amigos e todos vão se desafiar para ver quem surge com as frases de abertura mais ridículas. E, desde que sua atitude seja alegre, empática, positiva e fuja da carência, você vai descobrir que não tem como errar.

Solução de problemas

Amanhã você vai aprender as duas soluções para evitar a maioria dos problemas que podem aparecer durante um quebra-gelo.

Por enquanto, lembre-se: tudo o que acontecer durante o quebra-gelo é feedback. Uma rejeição não diz respeito a você, e sim à sua técnica.

Se uma mulher diz que tem namorado (e você não perguntou), então ela pensou que estava levando uma cantada. Se diz que precisa ir ao banheiro, significa que você a incomodou. Ajuste suas abordagens futuras com base nessas respostas e desenvolva técnicas que vão transformar objeções comuns em material para criar atração. Por exemplo, se ela acusá-lo de usar uma cantada barata, você pode responder: "Pensou que eu estava dando em cima de você? Muito fofo isso, mas não acho que você consiga dar conta de mim."

Não importa o que faça, lembre-se sempre da regra de ouro: você precisa começar.

Se você não fizer a abordagem, nunca vai saber se aquela desconhecida poderia ter virado namorada, rolo casual, uma boa amiga ou até uma oportunidade profissional. Quase todo aluno com quem falei se arrepende de não ter abordado alguma garota, mas poucos se arrependem de ter feito uma abordagem, não importa o que tenha acontecido.

A dor de se decepcionar consigo mesmo é muito maior do que qualquer palavra dita por outra pessoa.

DIA

MISSÃO 1: Faça ajustes finos nos seus quebra-gelos

Parabéns por usar seus primeiros quebra-gelos. Alguns de vocês podem ter achado que as conversas fluíram com facilidade, enquanto outros tiveram dificuldades. Se você sentiu que estava chateando as pessoas, se alguém perguntou se estava fazendo uma pesquisa ou se recebeu olhares estranhos, isso não significa que fez algo errado, e sim que está pronto para a próxima missão.

Hoje vamos aprender duas sutilezas fundamentais da abordagem. Quando você acrescentar esses detalhes à sua técnica, vai notar uma grande diferença na eficácia do quebra-gelo e nas respostas obtidas.

Então vá até as Instruções para o Dia 8 e leia sobre os dois fundamentos essenciais, antes de prosseguir para a missão seguinte.

MISSÃO 2: Aborde com as novas ferramentas

Aborde três mulheres (ou grupos que tenham mulheres) com o quebra-gelo utilizado ontem.

Agora, acrescente tanto uma raiz quanto uma restrição de tempo a cada abordagem.

MISSÃO 3: Avalie-se

Quando voltar para casa, pergunte a si mesmo se houve algo diferente nas respostas dadas pelas mulheres que abordou hoje quando comparadas às abordagens de ontem. Liste três diferenças no espaço a seguir:

____

____

____

____

Se usou um quebra-gelo que você inventou, mas que não gerou uma conversa natural, nas futuras missões tente usar um dos roteiros fornecidos neste livro (como o do amigo misterioso ou o dos cinco oceanos) ou analise e modifique o seu quebra-gelo.

Se você não tiver certeza da eficácia do seu quebra-gelo, publique-o nos fóruns do site do Stylelife. Ali colegas desafiantes vão avaliá-lo e, se necessário, vão aperfeiçoar o material.

INSTRUÇÕES PARA O DIA 8

OS DOIS FUNDAMENTOS ESSENCIAIS

Assim que você aborda um grupo de desconhecidos, eles geralmente têm dois pensamentos: "O que esta pessoa quer de mim?" e "Quanto tempo ela vai ficar aqui?"

Uma das estratégias do jogo consiste em antecipar e neutralizar essas objeções (e quaisquer outras) antes que elas aconteçam. Se conseguir isso no primeiro ou no segundo minuto da abordagem, terá uma probabilidade muito menor de receber respostas negativas ou indiferentes.

Raiz

Se uma mulher não souber por que você está falando com ela, em geral vai ficar desconfiada até descobrir o motivo, seja porque você falou ou porque ela deduziu. Por isso elas em geral perguntam a quem usa um quebra-gelo de opinião se a pessoa está fazendo uma pesquisa.

Para antecipar a pergunta "O que esta pessoa quer de mim?", você precisa "enraizar" o quebra-gelo, dando um contexto válido à sua pergunta.

Por exemplo: o quebra-gelo pode ser algo que acabou de acontecer na sua vida e é urgentemente necessário obter uma resposta imediata.

A melhor forma de comunicar isso é explicar o motivo da pergunta em algum momento durante o quebra-gelo. Você pode usar as seguintes palavras para apresentar a raiz: "O motivo de eu estar perguntando é..."

No quebra-gelo do amigo misterioso, o motivo da pergunta é o seu camarada ter acabado de se mudar para a casa da namorada e ela não aceitar que ele fale com uma determinada amiga. Você tentou dar um conselho agora há pouco, mas ele não ouve e por isso precisa de apoio.

A raiz nem sempre precisa ser muito elaborada. Pode ser algo simples como: "Meu amigo e eu estávamos conversando e queríamos saber o ponto de vista feminino." Se não estiver com um amigo, pode ser uma discussão que acabou de ter ao telefone. Qualquer motivo razoável se qualifica como raiz, desde que faça a mulher ou o grupo saber por que você se aproximou e começou a falar com eles sobre o assunto em questão naquele momento.

Restrição de tempo

Para a maioria dos homens inexperientes, o jogo consiste em abordar uma mulher e tentar manter uma conversa constante até ela dispensá-lo ou dormir com ele. Por causa disso as mulheres desenvolveram uma vasta gama de táticas para se livrar de caras que ficam espreitando por tempo demais.

É por isso que, de agora em diante, você vai deixar claro logo de cara que não é igual aos outros. A menos que já esteja atraída assim que a abordagem começou, ela provavelmente está imaginando como se livrar de você. As estratégias para fazer isso podem ser: alegar que está no meio de uma conversa importante com as amigas, dizer que precisa ir ao banheiro, fingir que tem namorado ou é lésbica.

Então para antecipar a pergunta "Quanto tempo ele vai ficar aqui?", você precisa estabelecer uma restrição de tempo.

Uma restrição de tempo é algo que deixa explícito para a mulher ou o grupo que você não pretende ficar ali por muito tempo. Ela deve ser inserida no primeiro minuto de conversa, antes que o grupo tenha a chance de se perguntar quando sua história vai acabar. Então, abra o quebra-gelo com uma restrição de tempo do tipo "Preciso voltar para o meu amigo em um minuto, mas bem rapidinho..." Ou, no meio do quebra-gelo, explique: "Aliás, esta é a minha noite com os amigos e eu nem deveria estar aqui falando com vocês."

A restrição de tempo não precisa ser verbal, também pode ser física. Para comunicá-la, incline-se para trás, balance o corpo apoiando-se no pé de trás, recue alguns passos enquanto estiver falando, ou exiba qualquer outra atitude que indique pressa ou deixe transparecer que você está a caminho de outro lugar.

As melhores restrições de tempo contêm os dois elementos: são expressas verbalmente e reforçadas por meio da linguagem corporal.

Quando você usa tanto uma restrição de tempo quanto uma raiz, permite que a mulher (ou o grupo) pare de se preocupar com sua intenção ou pensar em formas de se livrar de você, ficando suficientemente tranquila para ouvi-lo.

Mas você deve estar pensando: "Espere aí, se eu acabei de falar que preciso ir embora em um minuto, como vou continuar falando com ela depois do quebra-gelo?"

Boa pergunta.

A próxima etapa crucial da interação é conhecida como "ponto de fisgada". É quando, em vez de ser um desconhecido tomando o tempo dela, você a cativa e subitamente ela não deseja que vá embora. Então, com relutância, você permite que ela tome um pouco mais do seu precioso tempo.

Virar este cara será o objetivo da próxima semana do Desafio Stylelife.

DIA

MISSÃO 1: Revisão

Na próxima semana o ritmo vai acelerar, então, para ver se você está atualizado e pronto para seguir adiante, hoje é dia de revisão.

Sua tarefa é repassar as missões dos oito dias anteriores e se perguntar:

- Pulei alguma missão?
- Sinto que deixei de cumprir alguma missão?
- Não fiquei satisfeito com meu desempenho em alguma missão?
- Gostaria de refazer alguma missão?
- Tive alguma recaída, seja em termos de treinamento vocal, postura, higiene pessoal ou compromisso com meus objetivos?

Aproveite esta oportunidade para explorar ou repetir tarefas e exercícios anteriores que precisem ser reforçados.

MISSÃO 2: Aborde grupos mistos

Se você abordou apenas mulheres sozinhas ou grupos de mulheres até agora no Desafio, é hora de abordar grupos com homens.

A missão consiste em abordar dois grupos de três ou mais pessoas que tenham tanto homens quanto mulheres.

Abordar grupos com homens pode parecer ousado se você ainda não o fez, mas na prática costuma ser mais fácil. Quanto mais intimidantes as pessoas parecem ser, menor a probabilidade de já terem sido abordadas.

Não se esqueça: tudo o que você precisa fazer para garantir o sucesso da abordagem é assegurar que os caras sempre estejam envolvidos na conversa, sintam-se respeitados e saibam que você não está dando em cima das mulheres. Pelo menos não por enquanto.

MISSÃO 3: Intervenção

Estatisticamente, o nono dia de um novo programa de desenvolvimento pessoal é o ponto em que a maioria das pessoas desiste. Isso não vai acontecer com você. A última tarefa de hoje consiste em ler as Instruções para o Dia 9 e se preparar para aprender a aprender.

INSTRUÇÕES PARA O DIA 9

AS 14 LEIS DO APRENDIZADO

Quando saí em jornada para aprender o jogo, um calouro de faculdade chamado Chad me mandou um e-mail. Ele tinha descoberto o mundo dos artistas da sedução havia seis meses e já dominava os conceitos básicos, mas ainda era virgem.

Ele tinha uma aparência muito melhor do que a minha: forte, de cabelos pretos ondulados e queixo quadrado. Mesmo assim, um ano depois eu estava vivendo aventuras fantásticas que jamais imaginei serem possíveis para um cara como eu. E Chad, apesar de ser igualmente esforçado, ainda era virgem. Então me sentei com ele uma noite para tentar descobrir o motivo e acabamos percebendo que tínhamos estratégias diferentes para aprender.

Depois disso, comecei a desenvolver as 14 leis do aprendizado explicadas a seguir. Elas se aplicam não só ao jogo da sedução, mas também à escola, trabalho e hobbies, e são o que separa o cara que está batendo a cabeça na parede de tanta frustração do que está subindo tranquilamente em direção ao topo. Entenda e pratique cada princípio antes de ir para o próximo.

1. **Adquira e aplique o conhecimento em pequenas partes.** Algumas pessoas são excelentes preparadoras. Elas querem pegar todas as informações sobre um assunto antes de agir e, embora pareçam estar trabalhando arduamente, esta na verdade é uma forma de procrastinação. O melhor jeito de aprender o jogo é dando um passo de cada vez. Aprenda o que precisa para chegar à próxima fase. Se você não consegue abordar mulheres, então trabalhe

os quebra-gelos. Quando dominá-los, aprenda a continuar a conversa. Não se preocupe com as técnicas sexuais avançadas. Você vai chegar lá em breve se continuar a progredir acrescentando uma parte de cada vez.

2. **Não existe rejeição, apenas feedback.** Muitas pessoas ficam desanimadas e desistem após um único aborrecimento ou uma rejeição. Eles tendem a levar a rejeição para o lado pessoal, tomando-a como uma observação sobre quem são, em vez do que ela realmente é: feedback sobre o que estão fazendo. Toda vez que abordar um grupo de pessoas e algo sair errado, você foi presenteado com uma oportunidade de aprender por que elas reagiram negativamente e o que poderia ter feito para impedir isso. Se tiver a habilidade de aprender com os próprios erros, o fracasso será literalmente impossível porque cada rejeição o deixará mais perto da perfeição.

3. **A culpa nunca é dela.** Quem você culpa quando algo sai errado durante uma abordagem? Se disser que uma situação era impossível, os caras eram babacas ou a mulher era só uma "vadia", está errado. A culpa foi sua. A culpa é sempre sua. E isso é bom, pois significa que você está no controle. Por isso, nunca ponha a culpa em ninguém ou em nenhuma situação. Prefira ter disposição para se analisar e aceitar críticas *sem levar para o lado pessoal.* Só assim você poderá determinar com precisão se poderia ter feito algo para mudar o resultado ou se o resultado era realmente inevitável.

4. **Aprenda ativamente em vez de passivamente.** Assim como não se pode aprender a jogar futebol vendo vídeos e escrevendo em fóruns sobre futebol, a única forma de aprender a atrair mulheres vem de experiências reais. Qualquer um pode assistir a uma palestra ou comprar um DVD e aprender os princípios, mas quem ganha o jogo são os caras que conseguem aplicá-los.

5. **Não ensaie resultados negativos.** Um dos maiores problemas dos homens quando se trata de conhecer mulheres é que eles pensam nos cenários negativos, que geralmente viram desculpas para não sair e experimentar algo novo. Evite essa situação saindo de casa, fazendo algumas abordagens e, se algum desses cenários

por acaso acontecer na vida real, *aí sim* descubra o que fazer. Isso não é paraquedismo: praticamente não há risco de danos reais por estar despreparado.

6. **Entenda o processo de aprendizado.** O campo psicológico da programação neurolinguística (PNL) tem um modelo útil de quatro etapas destinado a explicar como a mente humana aprende, que pode servir como parâmetro para medir o seu progresso:

   - *Incompetência inconsciente*: você está fazendo algo errado e nem tem consciência disso;
   - *Incompetência consciente*: você está fazendo algo errado e está ciente disso, mas ainda não resolveu o problema;
   - *Competência consciente*: você aprendeu o jeito certo e está fazendo tudo corretamente com atenção concentrada;
   - *Competência inconsciente*: você não precisa mais pensar em algo ou trabalhar para aprender aquilo, pois automaticamente faz do jeito certo. No vocabulário do jogo, é aí que você, enfim, se torna o que chamamos de talento nato.

7. **Esteja disposto a enfrentar o período de sofrimento.** O jogo não é fácil. Você será obrigado a confrontar praticamente tudo que o define: cada emoção, ato e crença. E às vezes ficará apreensivo quanto a abordar uma determinada mulher, experimentar uma técnica nova ou mudar um comportamento. O que separa o amador do campeão é a disposição para enfrentar o medo e tentar mesmo assim. Veja o que Arnold Schwarzenegger falou sobre isso nos seus dias de fisiculturista: "Se você conseguir enfrentar o período de sofrimento, será campeão. Se não conseguir, esqueça. É isso que falta à maioria das pessoas: ter a coragem de dizer 'Não me importo com que o vai acontecer'."

8. **Não busque a aprovação dos amigos e da família.** Nem todos os amigos e familiares vão entender a jornada que está prestes a enfrentar. Eles podem dizer que não gostam de como você está mudando. Podem debochar da sua disposição para melhorar. Tudo bem. Aconteceu comigo. E também com a Oprah: quando ela emagreceu, acabou perdendo amigos. Isso a surpreendeu, até ela descobrir que o fato de ser gorda dava a eles uma desculpa para

se sentirem melhor em relação aos próprios corpos. Então, quando começar a atrair mulheres e aventuras, seus amigos podem não gostar, pois se tornará uma ameaça às crenças limitadoras deles e ao fato de estarem convencidos das próprias limitações. Deixe que isso seja problema deles, não seu.

9. **Esteja disposto a testar novas ideias, mesmo se elas não parecerem lógicas.** Antes de aprender o jogo eu me considerava uma pessoa inteligente e bem-sucedida, mas a lógica que estava por trás disso e dava tão certo no mundo não estava me levando a lugar algum com as mulheres. Para mudar eu precisei experimentar novos comportamentos, mesmo que eles não parecessem lógicos. Disse coisas que imaginei que iriam afastar mulheres, mas acabaram atraindo-as. Usei roupas horrendas, que jurei que fariam as pessoas rirem de mim, mas que acabaram levando mulheres a me abordarem. Foi quando percebi que nunca usei a lógica para começo de conversa. Porque, como qualquer bom cientista sabe, antes de dispensar uma nova hipótese é preciso testá-la.

10. **Quando algo der certo, descubra como e por que funcionou.** Existem homens que se dão muito bem apenas seguindo as instruções e repetindo os roteiros. Mas os que viram superastros são os que, após uma série de sucessos, descobrem *por que* os roteiros funcionaram. Só há uma regra na sedução: não existem regras, apenas diretrizes. Quando você entender os princípios por trás de cada ideia, vai saber quando seguir as diretrizes, quando dispensá-las e quando inventar as suas próprias.

11. **Se você não souber o que fazer, não vá embora.** Se ficar sem material ao falar com uma mulher que acabou de conhecer, não vai aprender nada indo embora. Continue o papo e, se ficar sem nada para dizer, enrole por cinco, dez, vinte minutos, mesmo se tiver que violar as regras e pagar uma bebida para ela ou fazer perguntas estilo entrevista. É a melhor forma de aprender algo novo para a próxima vez.

12. **Fique perto de quem é melhor que você.** Esta é a melhor forma de se aperfeiçoar em qualquer área. O seu mentor não precisa ser o maior especialista em atração do mundo, apenas alguém com um

pouco mais de habilidade do que você. Se não conhecer alguém que possa desempenhar este papel, em vez de sair para conhecer mulheres em uma determinada noite, saia para fazer amizade com alguém que seja bom com as mulheres.

13. **Faça aumentar sua taxa de esforço *versus* resultado.** Quando estão aprendendo uma nova forma de fazer algo, a maioria das pessoas piora antes de melhorar. Isso é normal. Mas você ficaria surpreso com a quantidade de gente que continua se esforçando mais após esse período de transição, mesmo que os resultados continuem os mesmos ou melhorem só um pouco. Por isso faça questão de aumentar não só seu conhecimento como também seus resultados. Se isso não estiver acontecendo, faça uma pausa, releia as regras, analise o que está fazendo e obrigue-se a ir além da sua zona de conforto.

14. **Termine o que começar.** A maioria das pessoas pode fazer praticamente qualquer coisa dentro dos limites do possível. Apesar disso, elas nunca realizam seus sonhos. Ou desistem antes de alcançarem seus objetivos (e sempre com um motivo aparentemente bom para fazê-lo) ou não mudam a estratégia quando algo não está funcionando. De cada vinte pessoas que começam a ler este livro, aproximadamente 19 não seguirão o programa até o final. Não seja uma dessas pessoas. Só de não desistir você já estará entre os melhores homens do mercado.

DIA

MISSÃO 1: Dia dos opostos

O objetivo da lição de hoje é a desqualificação, uma das técnicas mais inusitadas do Desafio Stylelife. Esqueça tudo o que você sabe sobre atrair mulheres porque o objetivo da desqualificação é conhecer mulheres e dizer que você *não* quer namorá-las.

Este vai ser o dia mais difícil do Desafio até agora, mas também o mais recompensador. Para descobrir do que se trata, leia as Instruções para o Dia 10 e preencha a planilha, descrevendo a sua mulher ideal.

MISSÃO 2: Faça-se de difícil

A missão de hoje consiste em fazer três abordagens usando um dos quebra-gelos que já aprendeu ou criou.

Durante a primeira abordagem, acrescente um desqualificador tirado do material de leitura de hoje.

Depois, faça uma pausa e pense em uma terceira forma possível de desqualificar a mulher em questão. Anote-a no espaço a seguir:

____

____

____

____

Agora faça sua terceira abordagem e, durante o quebra-gelo, use o desqualificador que acabou de inventar.

INSTRUÇÕES PARA O DIA 10

O PODER DO NÃO

"Não é questão de ter, e sim de obter."
Elizabeth Taylor

Recentemente fui a uma festa no Colorado com seis amigos. Três deles passaram a noite com mulheres, três não. Enquanto conversávamos sobre isso na manhã seguinte, descobrimos que a diferença entre os caras que tiveram sucesso e os que fracassaram se resumiu a um ponto: falta de carência.

Os que voltaram para casa sozinhos estavam disponíveis demais, enquanto todos os bem-sucedidos se fizeram de difíceis. Eles não tiveram medo de se afastar da mulher por quem estavam atraídos, falar com outras pessoas na festa e dar a impressão de que ela perderia a oportunidade se não agisse logo. Eles entenderam um princípio básico da natureza humana: quanto mais temos que lutar por algo, mais o valorizamos.

Daí a lição de hoje: em cada interação, seja a pessoa que *aprova*, em vez daquela que precisa da aprovação alheia.

Uma das formas mais rápidas e divertidas de conseguir isso é por meio da desqualificação. Para desqualificar uma mulher, demonstre logo no início de uma interação que não está interessado nela. Mesmo que esteja, a desqualificação vira o jogo e faz com que *ela* queira ir atrás de você. Por exemplo: dizer a uma loura que por algum motivo você só namorou morenas a desqualifica como possível namorada.

Se o conceito parecer estranho, pense no seguinte: mulheres lindas são constantemente abordadas por homens, portanto supõem que praticamente todo cara quer dormir com elas. Então, quando você se exclui do rol de possíveis pretendentes de modo confiante, imediatamente se destaca. Afinal, a maioria das pessoas deseja o que não pode ter.

Outra vantagem é que desqualificar uma mulher em um grupo pode ajudá-lo a conquistar os amigos da moça, que estão acostumados a afastar o fluxo constante de homens lutando pela atenção dela.

Por fim, a desqualificação ajuda a gerar confiança, pois demonstra que você não está apenas motivado pelo desejo de dormir com ela. Ao esperar antes de mostrar interesse, você dá a ela uma oportunidade de conquistá-lo com os próprios encantos, personalidade e inteligência.

Nem todo relacionamento exige desqualificação. Às vezes o sentimento é mútuo e duas pessoas ficam atraídas uma pela outra logo de cara. Além disso, se você estiver lidando com uma mulher não muito confiante, é melhor evitar provocá-la, visto que ela já se desqualifica o tempo todo na mente dela.

Quando você ficar à vontade com os desqualificadores, vai perceber que não se trata de um conceito tão estranho, complexo e pouco intuitivo no fim das contas, sendo na verdade essencial para o flerte.

A maioria dos desqualificadores tem a intenção de ser divertida. Outros são usados para demonstrar que você tem um padrão muito alto e não vai namorar ou dormir com qualquer uma. Porém, um desqualificador nunca deve ser hostil, crítico, condescendente ou julgar alguém. Há uma linha tênue entre flertar e magoar. E a desqualificação nunca deve ter a intenção de ser cruel ou insultar. Então diga tudo com um sorriso no rosto e alegria na voz, como se estivesse implicando inocentemente com uma irmã mais nova.

Triagem

As mulheres testam os homens. E o fazem por vários motivos: porque desejam escolher o melhor parceiro entre vários pretendentes; porque já se magoaram no passado e não querem cometer o mesmo erro de novo; porque desejam confirmar se você realmente tem as qualidades que as atrai. Ao longo das suas interações com a maioria das mulheres, independentemente de terem consciência disso ou não, elas estão colocando você na berlinda para observar suas reações.

Os testes vão desde a provocação em tom de flerte (como dizer a um cara que ele é novo ou velho demais para ela) até perguntas bem sérias do tipo entrevista (como querer saber do cara por que ele terminou com a última namorada). Os homens normalmente ficam lá sentados respondendo às perguntas como se estivessem em um programa de jogos na TV, achando que serão escolhidos por ela se acumularem pontos suficientes. O que eles não percebem é que já estão perdendo pontos apenas por se submeterem ao teste.

A triagem permite que você vire o jogo e veja se a mulher em quem está interessado atende aos *seus* critérios. Antes de fazer isso é importante saber exatamente que critérios são esses.

Reserve um momento para imaginar a sua mulher ideal, depois liste cinco características específicas que você gostaria de ver nela. Pense em qualidades como personalidade, aparência, criação, valores, interesses, conhecimentos e experiência de vida.

1. ______________________________
2. ______________________________
3. ______________________________
4. ______________________________
5. ______________________________

Agora liste cinco fatores impeditivos. Entre as qualidades que podem fazer você não namorar alguém podem estar: capacidade de manipulação, narcisismo, fumar, beber, usar drogas, ter ciúmes, animais aos quais você tem alergia e determinada bagagem emocional.

1. ______________________________
2. ______________________________
3. ______________________________
4. ______________________________
5. ______________________________

Tenha em mente que isto é apenas um exercício. Quando estiver procurando mulheres, fique aberto ao inesperado. Se você estiver procurando alguém que atenda a todos os requisitos, pode deixar passar uma pessoa ainda mais compatível quando ela surgir, mesmo que não atenda aos seus critérios pré-estabelecidos.

Enquanto isso, tal lista vai fornecer infinitos critérios para desqualificação. No nível mais simples, você pode perguntar quais são os filmes favoritos dela e depois agir como se a resposta fosse um fator impeditivo: "Você realmente gostou daquilo? Então é isso. Vou para casa. Foi bom te conhecer."

Se você quiser alguém ousado, pergunte a ela: "Qual a coisa mais louca que você já fez?" Quando ela responder, desqualifique-a dizendo com um sorriso: "Isso é ótimo. Você e minha avó seriam ótimas amigas."

Há uma lista infinita de critérios de triagem, da habilidade dela para a dança ao sabor preferido de sorvete, passando pela falta de uma medalha de ouro olímpica (porque você só namora mulheres que tenham uma medalha de ouro olímpica, então é melhor ela correr para arrumar uma).

O objetivo da triagem nunca é fazer com que a mulher se sinta mal, e sim se destacar das hordas de homens que dormem com qualquer uma indiscriminadamente.

Puxa-empurra

O oposto da desqualificação é a qualificação, ou aceitação. Quando usadas juntas, essas duas técnicas são muito poderosas.

Se ela disse ou fez algo de bom, use uma frase positiva e de aceitação ("Gosto da sua atitude"). Se ela disser algo que pode ser percebido como negativo, provoque-a com um desqualificador ("Nota mental: não namorar essa garota").

Assumir o controle de uma interação alternando entre esses dois polos (punição e recompensa, validação e invalidação, aprovação e desaprovação, qualificação e desqualificação, puxar e empurrar) é uma das principais formas de aumentar a atração.

Como tudo no jogo, o puxa-empurra deve ser feito com humor e sem crueldade. Uma forma de deixar o processo divertido é criar um sistema de pontos: atribua-lhe pontos por bom comportamento e retire-os quando ela se comportar mal. Se você quiser levar isso ainda mais longe, diga a ela que pode pedir recompensas quando chegar a determinadas pontuações: com quarenta pontos ela pode tocar nos seus bíceps e com oitenta consegue os três primeiros dígitos do seu telefone.

Talvez a forma mais divertida de puxa-empurra seja inventar um relacionamento prematuramente. Diga, rindo, que você vai fazer com que ela seja sua namorada apenas às sextas-feiras, ou brinque que vai se casar com ela imediatamente e, momentos depois, finja estar chateado por algo que a moça acabou de dizer ou fazer e mude o status do relacionamento. Diga que a está rebaixando para sua namorada de quinta-feira, ou que está pedindo o divórcio, mas que ela pode ficar com o gato.

Dez outras formas de desqualificar

A desqualificação pode assumir uma infinidade de formas. Aqui estão mais algumas para ajudar na missão de campo de hoje.

Lembre-se: se você disser tudo isto com um sorriso e senso de humor, vai sair como bom de flerte. Se disser sério e como se realmente pensasse desta forma, será apenas um babaca.

- *Salve-a de você.* Geralmente tentar afastar alguém é a melhor forma de fazer com que ela corra atrás de você. Diga que você é o tipo de cara do qual a mãe dela gostaria que ela se afastasse. Ou fale: "Uma garota legal como você deveria falar com um cara legal como aquele ali." Não só isso faz você parecer divertido e perigoso como vai inspirá-la a agir de acordo com a sua fama.
- *Dê a si mesmo um valor monetário.* Isso pode ser feito fingindo que é um privilégio falar com você ou tocá-lo. Se ela pegar sua mão, afaste-se e brinque, sorrindo: "Ei, tire as mãos da mercadoria. Isso vai custar quarenta dólares."
- *Diga que é só amizade.* Isso é algo que as mulheres costumam fazer com os homens, mas raramente ocorre o contrário. Pode ser feito em tom de flerte (dizendo que ela é a irmã caçula que você nunca teve) ou mais sério, afirmando que ela seria uma ótima amiga.
- *Exagere.* Não meça palavras para falar das qualidades dela e finja ser um admirador boquiaberto. Se você falar de modo irônico e superior, vai acabar transmitindo a ideia oposta.
- *Inverta os papéis.* Acuse-a de fazer com você tudo o que ela não gosta que um cara faça. Diga para não usar mais cantadas óbvias, parar de tratar você como um pedaço de carne sem cérebro, parar de tentar embebedá-lo para se aproveitar porque você não é um desses. Quanto mais improvável for o cenário, mais eficazes serão as acusações.
- *Dê um emprego a ela.* Brincando, ofereça-se para contratá-la como sua assistente, *web designer* ou algum outro trabalho que ela jamais faria. E demita-a logo depois, obviamente.
- *Seja esnobe.* Todas aquelas coisas imaturas que as garotas populares da escola disseram para você, agora poderão ser ditas a ela. Exemplos: "Ah, tanto faz", "Não muito" e "É, dá pra dizer isso".
- *Seja a autoridade.* As frases chatas que seus pais e professores falavam também são permitidas. Diga em tom de brincadeira que ela está começando a lhe dar nos nervos, que está muito encrencada ou de castigo.
- *Crie uma concorrência para ela.* Ameace sair para falar com seus amigos, a garçonete ou com aquelas "garotas mais interessantes ali".
- *Desafie-a.* Diga que você ainda não tem certeza se ela é bacana, ousada ou madura o suficiente para sair com você.

A lista é infinita. Você deve falar justamente o oposto do que a maioria dos homens já disse para tentar dar em cima dela. E tudo que ela costuma dizer a um cara que está dando em cima dela, você pode falar para sua pretendente.

É fácil assim.

Notas de avaliação

Para a maioria das pessoas, os desqualificadores são complicados. Não por serem difíceis em si, e sim por irem contra tudo aquilo que vocês foram criados para dizer às mulheres que despertam seu interesse.

O tom é tudo. Exceto quando você estiver realmente avaliando alguém para ver se atende aos seus critérios de relacionamento, a maioria dos desqualificadores deverá ser dita em tom de brincadeira. Se você parecer sério ou descontente quando acusá-la de dar em cima de você ou não ser bacana o suficiente, ela vai achar que você é maluco.

A maioria dos desqualificadores também deve ser dita de modo casual e espontâneo, como se você não procurasse nem esperasse uma reação. Se for óbvio que você está apenas usando o desqualificador com algum objetivo oculto, ele perde o poder e vira apenas outra forma de expressar carência.

Embora riqueza, sucesso e beleza normalmente sejam bons quando se trata do jogo da sedução, o mesmo não vale para a maioria dos desqualificadores. O objetivo do desqualificador é aumentar seu status para o nível dela ou acima. Mas, se ela pensar que seu status já está bem acima do dela, então a maioria desses comentários vai fazer você parecer nojento e arrogante, em vez de brincalhão e convencido. Portanto, avalie a situação antes de pegar muito pesado.

Por fim, se você atacou, prepare-se para defender. Ela pode responder ao seu desqualificador com um comentário sarcástico. Caso isso aconteça, não entre em pânico. Isso é bom. E se chama flerte. Esteja preparado para dar uma resposta ainda mais inteligente. Se você empacar na resposta, apenas balance a cabeça, sorria e diga "Firmeza", como se ela tivesse conquistado sua aprovação.

DIA

MISSÃO 1: Refine sua identidade

Hoje vamos nos concentrar na parte mais importante do jogo: você.

Em quase toda abordagem de sucesso, em algum momento vão perguntar o que você faz. Se você dominou os desqualificadores, sua resposta inicial provavelmente será provocá-la por fazer "perguntas de entrevista" e alegar ser um jogador profissional de amarelinha. Se ela insistir, contudo, será preciso falar a verdade ou ela vai pensar que você está escondendo algo.

A pergunta sobre o trabalho é uma oportunidade que a maioria das pessoas desperdiça. Um aluno costumava responder: "Sou engenheiro." Claro que a engenharia é uma área nobre, mas ele achava que isso o fazia parecer entediante para as mulheres.

Quando perguntei no que estava trabalhando, o aluno respondeu que estava aprendendo as novas tecnologias em telefonia celular. Então nós desenvolvemos uma resposta melhor para a pergunta. Agora, quando as mulheres querem saber o que ele faz, ele responde: "Estou projetando o celular do futuro."

É a mesma ocupação, com outra identidade.

Nas Instruções para o Dia 11 há um exercício para ajudá-lo a refinar sua identidade e articular o que faz de modo rápido e cativante. A missão será fazer o exercício e aprender a expressar sucintamente o que faz de você um cara especial sem parecer que está contando vantagem.

MISSÃO 2: Aborde e continue

Aborde grupos de três ou mais pessoas que tenham pelo menos uma mulher. Use um quebra-gelo contendo uma restrição de tempo e uma raiz.

Quando terminar o quebra-gelo, continue a conversa acrescentando os seguintes movimentos e frases:

1. Finja que está indo embora, mas dê apenas um passo para trás.
2. Olhe para o grupo e pergunte, em tom de curiosidade: "Como vocês todos se conheceram?"
3. Esteja pronto para responder com uma pergunta ou comentário. Não precisa ser nada inteligente ou complexo. Se disserem que são colegas de trabalho, pergunte: "E vocês trabalham onde?" Se disserem que são parentes, responda: "Faz sentido. Qual de vocês é a ovelha negra da família?"
4. Agora você pode ir embora, se quiser, usando aquele encerramento para todas as ocasiões: "Foi bom conhecer vocês."
5. Você também pode continuar o papo com o grupo se a conversa estiver indo bem. Se alguém perguntar o que você faz da vida, responda com a identidade que criou hoje. Tente usar tal identidade em pelo menos uma das suas interações.

A tarefa será considerada cumprida quando você tiver seguido os passos de um a três com três grupos diferentes de pessoas.

MISSÃO 3: Domine o seu jogo interior

Muitos de nós não fazemos ideia do que se passa nas nossas próprias cabeças. Não entendemos nossas emoções, paixões, frustrações, necessidades, padrões de pensamento e por que às vezes agimos de determinada forma. E, mesmo quando entendemos tudo isso, geralmente achamos difícil mudar.

Um dos melhores livros sobre este assunto é *Mastering Your Hidden Self: A Guide to the Huna Way*, escrito pelo ex-fuzileiro naval norte-americano Serge Kahili King.

Embora eu recomende ler o livro todo, para a tarefa de hoje pedi ao treinador sênior do Desafio Stylelife, Thomas Scott McKenzie, para fazer um relatório resumindo como ele se aplica à atração. Se o seu jogo interior precisa de um novo conjunto de regras, este documento poderá mudar sua vida.

INSTRUÇÕES PARA O DIA 11

PLANILHA DE IDENTIDADE

1. Quais são seus principais empregos, hobbies e/ou cursos? Responda com base em como você realmente gasta seu tempo, não no que imagina que vai agradar às mulheres.

____

____

____

____

2. Quais dos itens listados na resposta anterior melhor o definem?

____

____

3. Quais são os aspectos mais interessantes do trabalho, hobby ou curso que você escolheu? Liste cada aspecto, junto com as formas através das quais ele poderia afetar as pessoas.

____

____

____

____

4. Agora imagine que você é um recrutador para o emprego, hobby ou curso que escolheu. Usando o modelo abaixo, prepare um anúncio para atrair pessoas que não sejam da área e saibam pouco ou nada sobre ela. O objetivo é fazer o trabalho ou hobby parecer interessante e empolgante.

Seja um ____

PREENCHA COM O NOME DO EMPREGO OU HOBBY

e você poderá ____

INSIRA SEU SLOGAN

Exemplos: Seja um engenheiro e você poderá projetar o celular do futuro. Seja um guitarrista e você poderá rodar mundo em turnês fazendo shows de rock. Seja um web designer *e você poderá moldar a imagem das maiores empresas do mundo.*

5. Agora analise o anúncio que você escreveu. Retire adjetivos, advérbios e outras palavras desnecessárias (como "empolgante", "maior", "melhor", "mais poderoso" etc.). Analise os verbos utilizados e garanta que eles sejam empolgantes e atrativos ("criar" é melhor do que "ter", "lançar" é melhor do que "fazer", por exemplo). Em seguida, usando essas dicas, reescreva o slogan do modo mais simples, factual e poderoso que puder, em dez palavras ou menos.

____

____

Exemplos: "Ajudar a imagem das maiores empresas do mundo" poderia virar "reinventar a imagem das empresas" ou mesmo "reinventar a imagem de empresas que aparecem em revistas de negócios".

6. Reescreva a resposta da pergunta cinco em primeira pessoa (comece com a palavra "eu").

____

____

Exemplos: Eu reinvento a imagem de empresas que aparecem em revistas de negócios. Eu estou projetando o celular do futuro.

7. Esta é a sua declaração de identidade. Repita em voz alta até se sentir confortável com ela. Se você achá-la desinteressante ou imprecisa, reescreva-a até que fique boa ou repita este exercício (começando pela pergunta três) até ter uma declaração de identidade tão verdadeira quanto interessante.

Solução de problemas

A maioria das diretrizes do jogo se baseia no status percebido e muda dependendo de como a mulher sente que seu status se compara ao dela em um determinado momento. Então se você atualmente tem uma posição de status na sociedade, atenue-a em vez de enfatizá-la. Faça exatamente o oposto do que foi sugerido antes. Mantenha tudo vago. Por exemplo: em vez de dizer que você tem um cargo de chefia em um grande estúdio de cinema ou é um roteirista premiado, apenas diga que "trabalha com cinema" e deixe-a obter os detalhes, se assim o desejar.

DOMINANDO O SEU JOGO INTERIOR – RELATÓRIO DO LIVRO

Por Thomas Scott McKenzie

Um homem não passa do produto de seus pensamentos.
No que ele pensa, ele se transforma.
Mahatma Gandhi

Sou um astro. Sou um astro, sou um astro, sou um astro.
Sou um astro grande, luminoso e brilhante.
Dirk Diggler, no filme *Boogie Nights – Prazer sem limites*

Já foi mais do que provado: a confiança é atraente. Ela rende a admiração dos colegas de trabalho, o respeito dos amigos e o interesse das mulheres. Na verdade, pode-se dizer que, sem confiança, nenhuma técnica de sedução conhecida pelo homem vai ajudá-lo a atrair a mulher que deseja.

Mas muitos homens têm dificuldade com essa que é a mais crucial das características. Seja infância difícil, aparência longe da ideal, conta bancária no vermelho, emprego sem perspectiva, carro caindo aos pedaços, calvície iminente, cheiro de suor e período de seca nos relacionamentos, tudo isso reduz homens de valor a camundongos nervosos e tímidos. Mesmo quem tem barriga tanquinho e um conversível vermelho brilhante às vezes é incapaz de olhar uma mulher nos olhos e falar com voz forte, pois uma ex-esposa ou mãe dominadora prejudicou sua autoestima e confiança.

Mastering Your Hidden Self: A Guide to the Huna Way, de Serge Kahili King, oferece um antídoto para tudo o que envenena sua confiança. King ensina que não somos vítimas indefesas, vulneráveis à tirania das nossas mentes. Em vez disso, *nós* controlamos nossas próprias mentes e emoções. Controlamos nossas percepções, sentimentos e visão de mundo. Utilizando-se de sistemas ancestrais, King oferece uma forma concreta de reprogramar a mente, de modo que você possa caminhar pela vida cheio de confiança, energia e poder.

INTRODUÇÃO AO HUNA

Além dos ensinamentos amplamente aceitos das grandes religiões e filosofias do mundo, um corpo mais esotérico de conhecimentos secretos vem sendo passado aos iniciados ao longo da História. Construído com base no mundano e no oculto, o Huna oferece um sistema de desenvolvimento pessoal que perpassa a confusão da vida moderna.

Basicamente, o Huna diz que você está no controle da própria vida, mente e realidade. "A ideia mais fundamental da filosofia Huna é que cada um de nós cria uma experiência pessoal a partir da realidade por meio das próprias crenças, interpretações, ações e reações, pensamentos e sentimentos", escreve King.

Uma conclusão disso é que nosso potencial criativo é ilimitado. "Você pode criar, de um jeito ou de outro, tudo o que puder conceber", continua King. Por isso é importante substituir as crenças limitadoras baseadas em experiências anteriores de namoro pelas crenças ilimitadas sobre o presente e o futuro.

O sistema de crenças Huna possui sete princípios básicos:

1. *O mundo é o que você pensa.* Base do Huna, esse princípio afirma que você cria sua própria experiência da realidade. "Mudando o seu pensamento, será possível mudar o seu mundo."

2. *Não há limites.* Não há fronteiras reais entre você e seu corpo, você e outras pessoas ou mesmo você e Deus. As divisões que geralmente reconhecemos são restrições arbitrárias impostas por consciências limitadas.

3. *A energia flui para onde vai a atenção.* Quando você insiste em certos pensamentos e sentimentos, escreve o enredo da sua vida. O foco alimenta percepções negativas ou positivas. Então, por exemplo, não dê a alguma garota que o ignorou o poder de estragar seu dia voltando o pensamento para aquele incidente.

4. *Agora é a hora.* Neste momento você não está sendo impedido por experiências anteriores nem obrigado a cumprir deveres futuros (exceto pagar impostos, é claro). "No momento atual você tem a força para mudar crenças limitadoras e plantar de modo deliberado a semente para o futuro de sua escolha", escreve King. "À medida que você muda a própria mente, mudará a sua experiência."

5. *Amar é estar feliz com.* As pessoas existem por meio do amor, diz King. E reconhecer isso permite que você exista em um estado de felicidade interior com relação a quem é agora e quem será no futuro.

6. *Todo o poder vem de dentro.* Se você quiser mudar sua realidade, não pode esperar pela intervenção divina. Cabe a você mudar a própria existência. Este princípio também contém a advertência crucial de King: "Nenhuma outra pessoa pode ter poder sobre você ou o seu destino, a menos que você permita." Para alguns, isso significa que é hora de parar de culpar amigos, parentes, o trabalho ou a sociedade por impedi-los de alcançarem o sucesso social e começar a aceitar a própria responsabilidade.

7. *Eficácia é a medida de verdade.* Sente-se em qualquer tribunal e você vai perceber que existem muitas versões da verdade. Em um universo infinito, escreve King, não há verdade absoluta, apenas "uma verdade eficaz em um nível individual de consciência". Simplificando, faça o que funcionar para você.

OS EFEITOS NOCIVOS DA NEGATIVIDADE

Para melhorar o jogo interior, é vital que você reconheça os efeitos nocivos da energia e dos pensamentos negativos. "Em termos gerais, atitudes negativas produzem estresse interior que se traduz em tensão física e pode afetar órgãos e até mesmo células", escreve King.

A forma mais simples de mudar uma atitude negativa para uma positiva é estar ciente dos maus pensamentos quando eles aparecerem e transformá-los de forma consciente. "Você pode fazê-lo independentemente de os fatos aparentes da situação parecerem justificar tal pensamento ou não", acrescenta King.

A MENTE SUBCONSCIENTE

Quando se trata do subconsciente, a percepção comum diz que ele se esconde nas profundezas da mente, permanecendo desconhecido até você gastar anos no divã de um terapeuta apenas para se descobrir uma vítima indefesa de algum evento aleatório ocorrido na infância.

King discorda. Ele explica que, na verdade, é possível controlar o subconsciente. "O subconsciente não é uma criança desobediente e rebelde, nem trabalha contra os seus interesses. Sempre que o *ku* (subconsciente) parece estar contra você, é porque está seguindo ordens anteriores que você deu ou permitiu que permanecessem lá."

Um bom exemplo de como treinar o subconsciente envolve mudar hábitos. Hábitos físicos e mentais são respostas aprendidas armazenadas na memória subconsciente e liberadas por estímulos associados. O Huna ensina que a única forma de eliminar um mau hábito é dar ao subconsciente uma forma mais eficaz de lidar com os estímulos.

Uma estratégia é pensar em mudar os hábitos de fala. Talvez você suje seu discurso com *tilts* cerebrais e pausas. Em algum momento da vida, talvez essas pausas tenham fornecido um tempo extra para que pudesse escolher as palavras, e acabaram virando um hábito. Em vez de aceitar esse mau hábito ou tentar acabar com ele de um dia para o outro, o Huna ensina que ele deve ser substituído. "O importante aqui é que não existe vácuo no subconsciente", escreve King.

Ensine o subconsciente a abandonar a pausa aprendendo a falar mais devagar. Ou se condicione a bater o dedo em algo toda vez que tiver o impulso de falar "é...".

O subconsciente quer ajudar você, mas ele pode ter sido mal treinado. "O subconsciente nunca vai contra o que ele acredita ser do seu interesse", escreve King. "Infelizmente, as suposições nas quais tais crenças se baseiam podem ser falsas."

Ao interagir com o subconsciente, argumenta King, você poderá entender suas motivações e mudar as que não são eficazes. Ele fornece várias estratégias para interagir com o subconsciente.

Primeiro de tudo, King sugere que você dê um nome para ele. Depois, poderá experimentar duas formas de busca na memória. A primeira é chamada de "caça ao tesouro". Para essa atividade, basta falar com o subconsciente como se estivesse conversando com um novo amigo. Cite a lembrança de algo agradável e veja o que o subconsciente traz em termos de detalhes e nitidez. Ou você pode pedir ao seu subconsciente para mostrar as lembranças favoritas dele. Lembranças já esquecidas vão aparecer e você será inundado por sensações.

A segunda forma de busca na memória se chama "coleta de lixo". Para essa atividade, peça ao subconsciente para trazer suas piores lembranças. Fazendo isso com frequência, você começará a ver padrões. "As lembranças terão certos temas e indicarão as áreas das crenças limitadoras que podem estar prejudicando seu desenvolvimento", diz King. "Você pode descobrir, por exemplo, que uma série de 'piores lembranças' em uma determinada sessão gira em torno do medo da rejeição ou da necessidade de controle." Quando se trata de mulheres, todos nós tivemos experiências embaraçosas. Mas se esses incidentes não forem tratados adequadamente pelo subconsciente, podem nos levar a sabotar nosso potencial para o sucesso.

LIBERDADE EMOCIONAL

Um dos principais ensinamentos de King é parar de ser vítima do subconsciente e aprender a guiá-lo e instruí-lo.

Uma forma de fazê-lo é se esforçando para obter o que King chama de liberdade emocional. Pare de se identificar com "as reações emocionais do seu subconsciente", escreve King. "Quando você diz 'Estou com raiva', está se identificando com o subconsciente e poderá achar extremamente difícil se livrar da raiva."

Em vez disso, determine o objetivo e a origem de uma nova emoção assim que ela surgir. Pergunte-se: "De onde veio esta emoção? Por que estou sentindo isto agora?"

Essas e outras perguntas vão permitir que você descubra a fonte das suas emoções. Até a autoanálise poderá ajudá-lo a se acalmar. "A autoanálise tende a drenar a força daquela emoção porque você está desviando a energia da emoção para o processo de pensamento consciente", explica King.

Ele também recomenda a reprogramação como técnica para controlar o subconsciente. "Se você quiser mudar o processo de pensamento habitual do seu subconsciente, deverá conscientemente manter o padrão desejado no primeiro plano da mente até o subconsciente ter aceitado aquilo como um novo hábito." É por isso que determinadas afirmações, por mais bobas que pareçam, podem melhorar diretamente seu sucesso com as mulheres.

A MENTE CONSCIENTE

Para entender de verdade a mente consciente, é preciso entender a natureza da força de vontade. A única habilidade verdadeira que você tem em nível consciente é o poder de direcionar a própria consciência e atenção para um determinado pensamento ou experiência. Isso é o que chamamos de "livre-arbítrio".

Não podemos fazer uma mulher gostar de nós, o chefe nos dar um aumento ou aquele carro Ford de 1974 pegar de manhã. "O que podemos fazer, contudo, é decidir como reagir às nossas experiências de vida, o que vamos fazer dali em diante e em qualquer momento no futuro para mudarmos a nós mesmos ou às circunstâncias", escreve King.

King define a determinação como "o direcionamento contínuo e consciente de atenção e percepção rumo a um determinado propósito". E os objetivos são conquistados, continua ele, "ao se renovar continuamente as decisões ou escolhas feitas para alcançar o fim, apesar dos aparentes obstáculos e dificuldades".

Em outras palavras, se um método não funcionar após várias tentativas, uma pessoa com determinação não desiste. "Ela tenta outro e depois outro, até encontrar um que funcione, mesmo que isto signifique mudar a si mesma."

A diferença, conclui King, entre os que têm força de vontade e os que não têm é que os fortes decidem continuar, enquanto os fracos desistem. É importante se lembrar disso quando a garota com quem você estava falando a noite inteira lhe der um número de telefone errado, ou você vir a mulher que acabou de rejeitar sua abordagem aos amassos com uma outra pessoa. Fracassos e empecilhos fazem parte da vida. Optar por desistir não.

OBJETIVOS E PROPÓSITOS

King faz uma distinção entre conquistar objetivos e cumprir um propósito que é crucial para sua jornada de aperfeiçoamento pessoal.

A diferença é que um propósito é "algo que dará sentido à sua vida". Um objetivo apenas mede seu progresso em relação ao propósito, como os resultados concretos que você escreveu na sua declaração de missão pessoal.

"Ao contrário de um objetivo, o propósito não é alcançado, e sim realizado", escreve King. "Objetivos sem propósito não têm significado, enquanto ter um propósito dá significado a qualquer objetivo."

Em outra parte do livro, King fornece diversas ferramentas para melhorar seus estados mental e emocional. Ao usar a mente para melhorar a vida, você poderá criar a confiança que é o componente absolutamente vital para o sucesso com as mulheres.

Como King sugere: "Procure o que há de bom em tudo e, se não conseguir encontrar, descubra alguma forma de acrescentar algo de bom."

DIA

MISSÃO 1: Compartilhe suas características

Anote oito qualidades suas que você gostaria de divulgar para as pessoas. Entre elas podem estar: personalidade, humor, confiabilidade, inteligência, talento artístico ou qualquer outra que faça você se destacar.

1. ____________________ 5. ____________________
2. ____________________ 6. ____________________
3. ____________________ 7. ____________________
4. ____________________ 8. ____________________

MISSÃO 2: Encontre as suas histórias

Agora você sabe o que deseja comunicar. Mas como fazer isso?

Bem-vindo ao dia de contar histórias.

Embora a maioria das mulheres diga aos homens que aprender a ouvir é importante, nos primeiros estágios de uma interação aprender a falar é mais importante. Isso porque seu trabalho consiste em demonstrar que é uma pessoa com quem vale a pena passar a noite toda conversando.

O veículo para isso é o seu passado. Em vez de contar às mulheres suas maiores qualidades e seus pontos fracos mais encantadores, usar histórias permite que você os mostre. E também o impede de encher uma mulher que acabou de conhecer de perguntas genéricas sobre onde ela mora e no que trabalha. Além disso, dão a oportunidade não só de fascinar um grupo de pessoas como de inspirá-las a contar as próprias histórias em retribuição.

Suas tarefas de hoje vão levá-lo a criar e contar a história perfeita.

Você pode ter a sorte de já ser um excelente orador, capaz de manter a atenção do público em várias festas com a história daquela vez em que precisou invadir uma farmácia no Cairo às três horas da manhã a fim de conseguir aspirina para sua namorada.

Ou talvez você seja menos eloquente, incapaz de pensar em histórias na hora ou de manter a atenção de alguém por tempo suficiente para contá-las. Ouvi centenas de homens alegarem que a vida deles não é interessante e, portanto, não têm histórias para contar. Essa é outra crença limitadora aparecendo. Não importa se sua cidade é pequena, se você viajou pouco, se sua família é normal ou a sua idade, você tem, sim, histórias interessantes para contar. Só precisa encontrá-las.

Pense nos momentos marcantes da sua vida, sejam experiências fundamentais que formaram o seu caráter ou apenas histórias engraçadas e triviais que você gosta de contar. Elas podem ser:

- Irônicas e vergonhosas, como a época em que você fez terapia de casal com sua namorada e o terapeuta a chamou para sair logo em seguida.
- Ousadas e empolgantes, como a vez em que você estava mergulhando, o regulador quebrou e um cardume de barracudas surgiu ao seu redor.
- Sexies e constrangedoras, como a vez em que a mulher casada sentada ao seu lado no avião tentou fazer sexo com você no banheiro.
- Ingênuas e tocantes, como a vez em que o seu hamster morreu e você pensou que ele estava dormindo... por sete dias.
- Pequenas e poéticas, como a vez em que você estava comendo um hambúrguer e subitamente percebeu o sentido da vida.
- Perigosas e heroicas, como a vez em que você salvou uma garota de um cara que ameaçava bater nela na frente de uma boate no Rio.
- Atuais e confusas, sobre algo que aconteceu há poucos minutos, como uma garota que você não conhece surgindo do nada e perguntando se você poderia levar a irmã dela para casa.
- Qualquer história, desde que não evoque emoções negativas nos ouvintes ou revele algo de ruim a seu respeito, como misantropia, mesquinharia, tristeza, preconceito, raiva ou perversão.

Agora pense na sua infância, vida familiar, escolar, profissional, nas viagens, nos momentos de lazer e nas experiências de namoro, desde a sua lembrança mais antiga até o que fez ontem à noite. Retire oito histórias pessoais dessas experiências. Depois dê a elas nomes intrigantes (como "O incidente do hambúrguer mágico" ou "A história do hamster que decaiu") e escreva tudo no espaço a seguir:

1. ______________________
2. ______________________
3. ______________________
4. ______________________
5. ______________________
6. ______________________
7. ______________________
8. ______________________

Se você tiver problemas para se lembrar de oito histórias, pense em conversas recentes que teve com amigos e familiares. Tente recordar algumas histórias que contou e que geraram entusiasmo, interesse ou risadas.

Se ainda estiver com dificuldade, imagine que você tem a oportunidade de vender um filme sobre sua vida a produtores de cinema. Que histórias fundamentais seriam necessárias para atrair o interesse deles?

Caso ainda esteja empacado, ligue para seus pais, irmãos ou amigos e peça para que eles contem algumas lembranças favoritas a seu respeito.

MISSÃO 3: Escolha suas histórias

Sua próxima tarefa é analisar as qualidades listadas na Missão 1. Depois repasse as histórias escolhidas para a Missão 2. Marque com um asterisco cada história que mostre uma ou mais das suas oito qualidades. Observe que a história ideal não conta vantagem nem exagera, e sim exibe tanto os seus pontos fortes quanto as vulnerabilidades de modo honesto, humilde, engraçado e envolvente.

Das histórias que você marcou escolha as duas que achou mais envolventes e divertidas (se não marcou nenhuma com asterisco, é hora de pensar em mais histórias ou mais qualidades). Escreva as duas histórias principais aqui:

1. ______________________
2. ______________________

Essas são as histórias nas quais você vai trabalhar hoje.

MISSÃO 4: Prepare suas histórias

Pegue uma folha de papel, abra o seu diário ou um novo arquivo no computador.

Escreva cada uma das duas histórias até o fim. Vale tudo, desde que você não minta, porque mentira tem perna curta e pode se voltar contra você. Veja algumas dicas:

- *Prepare um começo marcante.* Sua história precisa causar uma boa primeira impressão e a melhor forma de garantir isso é contar com uma frase inicial curta, afiada e clara. Ela pode ser um resumo que flui naturalmente da conversa: "Ah, é que nem a vez em que fui obrigado a comer tubarão estragado na Islândia." Também pode ter a forma de uma pergunta que atrai o interesse do ouvinte: "Você já comeu tubarão estragado?" Ou pode ter apenas um gancho intrigante: "Aconteceu a coisa mais esquisita do mundo comigo quando estava na Islândia."
- *Tenha um bom final.* O ideal é que a história termine com uma virada surpreendente, revele a resposta do mistério que foi criado, tenha um bordão que não seja brega ou feche com uma bela lição de moral. De qualquer modo, faça com que sua última frase deixe o ouvinte rindo, empolgado, chocado, admirado, descrente ou com qualquer emoção forte e positiva. Também é possível acrescentar uma pergunta no fim para gerar respostas ou histórias semelhantes dos ouvintes.
- *Tenha uma boa trama.* O suspense ocorre quando o ouvinte sabe que algo vai acontecer, mas não sabe o quê nem como. Então deixe a plateia ciente dos rumos da história em todos os momentos, ou pelo menos de que você está indo a algum lugar, mas não diga como vai chegar lá.
- *Inclua detalhes vívidos.* Reviva a experiência na sua mente enquanto escreve. Feche os olhos, se precisar. Lembre-se de paisagens, sons, cheiros e sensações. Quanto mais ricos os detalhes, mais envolvidos os ouvintes ficarão.
- *Acrescente humor.* Assista a bons comediantes de stand-up e você notará que entre o início e o bordão final eles colocam várias piadas adicionais, além de uma frase extra após o bordão para garantir umas risadas a mais. Encontre pontos em que você possa

acrescentar humor à sua história. Entre os recursos úteis estão fazer piada de si mesmo, dos outros ou do comportamento humano, exagerar para fins cômicos, citar piadas anteriores e dizer o oposto do que as pessoas esperam.

- *Acrescente valor.* Quando ilustrar suas características positivas, há o jeito certo e o errado de se gabar. O errado é declarar numa frase: "Acabei de comprar um carro novo." O certo é contar o fato como se fosse um detalhe casual que ajuda a formar uma imagem: "Aí eu estava dirigindo de volta para casa e tive que abrir a janela porque o cheiro do carro novo estava me sufocando."
- *Corte as gorduras.* Quando terminar, releia o que escreveu. Veja se está fácil de acompanhar e não tem detalhes e informações desnecessários. Retire sem piedade tudo o que não contribuir para a história. Talvez seja preciso contá-la a algumas pessoas para verificar se o ritmo está funcionando.
- *Corte a carência.* Veja se o objetivo da história é entreter, divertir ou envolver outras pessoas, em vez de vender a si mesmo ou suas realizações. Uma forma de atestar essa busca por validação é verificar todas as ocorrências das palavras *eu* ou *mim* e ver quantas podem ser retiradas sem prejudicar a história.
- *Verifique a duração final.* Sua história não deve ter menos de trinta segundos nem mais de dois minutos (aproximadamente de 75 a 350 palavras no papel). Se for menor, acrescente mais intriga e humor. Se for maior, corte mais gorduras.

Quando você tiver as duas histórias devidamente escritas, faça um resumo até obter os principais elementos da trama e monte uma lista de pontos de virada para cada uma. Se, por exemplo, você estivesse descrevendo *Guerra nas estrelas*, os pontos de virada seriam: adolescente mora com os tios, compra dois robôs, descobre mensagem secreta, e por aí vai. Ao contrário de *Guerra nas estrelas*, suas histórias deverão ter apenas de três a seis pontos de virada.

Embora você vá praticar contando a história inteira, tudo o que você precisa para memorizá-la são os pontos de virada. Assim, a forma de contar vai parecer menos pré-fabricada e você terá mais flexibilidade para expandir ou diminuir a história, dependendo do interesse da plateia.

MISSÃO 5: Conte sua história

Tenho uma teoria sobre as palavras. Existem mil maneiras de dizer "Passe o sal". Pode significar "Posso pegar um pouco de sal?" ou então "Eu te amo". Pode significar "Estou muito chateado com você". Sério, a lista pode ser infinita. Palavras são pequenas bombas e têm muita energia dentro delas.

Christopher Walken

É hora de dominar a arte de contar sua história.

A melhor forma de cativar um ouvinte é ser passional. Empolgue-se com sua vida, seja intenso em relação às suas experiências e acredite em cada palavra do que está dizendo. Sempre que repetir a história, deve parecer que está contando aquilo pela primeira vez, com toda a confusão, empolgação ou espanto que sentiu quando vivenciou tais aventuras.

Revise os exercícios vocais do Dia 3, depois conte suas duas histórias para o gravador. Fale alto, devagar, com clareza e dinamismo. Para prender ainda mais os ouvintes, destaque palavras-chave e insira pausas para criar suspense ou humor. Experimente enfatizar diferentes palavras e fazer pausas em lugares inesperados para mudar o ritmo da história.

Quando você estiver confortável com sua recitação, encontre um lugar no meio de cada história para inserir uma oportunidade de interação com os ouvintes. Isso vai ajudar a manter a atenção deles. A maioria dos pontos de interação vai envolver perguntar se os ouvintes estão se identificando com a experiência, se têm alguma opinião sobre ela ou se podem refrescar sua memória em relação a algum fato.

Por exemplo, se você estiver contando uma história que se passa em uma determinada pizzaria, a interação pode ser apenas: "Já foram lá? Tá, então vocês sabem do que estou falando." Se ela se passar em um aeroporto, você pode perguntar: "Era como naquele filme em que o Tom Hanks faz um cara que fica preso no aeroporto, como é o nome mesmo?"

Se você quiser levar a apresentação ainda mais longe, pratique fazer uma pausa casual no clímax da história para criar suspense. Você pode tomar um gole da sua bebida, colocar uma bala na boca ou, se fumar, acender um cigarro.

Após ter feito uma gravação bem-sucedida das suas histórias, volte ao pedaço de papel ou arquivo do computador em que originalmente as escreveu e atualize-as. Acrescente pontos de interação, pausas ou outros enfeites criados por você enquanto trabalhava no modo de contá-las.

MISSÃO 6: Apresente suas histórias

Você chegou à etapa final da preparação das suas histórias.

Fique em frente a um espelho ou prepare uma câmera de vídeo para se filmar.

Observe-se contando a história.

A chave para ter um bom desempenho é ser expressivo. Expressões faciais, movimentos dos olhos, gestos, linguagem corporal e nível de empolgação podem deixar uma história tão forte quanto as palavras em si.

Experimente acentuar determinados pensamentos e emoções na história com movimentos específicos. Tente mudar os gestos ou o tom de voz quando citar outras pessoas. E fique à vontade para usar os recursos que estejam à mão: um celular, um canudinho ou outra pessoa.

Porém, tenha cuidado para não ir longe demais. Quanto menor e mais sutis forem os gestos e simulações, mais críveis eles serão. Não exagere no tom e nos movimentos e verifique se tem a atenção e o interesse do grupo o tempo todo, permitindo que eles contribuam quando quiserem. Não os bombardeie com histórias desconexas em sequência, pois isso pode fazer você passar de especialista em conversação a terrorista do bate-papo.

Existe um elemento final da apresentação que não pode ser praticado na frente do espelho: o imprevisto. Como qualquer pessoa que já esteve em um palco pode dizer, não importa o quanto tenha se preparado, tudo muda quando os holofotes estão voltados para você.

Então, quando estiver falando com um grupo, não se preocupe em acertar cada gesto ou frase. Apenas faça questão de mencionar todos os itens. E se as pessoas fizerem perguntas, interromperem ou de repente começarem a contar as próprias histórias, não se aborreça. Isso é bom: significa que estão prestando atenção.

Se a conversa sair do rumo, não insista em terminar sua história a menos que os ouvintes perguntem o que aconteceu. Você sempre pode guardar a conclusão para depois, no caso de precisar preencher algum silêncio constrangedor na conversa. Não esqueça que o objetivo da história não é chegar ao final, e sim exibir sua personalidade magnética.

Por outro lado, não tolere comportamentos mal-educados. Os comediantes lidam com gente que os interrompe o tempo todo. Tenha algumas frases à mão para resolver esse problema. Um amigo meu, por exemplo, faz piada, dizendo "O show é aqui" quando alguém se distrai.

MISSÃO 7: Compartilhe suas histórias

Use as duas histórias com os pontos de interação pelo menos duas vezes em uma conversa hoje. Você não precisa contar as histórias para a mesma pessoa, basta usar cada história pelo menos duas vezes ao longo do dia.

Não importa se você vai contá-las a uma mulher em quem está interessado, um colega de trabalho, um amigo, ao seu pai ou mãe, um desconhecido, irmão ou atendente de telemarketing, desde que você conte.

Fique à vontade para improvisar. Enquanto conta as histórias, vale inserir novos detalhes, piadas e pontos de interação na hora. Após cada narração bem-sucedida, volte ao arquivo em que está a história e anote tudo o que gostaria de acrescentar, mudar ou retirar para melhorar a performance.

Se nenhuma das histórias chamar a atenção dos ouvintes, substitua-a por outra história da sua lista. Se a nova também não funcionar, peça a alguém que estava lá para fornecer um feedback sobre a sua forma de contá-la, ou dizer a versão dele dos fatos. Se as duas histórias tiverem ótimas reações, comece a inventar outras.

E dê parabéns a si mesmo. A arte de contar histórias é uma das mais antigas da humanidade e agora você oficialmente faz parte dessa tradição.

DIA

MISSÃO 1: Arranje um caderninho de encontros

Leia as Instruções para o Dia 13. Arranque a página da agenda ou tire uma cópia. Se não quiser arrancar a página e não tiver acesso a uma copiadora, há uma versão disponível para imprimir em www.stylelife.com/challenge.

MISSÃO 2: Promova o conhecimento

Vá a uma livraria, preferencialmente uma que tenha um café ou algum lugar para se sentar. Leve a página da agenda do Desafio Stylelife, algo para escrever e o seu diário, se estiver fazendo um.

Encontre um lugar confortável. Você fará o restante das tarefas de hoje dentro da livraria.

MISSÃO 3: Adquira um pouco de cultura

Pegue uma cópia do guia de eventos local. Pode ser um jornal gratuito semanal, um guia no formato de revista ou um jornal diário. Você também pode pegar um guia de viagens que fale das atrações locais. Como você não vai sair da livraria com eles, não vai ser preciso comprá-los.

MISSÃO 4: Vire um cosmopolita

Pegue a edição atual da revista *Nova Cosmopolitan*.

MISSÃO 5: Planeje suas noites

Sente-se em algum lugar confortável na loja, como o café. Pegue a agenda do Desafio Stylelife e olhe as listas, críticas e recomendações no jornal ou material de referência escolhido.

Escolha um evento, restaurante, show, vernissage, leitura, brechó ou outra atividade interessante para cada dia da semana. Anote as informações para cada evento na coluna da esquerda da agenda. Quanto mais simples e barata for a atividade, melhor. Grátis também é bom. Escolha algum lugar ao qual você possa ir: nada de show esgotado ou restaurante caro demais.

Na coluna maior à direita, escreva uma ou duas frases para convencer alguém a ir a cada evento.

MISSÃO 6: É isso que elas realmente pensam?

Leia toda a edição da revista *Nova Cosmopolitan*.

Primeiro, observe que as mulheres estão tão desesperadas para conseguir um encontro amoroso, manter um namorado e evitar a rejeição quanto os homens. Depois, encontre um assunto interessante para conversa inspirado em algum artigo, coluna, carta ou anúncio da revista.

Quando escolher um assunto, fale sobre ele com uma mulher sentada perto de você ou que esteja passando. (Se ela estiver andando, fale com ela quando vier na sua direção. Se ela estiver de costas, é tarde demais.) Mostre a matéria da revista e conte qual foi a sua reação ou faça uma pergunta sobre comportamento feminino.

Se ela responder de modo favorável, dê os parabéns a si mesmo. Você acabou de criar seu roteiro espontâneo. Se não for o caso, continue lendo e encontre outro assunto interessante. Repita o procedimento com outra mulher.

Se por acaso ela perguntar por que você está lendo a *Nova Cosmopolitan*, diga a verdade: alguém recomendou tal leitura para que você pudesse aprender mais sobre as mulheres.

Não é preciso continuar a conversa depois disso. Mas se ela estiver gostando da interação, fique à vontade para seguir em frente usando um dos seus quebra-gelos, histórias pessoais ou desqualificadores. A missão estará completa quando você tiver falado sobre a revista com três mulheres diferentes.

Quando voltar para casa, acrescente o roteiro da *Nova Cosmopolitan* que você usou com sucesso à lista de histórias que começou ontem.

INSTRUÇÕES PARA O DIA 13

Domingo	
Segunda-feira	
Terça-feira	
Quarta-feira	
Quinta-feira	
Sexta-feira	
Sábado	

DIA

MISSÃO 1: Demonstre valor

Quando você aprendeu os quebra-gelos, um dos pontos cruciais era dar uma restrição de tempo, dizendo que você precisaria sair em poucos minutos.

O objetivo de hoje é ser tão bacana e interessante que ela não vai querer que você vá embora. O jeito mais rápido de conseguir isso, o ponto de fisgada, é demonstrar valor. Afinal, ela pode conhecer qualquer um naquele dia. Por que justamente você?

Para algumas mulheres, só o fato de ter confiança e abordá-las pode bastar para fazer você se destacar. Para outras, o senso de humor ou a aparência podem ser o fator determinante. Talvez você se pareça com o primeiro namorado dela, tenha uma atitude de não estou nem aí ou outra qualidade que a empolgue. Mas às vezes, especialmente com mulheres que têm várias opções, você vai precisar se esforçar um pouco mais.

Uma das melhores e mais eficientes formas de causar uma boa impressão é ensinar a ela algo sobre si mesma.

Sua tarefa é ir até as Instruções para o Dia 14 e ler a observação sobre o uso de roteiros, depois estudar o procedimento que vem a seguir e aprender a dar valor a quem você conhece, em vez de retirar valor dessas pessoas. Lembre-se de que, como acontece com tudo o que você aprendeu, não há poder no procedimento em si. O objetivo é apenas deixar o dia ou noite dela mais interessante.

Quando tiver decorado o procedimento, vá para a tarefa de campo de hoje.

MISSÃO 2: Pegue a mão dela

Hoje você vai acrescentar o procedimento do anel ao seu repertório.

Vá a qualquer lugar em que as pessoas se reúnam (café, bar, parque, museu, loja de departamentos) e inicie uma conversa usando um dos novos quebra-gelos.

Depois, conforme aprendeu no Dia 11, finja que está indo embora. Então observe espontaneamente o anel no dedo dela (ou a falta dele) e comece o procedimento. Até chegar ao ponto de fisgada e você ter certeza de que ela está intrigada, continue fingindo que está prestes a ir embora a qualquer momento.

Se ela estiver com amigos, não se esqueça de incluí-los na conversa.

A reação dela ao procedimento do anel não importa. Independentemente de estar fascinada ou entediada, você está fazendo isso apenas para praticar a demonstração de valor. Lembre-se: esses procedimentos funcionam melhor quando feitos em clima de curiosidade e diversão, não como forma de causar impacto e fazer com que ela goste de você. Desde que você esteja contando sua história e ela ainda esteja lá, a missão está sendo cumprida.

Fique à vontade para continuar a interação se estiver indo bem. Se você não souber o que fazer após esse procedimento, pode ir embora educadamente. Na semana seguinte você receberá ferramentas para continuar a conversa, amplificar a conexão e trocar telefones.

Após ter praticado o procedimento do anel em três mulheres diferentes, a missão de hoje estará completa.

MISSÃO 3: O que Darwin tem a ver com isso?

Tudo isso pode parecer muito trabalhoso.

Afinal, você é um indivíduo incrível e singular. Você tem sua vida, sua família e seus amigos. Está conquistando o sucesso. Por que teria que se esforçar tanto só para atender aos critérios de uma mulher que você mal conhece?

A resposta, meu amigo, é a evolução.

Em última análise, goste ou não, na maioria das espécies (e a nossa não é diferente) os homens geralmente competem pelas mulheres e elas os escolhem.

Nas Instruções para o Dia 14, você vai ver um relatório feito pelo treinador do Desafio Stylelife Thomas Scott McKenzie sobre o livro de Matt Ridley chamado *The Red Queen*. Sua tarefa consiste em ler o texto e descobrir a lógica evolucionista por trás de boa parte do que está fazendo neste mês. Tenha em mente que também existem forças culturais atuando em nosso comportamento, embora um biólogo evolucionista obviamente vá dizer que tais forças também são moldadas pela seleção natural.

INSTRUÇÕES PARA O DIA 14

OBSERVAÇÕES SOBRE O MATERIAL INCLUÍDO NESTE LIVRO

Um dia liguei a televisão e vi um episódio de *CSI: Miami*. A trama girava em torno de um grupo de artistas da sedução que usavam material tirado palavra por palavra do meu livro *O jogo*. Foi o programa de maior audiência naquele horário, chegando a cinquenta milhões de espectadores em 55 países. Mesmo assim, artistas da sedução do mundo inteiro continuaram a usar exatamente o mesmo material, e nunca ouvi um relato sequer de alguém que tenha sido desmascarado por causa da série.

Por isso, nunca subestime a capacidade das pessoas de se esquecerem das palavras exatas que ouviram e de onde elas vieram.

Mas, para fins de argumentação, vamos imaginar o pior cenário possível: você usa um quebra-gelo e a mulher sabe que ele saiu diretamente deste livro.

Sem problema.

Tudo o que você precisa é de um plano de contingência. E a premissa do plano é que agora vocês dois têm algo em comum. Ambos leram o mesmo livro. Então desista do quebra-gelo e exclame: "Não é possível que você conheça esse livro. O que achou dele? Decidi testá-lo hoje e logo na primeira abordagem fui desmascarado!"

Se o objetivo do quebra-gelo é iniciar uma conversa, você agora está oficialmente participando de uma, falando de um dos assuntos mais interessantes do mundo: relacionamentos.

Não há motivo para temer qualquer resultado que você possa imaginar, já que, se você pode imaginar tal cenário, então pode preparar um plano de contingência para o caso de ele se tornar realidade.

Vendo de modo mais amplo, lembre-se de que a linguagem e as palavras não importam tanto quanto a intenção por trás delas. O quebra-gelo do amigo misterioso não funciona por ser o quebra-gelo do amigo misterioso, e sim por ser uma forma de iniciar uma conversa envolvente com um grupo de pessoas sem dar em cima de ninguém. Enquanto puder fazer isso, não precisa se preocupar se essas técnicas estão se tornando conhecidas.

O conhecimento não vai mudar os fundamentos da atração entre homens e mulheres. E a atração, como você está prestes a ler, funciona sob os mesmos princípios desde o início dos tempos.

Tendo isso em mente, saiba que o procedimento a seguir é apenas um exemplo de demonstração de valor. Fique à vontade para estudar ou usar qualquer outro que sirva ao mesmo propósito durante o Desafio: vale um truque de mágica que não seja brega e nem envolva cartas, jogos de visualização como o cubo, habilidades de avaliação pessoal como grafologia ou qualquer outra prática que atenda ao objetivo de alcançar a excelência.

O PROCEDIMENTO DO ANEL

GUIA RÁPIDO

- Polegar = Poseidon, representa individualidade, independência e iconoclastia.
- Indicador = Zeus, representa dominância, força e energia.
- Médio = Dionísio, representa irreverência, rebeldia e imoderação.
- Anelar = Afrodite, representa amor, romance e conexão.
- Mindinho = Ares, representa conflito, assertividade e competitividade.
- Sem Anel = Hermes, representa cordialidade, solicitude e ousadia.

ROTEIRO DA APRESENTAÇÃO

VOCÊ: Preciso perguntar antes de ir embora: por que você escolheu usar um anel nesse dedo?

ELA: Não tem nenhum motivo especial não...

VOCÊ: Interessante. Você sempre usa anéis nesse dedo?

ELA: Acho que sim. Quase sempre.

VOCÊ: Estou perguntando por que tenho uma amiga que é do tipo esotérica e ela acabou de me ensinar que o dedo que você escolhe para usar um anel na verdade diz algo sobre sua personalidade. Eu não sei se acredito nisso, mas ela acertou direitinho a minha.

Se ela não estiver usando anel algum, diga a frase alternativa: "Preciso perguntar antes de ir: notei que você não está usando anel. Você costuma usar anéis?" Então continue com o parágrafo acima, mas diga: "Ela acabou de me ensinar que usar anéis em determinados dedos ou escolher não usar anel diz algo sobre a personalidade das pessoas."

VOCÊ: Entre os antigos gregos, cada um dos montes em cima da palma da mão era representado por um deus. E as pessoas na época usavam um anel em um determinado dedo para honrar aquele deus específico.

Agora explique as referências para todos os dedos, um a um. Se ela der a impressão de que você tem tempo, deixe o dedo em que está o anel por último para criar suspense.

VOCÊ: Por exemplo, o polegar representa Poseidon, o deus dos mares, uma entidade muito independente. Era o único deus que não morava no Monte Olimpo. E o polegar meio que se destaca dos outros dedos, então quem usa anel no polegar geralmente é um pensador independente que tende a agir por conta própria. Não segue as tendências, gosta de criar as dele. Já o dedo indicador é representado por Zeus, o rei dos deuses, e significa poder e dominância. Como os pais que apontam o indicador quando dão bronca nos filhos. Então quem usa anel neste dedo geralmente tem uma tendência a assumir o comando.

Se ela disser que o dedo em que está o anel não corresponde à personalidade dela, diga que às vezes as pessoas escolhem esses dedos por estarem trabalhando subconscientemente para cultivarem aquele atributo específico, ou por se sentirem atraídas por pessoas com tal atributo.

VOCÊ: O dedo médio é representado por Dionísio, deus do vinho e das festas, que era muito irreverente e gostava de libertar as pessoas de suas inibições. Então se você usa um anel ali significa que tende a fazer o que quiser, sem se importar com a opinião alheia. Você pode às vezes instigar os outros, então até faz sentido que seja o dedo que as pessoas usam para xingar. O dedo anelar, obviamente, é representado por Afrodite. Ela era a deusa do amor e é supostamente por isso que usamos alianças de casamento nele. Uma curiosidade: esse é o único dedo que tem uma veia que leva direto ao coração, sem se ramificar. Então quando alguém põe um anel neste dedo, na verdade está fazendo uma conexão direta com o próprio coração.

Se ela estiver suficientemente à vontade para permitir um leve toque, você poderá segurar sua mão ou tocar nos seus dedos enquanto faz isso. Se ela mostrar mais interesse, poderá até traçar a linha da veia partindo do dedo até o braço.

VOCÊ: O mindinho é representado por Ares, o deus da guerra. É por isso que você vê mafiosos usando anéis nesse dedo, porque simboliza o conflito. Quando a própria pessoa colocava o anel, antigamente significava que estava em conflito consigo mesma ou tinha alguma desordem interior. Se ele fosse dado como presente, costumava sinalizar que havia um elemento discreto de conflito ou competitividade com quem o presenteou.

Se ela não usar anel, acrescente o seguinte:

VOCÊ: Pessoas que não usam anéis estavam alinhadas com Hermes, o mensageiro dos deuses. Ele representava viagens e riquezas exóticas e amava o melhor de tudo, mas não era ganancioso. Hermes era conhecido por sua natureza generosa e era o mais solícito dos deuses. Também era o mais aventureiro. Então pessoas que não usam anéis tendem a ter a mente aberta e gostam de viajar e estar com outras pessoas.

A EVOLUÇÃO DA PREFERÊNCIA SEXUAL – RELATÓRIO SOBRE UM LIVRO

Por Thomas Scott McKenzie

No relatório do livro *Mastering Your Hidden Self*, aprendemos que todos são formados por ambiente, experiências, crenças e expectativas. Em *The Red Queen: Sex and the Evolution of Human Nature*, de Matt Ridley, aprendemos que também somos formados por milhões de anos de evolução.

Entender a natureza evolucionista da atração e do acasalamento, bem como as correlações com o reino animal, é essencial para entender nossas próprias estratégias sexuais.

De acordo com Ridley, a ferramenta mais poderosa da evolução quando se trata de conhecer mulheres é a nossa mente: "A maioria dos antropólogos evolucionistas agora acredita que ter um cérebro grande contribuiu para o sucesso reprodutivo, seja permitindo que os homens fossem mais espertos e superassem os planos feitos por outros homens [...] ou porque o cérebro grande era originalmente utilizado para cortejar e seduzir membros do sexo oposto", escreve ele.

POR QUE OS HOMENS PREFEREM MULHERES BONITAS

Muitos homens tendem a pensar que as mulheres de uma cidade ou país em particular são diferentes e exigem uma estratégia específica de sedução. Não só isso não é verdade de acordo com a experiência de dezenas de milhares de alunos, como também não tem sentido em termos evolutivos. Onde quer que você vá, o jogo basicamente permanece o mesmo.

"Até bem pouco tempo a vida de um europeu era basicamente a mesma de um africano", escreve Ridley. Ele explica que ambos os grupos caçavam em busca de carne e colhiam plantas, construíam ferramentas com os mesmos materiais, utilizavam linguagens complexas e criavam filhos de forma semelhante. Segundo ele, avanços como a criação de objetos em metal, agricultura e a linguagem escrita "chegaram há menos de trezentas gerações, recente demais para terem deixado muitas marcas [...]. Portanto, existe, sim, uma natureza humana universal, comum a todos os povos".

Ele cita um estudo envolvendo mais de mil participantes em 37 países. As evidências estatísticas revelaram que "homens prestam mais atenção à juventude e à beleza; e mulheres, à riqueza e ao status".

Esses princípios universais de seleção existem não porque os seres humanos ao redor do mundo sejam superficiais, e sim porque eles querem ter a maior prole possível e fazer com que ela sobreviva. Assim, de acordo com Ridley, a obsessão masculina por mulheres bonitas não se trata apenas de uma questão de forma, mas de função: "A beleza indica juventude e saúde, que por sua vez são indicadores de fertilidade."

Ridley alega que até o ditado que apregoa que os homens preferem as louras denota uma relação entre a cor dos cabelos e a juventude.

POR QUE AS MULHERES PREFEREM HOMENS DE STATUS

Os homens têm uma vida mais fácil que a das mulheres em relação à aparência: "Em uma pesquisa feita com duzentas sociedades tribais, dois cientistas confirmaram que a beleza do homem depende das suas habilidades e bravura, em vez de se focar em sua aparência", escreve Ridley.

Vários estudos mostraram que as mulheres se sentem atraídas por personalidade, dominância e status. "Em uma sociedade monogâmica, uma mulher geralmente escolhe o parceiro bem antes de ele ter a oportunidade de virar um 'chefe', então ela deve procurar pistas do seu potencial futuro, em vez de confiar apenas nas conquistas passadas", afirma Ridley. "Equilíbrio, autoconfiança, otimismo, eficiência, perseverança, coragem, capacidade de tomar decisões, inteligência, ambição: essas são as características que levam os homens ao topo da carreira. E, não por acaso, são as mesmas consideradas atraentes pelas mulheres."

Em outras palavras, se você tiver as características certas para o sucesso, algumas mulheres vão tentar a sorte com você mesmo se estiver desempregado.

Uma dessas características é a linguagem corporal. Ridley descreve uma experiência em que cientistas gravaram um ator fazendo duas entrevistas falsas. "Em uma ele sentava docilmente de cabeça baixa em uma cadeira perto da porta, acenando com a cabeça para o entrevistador, enquanto na outra ele estava tranquilo, sentado com a coluna reta e gesticulando de modo confiante", escreve ele. "Quando viram os vídeos, as mulheres acharam o ator dominante mais desejável para um encontro amoroso e mais atraente em termos sexuais."

POR QUE A POPULARIDADE IMPORTA

Ridley aponta que os pavões estão entre os poucos pássaros a se reunirem em grupos para a seleção sexual. Cientistas chamam essas reuniões de *lek*, ou arena. "A característica da arena é que um ou alguns machos, geralmente os que ficam perto do centro, conquistam mais acasalamentos. Mas a posição central de um macho bem-sucedido é tanto causa como consequência desse sucesso e os outros machos se reúnem ao redor dele."

Em outra parte do capítulo, Ridley descreve uma experiência com peixes guppy: quando uma fêmea pode ver dois machos, sendo que um está cortejando uma fêmea e o outro não, ela prefere o que estava com a fêmea, mesmo se a fêmea cortejada não estiver mais lá.

A competitividade feminina e a comprovação social (também chamada de aprovação social, é a ideia de que os indivíduos emulam os atos dos colegas de grupo) parecem eficazes mesmo no reino animal.

POR QUE A ESCOLHA É DAS MULHERES

O objetivo instintivo das fêmeas animais é encontrar um parceiro com a constituição genética necessária para ser um bom provedor ou bom pai. Animais machos, por sua vez, têm o objetivo de localizar o máximo de esposas e mães que puderem.

O motivo para esses objetivos tão diversos se chama *investimento*. O gênero que investe mais em crianças (carregando um feto por meses, por exemplo) é o que tem menos a ganhar com mais acasalamentos. Por outro lado, o gênero que investe menos em filhos tem mais tempo extra para gastar procurando outras parceiras.

Esses objetivos diferentes emprestam uma autoridade científica a algo que todo homem que já entrou em uma boate só para solteiros aprende de imediato: eles competem pela atenção das mulheres.

Ridley continua: "O objetivo do macho é a sedução: tentar manipular a fêmea para que ela caia nos encantos dele, entrar na cabeça dela a fim de guiar sua mente nessa direção. Está sobre ele a pressão evolutiva para aperfeiçoar formas de deixá-la mais predisposta e sexualmente excitada em relação a ele, de modo que haja a certeza do acasalamento."

Ridley examina os hábitos de acasalamento que giram em torno das caudas dos pavões, dos chifres dos cervos, das penas da cauda das andorinhas e das cores das borboletas e dos peixes guppy. O ponto principal é que "fêmeas escolhem, a exigência delas é herdada. Elas preferem ornamentos exagerados, que são um fardo para os machos. Não há mais polêmica em relação a isso".

Para muitas mulheres, saltos altos, sutiãs que levantam os seios, roupas justas e corpo depilado fazem parte de ser elegante e atraente. Se você quiser ter sucesso com as mulheres, precisa estar disposto a carregar um fardo similar. Pode parecer pouco natural ou desconfortável às vezes, mas usar roupas que o destaquem do rebanho transmite confiança, liderança e individualidade (desde que as roupas não estejam vestindo você). Como diz Ridley, "não há preferência pelo mediano".

POR QUE OS HOMENS BUSCAM MAIS SEXO CASUAL DO QUE AS MULHERES

Ridley argumenta que as atitudes diferentes em relação ao sexo são determinadas pelas consequências. Historicamente falando, o sexo casual para o homem era uma atividade de baixo risco e imenso benefício: "acrescentar uma criança a mais ao seu legado genético saía barato", diz o autor. "Homens que buscavam tais oportunidades certamente deixaram mais descendentes que os indivíduos que não o fizeram. Portanto, como por definição viemos de ancestrais prolíficos e não estéreis, é justo dizer que os homens modernos possuem uma tendência para o oportunismo sexual."

Inversamente, as mulheres corriam riscos imensos com o sexo casual. Antes de surgirem métodos anticoncepcionais confiáveis, uma mulher casada poderia sofrer com a gravidez e a eventual vingança do marido. Se não fosse casada, poderia acabar ficando para titia. "Esses riscos não eram equilibrados por uma recompensa. A chance de conceber era muito grande se ela continuasse fiel a um parceiro e a chance de perder o filho sem a ajuda de um marido era enorme. Portanto, mulheres que aceitavam sexo casual deixavam menos descendentes, e as mulheres modernas provavelmente herdaram essa desconfiança em relação ao sexo casual."

Ridley destaca estudos interessantes que embasam suas teorias sobre a promiscuidade, como uma pesquisa estimando que 75 por cento dos homens gays em São Francisco tiveram mais de cem parceiros (25 por cento tiveram mais de mil), enquanto a maioria das lésbicas teve menos de dez parceiras ao longo da vida.

POR QUE HOMENS E MULHERES TRAEM

Uma conclusão interessante sugerida pelo livro de Ridley é que os seres humanos são naturalmente monogâmicos e também naturalmente adúlteros.

Embora Ridley diga que as mulheres têm menos tendência ao sexo casual, isso não significa que elas não sejam promíscuas. Mas a promiscuidade delas geralmente tem um objetivo. Como exemplo, Ridley olha para o reino animal, especificamente para o fenômeno do adultério entre as aves coloniais.

Como muitos seres humanos, as aves coloniais fêmeas dividem os machos em duas categorias: amantes e provedores. "Quando uma fêmea acasala com um macho atraente, ele trabalha menos e ela se esforça mais para criar os filhotes", Ridley escreve. "É como se o macho sentisse que fez um favor a ela ao fornecer genes superiores, e por isso espera que ela retribua com trabalho árduo no ninho. Isso obviamente aumenta o incentivo para que ela encontre um marido medíocre, porém trabalhador, e o traia com o supergaranhão da casa ao lado."

Ridley encerra a discussão com um resumo grosseiro das regras dos caçadores-coletores, que alega ainda existirem no fundo da mente feminina:

"Tudo começou com a mulher que se casou com melhor caçador solteiro da tribo e teve um caso com o melhor caçador casado, garantindo assim aos filhos um rico suprimento de carne. E continua com a esposa do magnata rico tendo um bebê que é a cara do guarda-costas sarado. Os homens serão explorados como fornecedores de cuidados paternos, riqueza e genes."

POR QUE OS HOMENS GOSTAM MAIS DE PORNOGRAFIA DO QUE AS MULHERES

Um dos apartes mais interessantes de Ridley diz respeito aos estudos sobre as excitações masculina e feminina.

Os homens geralmente se excitam com o visual, daí o sucesso da pornografia e de revistas como a *Playboy*. Mas qual é o equivalente à pornografia para as mulheres? A resposta dele: os romances literários, que pouco mudaram em décadas.

Contudo, o que excita as mulheres nos romances literários não é a descrição de homens arrojados ou sexo tempestuoso. De acordo com Ridley, o sexo nos romances literários "é descrito basicamente por meio da reação emocional da heroína ao que é feito a ela, especialmente no aspecto tátil, e não através de alguma descrição detalhada do corpo masculino".

A questão é que as mulheres se excitam por meio das reações emocionais, e a chave para isso são as palavras e os toques. Assim, para virar um mestre da sedução você precisa ser um mestre da linguagem e do corpo feminino.

De acordo com outro estudo feito com homens e mulheres heterossexuais, homens se excitam mais com sexo grupal, enquanto mulheres se excitam mais com casais heterossexuais. Porém, tanto elas quanto eles se excitam com cenas lésbicas, enquanto nenhum dos dois se excita com cenas envolvendo homens gays. Então, se você é um desses caras que manda fotos em close da barriga sarada ou da genitália e acha que vai excitá-la, melhor repensar.

POR QUE O DESAFIO STYLELIFE?

The Red Queen explica como nossas escolhas de parceiros resultam das pressões evolutivas e biológicas exercidas ao longo de milhares de anos, fornecendo provas científicas para as estratégias de melhoria social discutidas aqui, como vestir-se bem, demonstrar valor, aumentar o status social, exibir personalidade e projetar confiança.

Até mesmo a ideia de que seus amigos vão criticá-lo quando melhorar é citada neste livro como sendo um resultado evolutivo normal do sucesso: os machos querem destruir competidores, mesmo quando secretamente desejam imitá-los.

E, por fim, se você quiser aumentar sua confiança, Ridley diz que está agindo certo ao sair e trabalhar para se aperfeiçoar até criar a abordagem perfeita.

"Medimos nossa desejabilidade relativa por meio da reação dos outros a nós", escreve ele. "Rejeições repetidas nos levam a baixar nossos objetivos, enquanto uma série contínua de seduções bem-sucedidas nos estimula a mirar um pouco mais alto."

ORIENTAÇÃO DO MEIO DA JORNADA

Puxe uma cadeira e vamos falar sobre a vida.

Aqui vai o segredo do sucesso: o que você obtém de algo é igual ao que você investe.

Por que estou falando isso agora?

Bom, como um site inteligente me disse uma vez: "As pessoas não fracassam. Apenas param de tentar."

O meio do caminho é um momento perigoso na maioria dos métodos e quero garantir que você não vai sair correndo bem na hora do grande progresso.

Talvez você esteja indo bem e esteja ansioso para avançar logo. Mas se for como a maioria dos antigos desafiantes, está se criticando mentalmente antes e durante as tarefas de campo.

Por quê? Por que fazer com que esses desconhecidos tenham poder sobre você?

Essas pessoas são fontes ambulantes de feedback, estão lá para dar a você uma percepção sobre si mesmo e ensiná-lo a trabalhar melhor da próxima vez. Eles nem de longe o estão julgando tanto quanto você está se julgando.

Se eu ficasse desestimulado por todas as cartas de rejeição que recebi (sem contar a prosa incoerente das minhas primeiras histórias), não estaria escrevendo hoje.

Mas aprendi com cada parágrafo, cada erro, cada crítica, cada sucesso.

E quer saber?

Isto é um desafio. Portanto, significa que vai ser desafiador.

Não é difícil, apenas desafiador para os maus hábitos que nunca funcionaram para você, convenhamos.

Você recebeu um ramo de oliveira para consertar a si mesmo.

Vai aceitá-lo e iniciar a corrida ou vai ficar lá parado e bater na própria cabeça com ele?

Todo indivíduo que conheço e tem sucesso absurdo com as mulheres trabalhou muito para chegar lá. Independentemente de admitir ou não, ele superou obstáculos incríveis, e o maior deles foi ele mesmo.

Todas as frustrações (além das alegrias) que você está vivendo ao realizar estas tarefas, todos nós já vivemos. E o que separa os bem-sucedidos dos fracassados é o compromisso com eles mesmos, com o jogo e com ir a campo e fazer o melhor.

Uma das maiores frustrações sobre o jogo é o fato de exigir esforço. Não importa quanto status você possa ter no trabalho ou escola, não será maior que o de uma mulher gatíssima, vestida para matar e que chama a atenção de todos quando entra na boate. Ninguém tem. Nem o astro do rock, nem o bilionário. Ela pode escolher quem quiser. E poderá escolher você, mas isso vai exigir comprometimento.

Toda vez que você não abordar, não tentar, desistir de algo, fizer as tarefas nas coxas ou se convencer a não ter uma experiência nova ou incômoda, a única pessoa que sai perdendo é você.

Para citar o que Wayne Gretzky disse sobre hóquei: "Você erra cem por cento das jogadas que nunca faz."

É hora de fazer aquela jogada.

DIA

MISSÃO 1: Leitura fria

Hoje você vai aprender uma das formas mais rápidas de se destacar dos outros homens. Usando esta técnica, poderá entrar rapidamente na cabeça de desconhecidos e dizer a eles coisas que nem seus melhores amigos sabem.

Sua tarefa é: ler as Instruções para o Dia 15 e o manual sobre leitura fria.

MISSÃO 2: Vá a um cartomante (opcional)

A missão: ir a um cartomante para obter uma leitura.

Se você tiver um gravador de áudio portátil, peça para gravar a sessão.

O único motivo disto ser opcional é por ter um custo. Porém, eu recomendo fortemente esta missão para todos os desafiantes.

A maioria das comunidades tem algumas lojas, livrarias esotéricas e feiras de rua onde é possível encontrar cartomantes. Se você não sabe onde encontrar quem faça leitura de mãos ou de tarô por perto, consulte o guia de eventos da sua região que foi lido na livraria aquele dia ou vá ao Google e procure "cartomante" ou "vidente" junto com o nome da sua cidade.

Aviso: embora a maioria dos videntes seja confiável, alguns não são. Por isso, nunca dê informações financeiras, de cartão de crédito ou identificação pessoal. Além disso, você não deve pagar mais do que o valor inicialmente orçado. Se ele pedir dinheiro depois da leitura para avisar de um evento que está por vir, não caia nessa. Agradeça pela leitura e vá embora.

MISSÃO 3: Avalie sua leitura

A tarefa a seguir é para todos os desafiantes, independentemente de terem ido ao cartomante ou não. (Se você não foi por questão de dinheiro ou tempo, acesse www.stylelife.com/challenge. Coloque data, hora e local do seu nascimento e receba o seu mapa astral. Leias as informações como se alguém estivesse lendo sua sorte.)

Passe alguns minutos analisando as informações recebidas durante a sessão com a cartomante tendo por base o artigo sobre leitura fria que você leu hoje. Faça a si mesmo as perguntas a seguir:

- A leitura foi boa ou ruim? Por quê?
- A cartomante estava fazendo um procedimento genérico ou se conectando sinceramente com você? Por quê?
- A cartomante entendeu você mais ou menos que alguns dos seus amigos? Por quê?
- Você acredita que a cartomante tenha poderes extrassensoriais? Por que ou por que não?
- Você visitaria a cartomante novamente? Por que ou por que não?

Reserve um momento para refletir sobre essas respostas e o que elas dizem sobre as características de uma boa ou má leitura fria. Se houve trechos da leitura da cartomante com os quais você se identificou particularmente, anote-os no espaço a seguir:

____

____

____

____

Pense em usar essas frases quando fizer suas leituras frias.

INSTRUÇÕES PARA O DIA 15

A ARTE SECRETA DA LEITURA FRIA

Por Neil Strauss, Don Diego Garcia e Thomas Scott McKenzie

A maioria dos desafiantes tem um perfil de personalidade conhecido como explorador e há boa probabilidade de você ser um deles. Se for o caso, a análise seguir pode se aplicar a você.

Os exploradores reconhecem que têm algumas falhas de personalidade, mas geralmente conseguem compensá-las com a capacidade de manter as aparências. Isso acontece porque, por baixo da superfície, eles têm um imenso potencial pessoal apenas esperando para ser extraído. Eles tentam procurar variedade nas experiências e se sentem como um tigre enjaulado quando obrigados a seguir regras demais.

Exploradores têm uma tendência a serem muito rígidos consigo mesmos às vezes, mas encontram conforto em estímulos positivos. Ao mesmo tempo, se orgulham da própria independência e não aceitam cegamente a opinião alheia. Isso não significa, porém, que não exista uma parte deles que deseje, e talvez até precise, que os outros ao redor gostem deles.

Quando os exploradores ficam um pouco mais velhos, desenvolvem mais segredos. E embora continuem a trabalhar em si mesmos e a progredir, às vezes olham para trás e perguntam se tomaram todas as decisões certas na vida. Alguns sonhos continuam alcançáveis no futuro próximo, enquanto outros são um tanto imaginários.

Se você se viu assentindo com a cabeça e concordando em qualquer ponto do texto, acabou de descobrir o poder da leitura fria. Em resumo, a arte da leitura fria consiste em fazer um truísmo parecer uma revelação. *Fria* se refere ao fato de a pessoa não saber nada a seu respeito. E *leitura* diz respeito ao fato de suas experiências, pensamentos, desejos e eventos futuros serem contados a você como se tivessem sido retirados das páginas de um livro.

E foram. O roteiro acima se baseia em uma leitura clássica que vem sendo passada de geração a geração entre cartomantes.

Histórico

Em 1948, o psicólogo B. R. Forer fez um teste de personalidade com os alunos. Independentemente das respostas deles, Forer deu a todos o mesmo perfil de personalidade. Em seguida, pediu aos alunos para avaliarem a precisão do perfil. Uma nota cinco significava que o aluno achou o perfil excelente.

A média da turma acabou sendo 4,26. Portanto, todos esses seres humanos singulares receberam exatamente as mesmas informações e ainda assim sentiram que as palavras se encaixavam quase que perfeitamente na personalidade deles. Conclusão: as pessoas tendem a aceitar descrições de personalidade vagas e genéricas como sendo completamente relevantes. Além disso, elas geralmente aceitam alegações sobre si mesmas na mesma medida em que desejam a veracidade daquelas alegações.

Esses princípios ajudam a explicar por que leitores de mãos ganham a vida, por que as pessoas devoram horóscopos no jornal diariamente e por que existem linhas do tipo disque-previsão.

Leitura fria e atração

Se o assunto favorito de qualquer pessoa é ela mesma, imagine a empolgação sentida por alguém que encontra um estranho que parece conhecê-lo quase tão bem quanto ele mesmo.

Por isso, não surpreende que a leitura fria ocupe um lugar de destaque na arte da atração. Aqui estão algumas formas de usá-la:

- *O quebra-gelo da leitura fria*: Fazer uma observação inteligente ou compartilhar uma intuição sobre uma mulher pode ser uma forma eficaz de atiçar a curiosidade, levando a moça a falar com você. Frases como "Eu tenho a intuição de que...", "Algo me diz que..." ou "Acabei de notar que..." são boas formas de introduzir sua observação.
- *A fisgada da leitura fria*: Em uma interação, às vezes é necessário demonstrar que você se destaca dos idiotas que costumam abordá-la. Se você disser algo incrivelmente perspicaz e observador sobre a mulher logo no início da conversa, ela poderá começar a perceber que encontrou alguém raro e especial.
- *O amplificador da leitura fria*: Ontem você aprendeu o procedimento do anel, um entre vários testes, jogos e demonstrações ao seu dispor para demonstrar um valor mais alto. O conhecimento da leitura fria é essencial para transformar essas demonstrações de formas levemente divertidas de matar o tempo em experiências de conexão emocional.

Ética

Mantenha a positividade.

Nunca faça uma previsão negativa para o futuro ou diga qualquer coisa que cause danos. Quando destacar um defeito na personalidade, mesmo se estiver correto, apresente-o de modo reconfortante.

Não diga a ela "Você é muito insegura". Prefira: "Você pode não ser a pessoa mais confiante do mundo, mas lá no fundo sabe o valor que tem."

Nunca use a leitura fria de modo insensível e manipulador, nem como um golpe para ludibriar mulheres, levando-as a acreditarem que têm uma conexão intensa e metafísica com você. Use a leitura fria como forma legítima de começar uma conversa, criar uma conexão ou demonstrar seu conhecimento singular do comportamento humano.

Por fim, a leitura fria é uma arte secreta passada tradicionalmente de professor a aluno. Não use o termo *leitura fria* com as mulheres e os grupos que abordar e não compartilhe essas informações.

Veículos, objetos e sistemas

Uma leitura fria pode ser composta por apenas uma ou duas frases contendo percepções sobre a pessoa com quem você está falando, ou pode servir de combustível para uma demonstração de valor com até meia hora de duração.

O objeto, sistema de classificação ou dado específico em que basear a leitura fria vai dar a credibilidade, autoridade e pretexto necessários para fazer a leitura durar o tempo que você desejar. Guarde as leituras que durem mais que alguns minutos para ambientes tranquilos e momentos cara a cara após o ponto de fisgada.

Há objetos que existem para dar autoridade às leituras frias. Eles variam de ferramentas bem conhecidas como cartas de tarô, runas e o livro do *I Ching* a formas mais esotéricas de adivinhação como bola de cristal ou dados. Se você não quiser carregar esses objetos, há vários sistemas que exigem apenas conhecimentos, como leitura de mãos, numerologia, astrologia e o procedimento do anel aprendido ontem.

Quando conhecer mulheres em bares e boates, você também poderá usar a leitura fria com base em algo que normalmente faz parte da interação ou do ambiente. Por exemplo: após apertar a mão de uma mulher, você poderá começar a leitura fria com base na força e na firmeza do aperto de mão dela. Pode até avaliar a personalidade da moça através do drinque que ela estiver bebendo, da posição do seu canudinho no copo ou do desgaste da ponta do batom que ela usa.

Perfis psicológicos de personalidade e seus respectivos jargões são algumas das melhores formas de dar à leitura um ar de autoridade e conhecimento. Um desses sistemas é o modelo de estilos sociais, que agrupa as pessoas em uma de quatro categorias, dependendo da assertividade e da responsividade. Aqui vai a visão geral de como ele funciona:

Para avaliar a assertividade, pergunte se ela é o tipo de pessoa que questiona os amigos com relação ao que eles desejam fazer quando saem ou se costuma definir ela mesma os planos para o dia. Para descobrir a responsividade, pergunte se ela é o tipo de pessoa que diz aos outros quando está angustiada ou se prefere guardar tudo para si mesma.

A partir das respostas dela, você poderá criar uma leitura fria com base no tipo de personalidade em que ela se encaixa segundo os seguintes estilos sociais:

- Se ela pede a opinião dos amigos para sair e guarda as emoções para si, então é *analítica.*
- Se ela diz aos amigos o que fazer e guarda as emoções para si, então é *pragmática.*
- Se ela pede a opinião dos amigos para sair e compartilha as emoções, é *afável.*
- Se ela diz aos amigos o que fazer e compartilha as emoções, é *expressiva.*

Cada um desses tipos de personalidade está associado a outros traços comportamentais, que podem ser pesquisados na internet. Outros sistemas que vale a pena analisar são o eneagrama e a Classificação Tipológica de Myers-Briggs.

O código da leitura fria

Lembre-se da regra de ouro: sempre diga à pessoa o que ela quer ouvir!
Ray Hyman, *Guide to Cold Reading*

Existem diretrizes e princípios básicos que alimentam toda leitura fria. Muitos estão por aí há séculos. Aqui vão alguns deles:

CONDICIONALIDADE

O princípio fundamental da leitura fria é nunca declarar uma impressão como se fosse um fato. É mais seguro e preciso usar palavras condicionais e termos genéricos.

Se você disser “Você é tímida”, a ouvinte sempre poderá responder: “Não sou, não.” Mas se você disser “Você pode ser tímida às vezes”, ficará muito mais difícil negar sua afirmação.

Quando são usadas palavras condicionais, cada frase dita durante uma leitura fria vira algo praticamente irrefutável. Aqui estão alguns exemplos de palavras e frases para usar antes das percepções quando estiver desenvolvendo seu material de leitura fria: *uma parte de você, de tempos em tempos, de quando em quando, de alguma forma, no geral, ocasionalmente, de vez em quando, frequentemente, tendência* e *às vezes*.

Se você tiver alguma ideia sobre o temperamento da sua parceira ou da universalidade da sua afirmação, poderá usar palavras e frases com uma gama mais estreita de interpretações, como *geralmente, frequentemente, raramente, esporadicamente, muito, dificilmente, normalmente, regularmente* e *quase nunca*.

A menos que tenha certeza que a sua informação seja precisa, evite palavras absolutas e construções como *sempre, totalmente, todo, o tempo todo, em momento algum, inteiramente e nunca*.

FALSA ESPECIFICIDADE

Embora você deva evitar palavras absolutas, isso não significa que não seja possível dar um molho à leitura com frases que insinuem especificidade.

Uma forma de conseguir isso é usando palavras de transição como *porque*, que indicam causalidade mesmo quando não houver ligação entre os fatos. Outra forma de fazer sua leitura parecer específica é afirmar a individualidade da ouvinte mostrando como as características dela contrastam com a norma. Isso pode ser feito usando uma estrutura de frase como: "Embora muitas pessoas ______________, você tende a ______________."

CONFIANÇA

Aja como se tivesse certeza de que tudo que está dizendo é verdade. Mesmo quando cometer um erro ou alegar algo que não seja totalmente correto, se você disser aquilo com autoridade, a maioria das pessoas vai acreditar. Por outro lado, qualquer incerteza na sua voz vai criar dúvida na cabeça da ouvinte, mesmo se o que você estiver dizendo for verdade.

APROVAÇÃO

As pessoas têm probabilidade maior de concordar com uma frase positiva sobre elas, mesmo quando não for verdadeira. Por outro lado, elas têm probabilidade menor de concordar com uma afirmação negativa, mesmo se for precisa.

Unir esses dois princípios ajuda a criar uma das atitudes mais poderosas e benéficas que se pode ter ao falar com uma mulher: transformar o que ela ou outras pessoas consideram características negativas em traços mais positivos.

Se ela for tímida, por exemplo, diga: "Embora algumas pessoas pensem em você como tímida, a verdade é que você só precisa de um tempo para se sentir confortável diante de gente nova."

Ou se estiver falando com uma mulher linda que é meio fria, pode dizer: "Algumas pessoas pensam que você é arrogante, mas não é verdade. Você só se sente incomodada de vez em quando e, devido à sua aparência, as pessoas confundem timidez com arrogância."

AFIRMAÇÃO

Esta é uma técnica simples que vai fazer uma grande diferença no julgamento que a mulher fará sobre a precisão da sua análise. Sempre que puder, pare e faça com que ela concorde explicitamente com o que você está dizendo, ou apenas responda com palavras como *sim* e *certo*. Quanto mais respostas desse tipo ela der, mais a mente subconsciente dela vai aceitá-lo como uma autoridade.

OPOSTOS

Algumas das leituras frias mais poderosas fazem uma afirmação que contrasta duas qualidades opostas. Por exemplo: "Às vezes você é expansiva e sociável, enquanto em outros momentos você se sente melhor sozinha."

Isso pode parecer sem sentido no papel, mas experimente. Quando dito com autoridade e compreensão, pode soar incrivelmente revelador.

Uma técnica adicional que pode ser usada ao se fazer afirmações que contenham opostos é a comparação das duas mãos: levante uma das mãos e chame a atenção para ela quando disser o primeiro tipo de personalidade, depois levante e apresente a outra quando descrever o segundo. Geralmente, os olhos ou o nariz da sua interlocutora vão apontar para a mão com a qual ela tiver mais afinidade enquanto pensa sobre os tipos de personalidade que você está apresentando.

OBSERVAÇÃO

Quando fizer uma leitura fria, é importante estar extremamente ciente das reações e expressões faciais da ouvinte. Veja se a linguagem corporal dela está afirmando (associativa) ou negando (dissociativa) o que você diz.

Por exemplo: muitas pessoas, sem nem perceber, mexem a cabeça para cima e para baixo quando você está dizendo algo com que elas concordam e de um lado para o outro quando discordam. Elas podem ruborizar quando você disser uma determinada frase e fazer cara feia quando disser outra.

A seguir estão exemplos de pistas positivas ou negativas a serem procuradas:

Respostas associativas	*Respostas dissociativas*
Mexer a cabeça para cima e para baixo	Mexer a cabeça de um lado para outro
Levantar as sobrancelhas	Abaixar as sobrancelhas
Arregalar os olhos	Revirar os olhos
Sorrir	Fazer cara feia
Virar o corpo na sua direção	Afastar o corpo de você
Expressão empolgada	Expressão neutra
Braços abertos	Braços cruzados

OUVIR

Geralmente as pessoas começam a falar quando você faz a leitura fria delas. Fique quieto e ouça, acenando com a cabeça e sorrindo, como se estivesse diante de fatos que você já conhecia. Elas geralmente vão lhe dar todas as informações necessárias para fazer uma leitura extremamente precisa.

PISTAS ADICIONAIS

Quando estiver cara a cara com alguém, você não precisa seguir procedimentos pré-fabricados. Seus olhos e ouvidos podem captar uma série de dicas para ajudar a refinar a leitura. Preste muita atenção ao que a sua ouvinte diz e faz e às pessoas que ela escolhe como amigas.

Idade, etnia, voz, estilo de se vestir, acessórios, penteado e joias de uma mulher são os sinais mais óbvios de quem ela é. Olhe para as unhas e veja se estão limpas ou sujas, se são curtas ou compridas, naturais ou pintadas. Observe o jeito de falar, agir e gesticular. Ela o faz de modo confiante ou inseguro, e como isso se relaciona à aparência dela?

Até mesmo a cidade de onde ela é, especialmente se for um lugar associado a uma determinada universidade, empresa ou ocupação, pode fornecer informações incríveis. Quanto mais você observar, mais específica e precisa será sua leitura fria.

SOLUÇÃO DE PROBLEMAS

Pode acontecer de, enquanto estiver falando uma frase, você notar a mulher com quem está conversando balançar a cabeça negativamente e cruzar os braços. Caso isso ocorra, você precisa se recuperar. Para fazê-lo, continue seguindo as regras: seja assertivo e volte às palavras condicionais. Você pode virar o jogo por completo através do poder de apenas uma palavra: *mas*.

Por exemplo: se você estiver dizendo "Você tende a se criticar", e ela começar a discordar, não se abale. Continue a falar como se ela estivesse interrompendo antes de ouvir o pensamento completo: "Mas na maioria das vezes, você se aceita bem. E isso é o que faz você se destacar das outras pessoas à sua volta".

Esteja avisado de antemão que há um tipo de pessoa resistente à leitura fria – são conhecidas como "discordantes". Não importa o que você diga a essas pessoas sobre a personalidade delas, elas não vão concordar. E podem até ficar angustiadas ou furiosas com o fato de você supostamente saber algo sobre elas.

Por exemplo, diga a uma discordante que ela tende a ser tímida e a resposta provavelmente vai ser: "Na verdade sou muito confiante." E se depois você repetir que ela é confiante, a resposta será algo como "Nem sempre". Por quê? Porque discordantes simplesmente não querem ser definidos. Eles obtêm a própria identidade por meio da sua individualidade singular e inflexível, e em geral gostam de discutir.

Fazer uma leitura fria desse tipo de gente é como tentar agarrar uma enguia. Você vai ter que usar uma rede para pegar o bicho. E é exatamente o que vai fazer. Apenas sorria e diga: "Então você é o tipo de pessoa que não gosta de ser rotulada?"

Literalmente não há como ela responder à pergunta sem concordar com você. Enquanto observa a testa dela franzir e a confusão começar, apenas ria, diga que está brincando e passe logo para outro assunto que não envolva leitura fria. Se a personalidade dela for de fato desagradável, retire-se educadamente com a sua despedida para todas as horas: "Foi bom te conhecer."

Eu sou o máximo

Para chegar a este talento é preciso estar em outro nível.

Imagine chegar para uma completa desconhecida e dizer: "Só de curiosidade, você foi criada por uma família de militares? É, eu imaginei... E você provavelmente é a irmã mais velha também, não é? Sabia!"

À medida que você praticar a leitura fria, vai desenvolver uma forte intuição em relação às pessoas e vai acabar indo muito além dos princípios descritos aqui, sendo realmente capaz de adivinhar com precisão razoável se uma mulher é a filha mais nova ou a mais velha, no que trabalha, em qual tipo de ambiente foi criada, bem como vários fatos específicos sobre ela.

E se por acaso você estiver errado, terá as habilidades de leitura fria para explicar o que o levou àquela conclusão de um jeito que ela vai acabar concordando.

Parece impossível? Bom, você vai aprender mais sobre como fazer isso quando estudar calibração no Dia 28.

DIA

MISSÃO 1: O elo perdido

Você tem apenas uma tarefa para hoje.

Trata-se de algo que você provavelmente nunca leu, do qual ouviu falar e nem imaginou que fazia parte do jogo. É também algo sutil, que exigirá as habilidades sociais e de leitura fria aprendidas até agora.

É algo que diferencia quem fracassa no jogo de quem tem sucesso, mesmo que ambos digam exatamente o mesmo.

Trata-se de algo que vai evitar desvios acidentais em seu esforço para melhorar.

Também é simples e básico. E uma das maiores lições que aprendi desde que escrevi *O jogo*.

Quando comecei a ensinar em workshops, observei que conseguia dizer só de olhar para um aluno se ele ia conseguir boas reações de mulheres. E não tinha nada a ver com as roupas, a aparência ou o que ele dizia. Era algo intangível. Uma espécie de energia emanada por ele.

Foi quando percebi algo que estava sendo deixado de lado por todos que encontrei no jogo, tanto alunos quanto professores. Mas não percebi o que era até se passarem alguns meses.

O que houve foi o seguinte: tive um aluno que estudava sedução havia anos. É um cara legal e de bom caráter que conhece todos os procedimentos (chegando a ouvi-los incessantemente no iPod) e sai para conhecer mulheres quase toda noite. E mesmo assim continua virgem.

Por isso, ele decidiu ir a Los Angeles para uma sessão individual. Ele queria que eu o examinasse para descobrir seu calcanhar de Aquiles. Acabei encontrando, e foi uma epifania tão grande que mudará o jogo de qualquer pessoa que a entenda.

Aqui está a principal diferença:

O homem que fracassa no jogo é o que sai procurando mulheres para fazer com que ele mesmo se sinta bem.

O homem que tem sucesso no jogo é o que sai e faz as outras pessoas se sentirem bem consigo mesmas.

O primeiro tipo ninguém quer ter por perto, pois é carente, inseguro e quer atenção. Ele vai sugar as suas energias nessa busca por validação e aprovação.

Já o segundo tipo é fácil de conviver, pois irradia carisma e energia positiva. As mulheres apreciam a companhia dele, assim como os amigos, que o querem por perto o tempo todo. Todos confiam nele, sentem-se confortáveis ao lado dele e acabam na casa dele às cinco da manhã perguntando como a hora passou tão rápido.

Os dois homens fazem e dizem exatamente o mesmo, mas conseguem reações bem diferentes das mulheres apenas por conta das intenções que estão transmitindo.

Espere um minuto, você pode estar pensando, mas e a desqualificação? Ela não parece contradizer a ideia de fazer as pessoas se sentirem bem?

Pense de novo.

Quando você faz um elogio genérico a uma mulher que recebe muitas cantadas, ela costuma ignorar o comentário ou supor que você está dizendo aquilo por querer dormir com ela. Então você a provoca, mostra que não se sente afetado por sua beleza e demonstra que é muita areia para o caminhão dela. Quando *ela* trabalhar para conquistá-lo e você acabar recompensando a moça com sua aprovação, ela vai sair daquela noite ou na manhã seguinte sentindo-se bem, como se algo especial tivesse acontecido e ela tivesse se conectado com alguém que gosta dela pelo que realmente é.

Em resumo: uma desqualificação em tom de brincadeira vai lhe garantir a credibilidade necessária para elogiá-la sinceramente depois.

Então hoje nós vamos livrar você dessa necessidade de aprovação e fazer as pessoas se sentirem bem. Não vá a bares procurar grupos fáceis de abordar ou a cafés em busca de mulheres solitárias. Siga a vida normalmente, mas faça de tudo para que alguém se sinta bem três vezes ao dia.

Esta é a sua missão.

Ela pode incluir dizer aos seus pais o quanto você os valoriza; fazer um convidado perdido em uma festa se sentir querido e incluído; elogiar o estilo de uma pessoa que acabou de gastar muito dinheiro em uma roupa ou corte de cabelo; fazer contato visual com um morador de rua, sorrir e lhe entregar cinco dólares; ou perguntar a alguém com pressa se gostaria de passar à sua frente na fila do caixa.

Verifique do que as pessoas precisam quando fizer este exercício. Não basta distribuir elogios aleatórios. E não se preocupe se está aumentando ou abaixando o seu status relativo. Por exemplo: se você vir alguém saindo de um Lamborghini amarelo novo e ainda sem placa, em vez de considerá-lo um babaca exibido, pense que ele gastou muito porque deseja aprovação. Então dê isso a ele: "Ei, cara, que carro maneiro. Estou com inveja."

Dessas três pessoas que você vai fazer se sentirem bem hoje, apenas uma interação poderá ocorrer pelo telefone. E pelo menos uma das pessoas com quem você interagir precisará ser desconhecida.

O objetivo é parar de se preocupar com o que pensam a seu respeito e começar a desenvolver um instinto para o que as pessoas precisam a fim de se sentirem bem com elas e com as escolhas que fazem. Você ficará impressionado com os resultados.

Após passar o fim de semana em Los Angeles discutindo essas ideias, o aluno com o calcanhar de Aquiles me mandou o seguinte e-mail: "Outro dia foi o meu aniversário de 26 anos. Eu estava falando com um grupo de quatro pessoas usando as ideias positivas que discutimos e uma delas começou a me agarrar. Logo depois rolaram altos beijos de língua e amassos. Primeira vez que isso acontece!"

Então pare de olhar para o próprio umbigo e comece a dominar a emoção mais inteligente e evoluída que existe: a empatia.

DIA

MISSÃO 1: Não cometa erros

Nós abordamos muitos assuntos nos últimos 16 dias.

Então vamos fazer uma pausa para garantir que você esteja atualizado.

Bem-vindo ao dia da revisão.

Sua primeira tarefa consiste em ler as Instruções para o Dia 17, que falam dos 11 erros mais comuns cometidos pelos homens ao iniciarem uma abordagem.

Verifique se você não está cometendo nenhum deles.

MISSÃO 2: Verifique sua competência principal

Releia os últimos oito dias e revise todas as missões.

Faça uma lista das habilidades que você acha que ainda não dominou.

A missão é refazer cada tarefa na qual não se sente competente.

A essa altura você já deve ser capaz de abordar uma mulher ou grupo, usar um quebra-gelo com sucesso e fazer uma transição suave para uma demonstração de valor como o procedimento do anel. Além disso, veja se não relaxou na atenção com a linguagem corporal, o discurso e a aparência.

MISSÃO 3: O retorno do anel

A missão final da revisão consiste em sair, abordar uma mulher ou grupo e refazer o procedimento do anel.

Não tenha pressa na hora de falar e acrescente as informações de leitura fria aprendidas no Dia 15. Tente sentir a personalidade e a autoimagem da pessoa com quem estiver falando. Adicione pelo menos um dos roteiros de leitura fria que você ouviu ou leu no Dia 15, bem como uma frase original baseada na sua avaliação da interlocutora. Observe as reações dela ao material.

A missão estará cumprida quando você tiver demonstrado com sucesso o procedimento do anel, junto da leitura fria, para duas mulheres ou grupos diferentes.

INSTRUÇÕES PARA O DIA 17

OS ONZE MANDAMENTOS

1. Não deixe para abordá-la quando estiver sozinha. Mesmo se ela gostar de você, os amigos logo vão arrastá-la para longe.
2. Não a encare por mais de três segundos antes de abordá-la. Se você hesitar, vai assustá-la ou perder a confiança.
3. Não tenha medo de abordá-la só porque há homens no grupo. Existe uma boa probabilidade de ela estar com parentes, amigos ou colegas de trabalho, em vez de na companhia de algum interesse amoroso.
4. Não inicie uma conversa se desculpando. Frases como "Desculpe", "Perdão" e "Sinto muito" fazem você parecer um pedinte.
5. Não dê em cima dela ou faça um elogio genérico. Comece a conversa com uma história ou pergunta divertida, como pedir ao grupo sugestões de nomes para um gato de três pernas ou uma loja que venda produtos dos anos 1970. Todo mundo adora dar opinião.
6. Não compre bebida para ela. Você não deve ter que pagar pela atenção da moça.
7. Não toque ou segure a interlocutora logo de cara. Se ela o tocar, diga com um sorriso: "Opa, tire as mãos da mercadoria."
8. Não se incline na direção dela e nem fique pairando ao redor. Fique em pé com a coluna reta e, se a música estiver alta demais ou ela estiver sentada, apenas fale mais alto.
9. Não pergunte logo no início seu nome, o que ela faz da vida ou de onde ela é. Certamente a moça já está farta de falar dos mesmos assuntos com todos os caras que conhece.

10. Não concentre toda a atenção nela quando houver outras pessoas no grupo. Se você conquistar os amigos dela, vai conquistá-la.

11. Não tenha medo de violar qualquer uma destas diretrizes depois que você entendê-las e compreender também o motivo por que existem.

DIA

MISSÃO 1: Como costurar uma conversa

Até agora você aprendeu uma sequência de coisas a dizer e fazer quando conhecer uma mulher. Agora é hora de descobrir como costurar tudo isso e deixá-la querendo mais.

A missão consiste em ler as Instruções para o Dia 18 sobre os quatro segredos da conversa cativante antes de seguir para a próxima tarefa.

MISSÃO 2: Pense rápido

Na comédia de improviso, há um exercício chamado de arauto. Para começar um arauto, um ator pede à plateia que diga uma palavra. Quando alguém fala, o ator conta uma história real ocorrida com ele com base naquela sugestão aleatória.

A história não precisa ser literalmente sobre a palavra, pode ser sobre algo que a palavra sugira ou lembre. Por exemplo: se a pessoa da plateia diz "palhaço", o ator pode contar a primeira vez que foi ao circo, relembrar que era o palhaço da turma no ensino médio ou até dizer algo que o deixou extremamente feliz ou triste algum dia.

Depois, os outros atores no palco improvisam cenas com base na história dele, em palavras ou detalhes da trama em questão, ou ainda em ideias sugeridas pela história.

Sua tarefa é tentar algo parecido em casa: conte histórias da sua vida espontaneamente com base em sugestões de uma palavra.

Existem duas formas de fazer isso:

- Reúna-se com um amigo e revezem-se escolhendo palavras para o outro contar histórias. É importante começar a contar a história na mesma hora, sem esperar mais que dez segundos.

- Acesse www.stylelife.com/challenge. Criei um gerador de palavras aleatórias lá. Invente uma história com base na palavra aleatória mostrada pelo gerador. Não deixe de contar a história em voz alta.

Pratique este exercício até ficar suficientemente confiante para contar uma história na hora, com começo, meio e fim bem definidos e baseada em uma palavra arbitrária. Se tiver dificuldades, releia as dicas para contar histórias do Dia 12.

O objetivo é desenvolver a capacidade de continuar uma conversa sem esforço usando o material fornecido pela mulher com quem está falando. Cada palavra concreta que ela disser é um gancho que você pode puxar para tirar uma história ou aumentar a conversa.

MISSÃO 3: Missão das linhas múltiplas

A tarefa de campo de hoje consiste em praticar a criação de circuitos abertos e linhas múltiplas, sobre os quais você leu nas instruções para hoje. Para isso, saia e use um quebra-gelo, mas agora você vai começar outra linha de conversa antes de terminá-lo.

Por exemplo: se você estiver usando o quebra-gelo do amigo misterioso e quiser abrir outra linha de conversa, basta fazer uma observação espontânea ou um comentário empolgado. Você pode interromper dizendo: "Aliás, preciso perguntar: por que você está usando anel nesse dedo?" Ou pode dizer: "Antes de falar disso, você não vai acreditar no que aconteceu quando eu estava vindo para cá."

Entre as possíveis linhas de conversa estão: uma das histórias desenvolvidas no Dia 12, outro quebra-gelo, uma observação sobre ela ou o ambiente, uma história espontânea inspirada em algo que ela disse ou uma demonstração de valor como o procedimento do anel ou ainda a avaliação de personalidade segundo os estilos sociais.

Não se preocupe se isso parecer esquisito ou no começo der a impressão que você tem transtorno de déficit de atenção. Apenas aborde, use o quebra-gelo e você vai descobrir que começar outra linha de assunto será fácil depois de mentalizar o processo.

Sua tarefa estará completa quando você abordar dois grupos e interromper com sucesso cada quebra-gelo com uma segunda linha de assunto.

Observe que criar circuitos abertos durante o quebra-gelo não necessariamente fará parte da maioria das abordagens. Porém, é importante praticar isso hoje.

INSTRUÇÕES PARA O DIA 18

OS QUATRO SEGREDOS DA CONVERSA CONVINCENTE: CIRCUITOS, GANCHOS, LINHAS E...

Circuitos

A coleção de contos *As mil e uma noites* começa com o Rei Shahryar descobrindo que a esposa o traiu. Ele a mata e decide que não pode mais confiar em mulher alguma. Dali em diante o rei se casa com uma mulher diferente a cada dia, passa a noite com ela e depois a executa na manhã seguinte, antes que ela possa traí-lo.

Esse reinado de terror paranoico continua até o dia em que ele se casa com alguém à altura. O nome dela é Sherazade. Como sabe que o rei planeja matá-la na manhã seguinte, ela começa a contar uma história na primeira noite, mas, assim que a história chega ao clímax, amanhece. Sherazade para em um momento de suspense e promete continuar a história na noite seguinte.

Curioso para ouvir o fim da história, o rei decide não matá-la naquela manhã. E isso acontece sucessivamente, gerando noite após noite de momentos de suspense até Sherazade ter lhe dado três filhos, convencido o rei de sua fidelidade e conquistado seu coração.

O princípio empregado por Sherazade é conhecido no campo da psicologia chamado Programação Neurolinguística como circuitos abertos.

Resumindo: criar um circuito aberto significa deixar uma história ou pensamento incompleto. Este é o motivo pelo qual seriados de TV como *Lost* fazem tanto sucesso. A cada semana essas séries acrescentam cada vez mais circuitos abertos à trama, deixando os espectadores ansiosos para a resolução de vários mistérios.

Quando estava aprendendo a sedução, se queria conseguir o telefone ou o e-mail de uma mulher, eu começava uma demonstração de valor como o procedimento do anel. Mas antes de terminar eu dizia que precisava encontrar amigos ou fazia um amigo me puxar para longe. Assim, se ela quisesse ouvir o que o dedo em que estava o anel dela significava, precisaria falar comigo de novo.

Ganchos

Ao bater papo com uma mulher que acabou de conhecer, sempre que ela falar algo imagine a frase ou o comentário como uma corda longa e horizontal. Depois imagine um gancho em cada palavra principal daquela frase. Você tem a opção de puxar qualquer um desses ganchos para começar uma nova linha de conversa.

Mesmo uma frase trivial, como "Estou trabalhando como assistente jurídica há seis meses", oferece vários ganchos que podem ser puxados. Você pode contar qualquer história relacionada a direito, descobrir o que ela fazia antes daquele emprego, perguntar sobre o escritório em que ela trabalha, indagar o que exatamente faz um assistente jurídico, contar uma história sobre um dos seus melhores ou piores empregos, pedir a opinião dela sobre um julgamento recente que saiu nos jornais, conversar sobre os desafios de sobreviver à faculdade de direito, descobrir se ela é nova na cidade ou falar para ela largar o emprego porque você pode lhe conseguir um cargo de conselheira-chefe na empresa de jardinagem do seu irmão caçula.

Mesmo que praticamente não tenha dado informação alguma, ela criou uma matriz infinita de ganchos que podem ser puxados. E você pode transformar qualquer um deles em histórias ou desqualificadores bem-humorados. Para ser bom de conversa, geralmente é melhor pegar o gancho menos óbvio, porém mais interessante.

Os ganchos também funcionam ao contrário. Em vez de fazer perguntas a uma mulher, você pode deixar ganchos soltos na conversa, omitindo informações específicas de propósito, levando a interlocutora a perguntar sobre a sua vida. Por exemplo, se você disser "De onde eu vim, não fazemos esse tipo de coisa", ela certamente vai perguntar de onde você é. Dizer "Bom, isso pode ser verdade, a menos que você trabalhe na mesma área que eu" vai levá-la a perguntar o que você faz da vida. Pronto, agora ela parece estar correndo atrás de você.

Linhas de conversa

De modo bem simples, uma linha de conversa é um assunto para bate-papo. Por exemplo: se você aborda um grupo de mulheres e usa o quebra-gelo do amigo misterioso, a linha de conversa seria o tema das namoradas ciumentas. Porém, após dez minutos essa linha de conversa vai começar a perder a força. E se, em um ato de desespero, você tentar prolongar o assunto, perguntando "E as garotas que são amigas dos ex-namorados?", vai parecer que não sabe falar de outra coisa.

Para impedir isso, evite concentrar a conversa em um assunto e acabar esgotando o tema. Prefira entrelaçar vários assuntos ou histórias para, assim como Sherazade, cativar a plateia e deixá-la querendo mais. Administrar vários circuitos abertos em um bate-papo vai dar a impressão de que você e a pessoa que conheceu têm muito assunto para conversar.

Aqui está um exemplo de criação de uma segunda linha de conversa durante um quebra-gelo com base em material gerado durante o Desafio por um dos seus colegas participantes.

VOCÊ: Oi, talvez você possa me ajudar a resolver um debate. Tinha um bombeiro no Village People?

ELA: Sei lá. Tinha um pedreiro e um cara com roupa de couro.

VOCÊ: Pois é, eram cinco. E só conseguimos nos lembrar de quatro: tinha um policial, um índio... Aliás, rapidinho: antes de chegar nisso, eu acabei de notar o seu bracelete. Minha irmã comprou um igualzinho de presente de aniversário.

ELA: Obrigada. Este também foi um presente.

VOCÊ: É, eu sempre acho engraçado quando as pessoas se presenteiam pelos próprios aniversários. Quer dizer, isso não conta. Igual aconteceu uma vez, no meu aniversário de 20 anos...

Em vez de falar por mais dez minutos sobre o Village People, você começou uma segunda conversa no meio do quebra-gelo. Assim, quando terminar de falar sobre braceletes e presentes, poderá evitar um silêncio constrangedor voltando ao circuito aberto sobre o Village People.

A forma mais natural de acrescentar uma nova linha de conversa é notar de forma espontânea algo novo e ficar mais empolgado em relação a isso do que com o assunto original.

Isso pode parecer artificial, mas acontece o tempo todo. De repente você está falando com um amigo sobre uma mulher que conheceu no banco, mas assim que diz o nome do banco ele interrompe para contar que tem uma queda imensa por uma moça que trabalha no caixa de lá. Ou então você está no meio de uma história, mas uma ex-namorada subitamente passa ao seu lado e você faz uma pausa para apontá-la ao amigo.

Saber usar circuitos, ganchos e linhas de conversa pode melhorar sua capacidade de fazer uma conexão mais profunda e empolgante com alguém que acabou de conhecer. Eles ajudam a criar afinidade instantânea, impedir pausas potencialmente fatais na conversa e deixam a impressão de que vocês dois têm muito assunto para conversar.

O quarto segredo

Não se esqueça da moral de *As mil e uma noites*. Como espécie, nós nos alimentamos de histórias e de suspense. Então experimente deixar procedimentos inacabados, interromper histórias em pontos cruciais e deixar perguntas sem resposta na cabeça dela.

Pode ser algo tão simples quanto falar: "Existem três coisas que me atraem nas pessoas, mas não ainda posso contar a terceira porque não te conheço bem o bastante."

Você sempre pode decidir fechar o circuito mais tarde, durante uma futura ligação telefônica ou encontro, ou até mesmo não fechar. Se você deixá-la querendo mais, vai fazer com que ela deseje vê-lo de novo.

Por fim, você pode estar se perguntando qual é o quarto segredo para uma conversa cativante. E eu gostaria de dividi-lo com você. Algum dia.

DIA

MISSÃO 1: Preencha sua agenda

Pegue a agenda do Desafio Stylelife ou imprima uma nova.

Preencha a folha com atividades, além de tópicos para convencimento e motivos para ir a cada evento, de hoje até os próximos seis dias. Pode ser qualquer evento, de restaurantes a shows e festas, passando por pontos turísticos e a cartomante a que você foi no Dia 15.

Familiarize-se com as atividades, suas respectivas datas e os motivos para ir.

MISSÃO 2: Semear

Agora você está pronto para começar o processo de conseguir o telefone de uma mulher sem problemas.

A primeira etapa: vá até o Dia 19 e leia o breve artigo sobre semear.

MISSÃO 3: Missão de semear

Semeie três conversas hoje usando um evento da sua agenda.

Duas dessas conversas podem ser com pessoas que você já conhece. Porém, pelo menos uma precisa ser com uma mulher que você abordou usando um dos quebra-gelos.

Não é preciso convidá-la para o evento no fim da conversa. O objetivo do exercício de hoje não é conseguir um número de telefone ou um encontro (embora seja ótimo se isso acontecer). O objetivo é apenas dominar uma conversa casual para lançar a semente de um futuro encontro.

INSTRUÇÕES PARA O DIA 19

O QUE É SEMEAR?

Pedir um número de telefone pode ser uma das partes mais difíceis da interação com uma mulher que você acabou de conhecer. Se ela não quiser dar o telefone ou pedir o seu por alegar que não dá o telefone a homens, então todos os esforços anteriores de criar uma conexão com ela foram em vão.

Mesmo gostando de você, ela ainda pode se recusar a dar o telefone da primeira vez que pedir. Isso é o que se chama resposta automática, ou de piloto automático. Após receber diversas tentativas desajeitadas de cantada, muitas mulheres têm frases que usam quase por instinto para recusar de maneira educada pedidos de telefone.

Então qual é a solução?

Não pedir o telefone dela de forma alguma.

Hoje e amanhã você vai aprender as duas técnicas para trocar telefones sem precisar pedir.

A primeira é o ato de semear, em que você menciona um evento tentador, mas não convida de imediato a mulher. Por exemplo: mencione casualmente uma festa a que você vai, fale como vai ser bacana e mude para outros assuntos. Depois, mais adiante na interação, antes de você ir embora, decida convidá-la para ir também.

Em algum ponto na conversa com uma mulher que conheci, posso mencionar meu chef local favorito:

– Você se lembra do episódio do Nazista da Sopa de *Seinfeld?* Bom, esse cara é o Nazista do Sushi. O cardápio só tem três palavras: 'Confie em mim' e ele só serve o que quer. Se você não comer de uma garfada só, ele para de servir. Se você mergulhar em molho shoyu quando ele pedir para não fazer isso, ele manda você calar a boca. E se você ousar pedir sushi americanizado, como rolinho Califórnia, ele vai dar uma bronca e expulsar você do restaurante. Mas vale a pena, porque o sushi literalmente derrete na boca. O cara é um artista. Ele nunca sorri. É simplesmente movido por alguma compulsão de fazer o melhor sushi do mundo.

Depois de contar a história eu posso até mencionar que vou lá com amigos na quinta-feira à noite. O próximo passo óbvio e esperado seria convidá-la imediatamente para ir junto, mas, como é óbvio demais, eu não o faço.

Mudo para outros assuntos e deixo a moça se perguntar por que não foi convidada. Só no último minuto eu viro e digo:

– Ei, sabe de uma coisa? Você deveria vir ao Nazista do Sushi com a gente na quinta.

Claro que eu poderia tê-la convidado quando mencionei o restaurante da primeira vez, talvez ela até dissesse sim. Mas o objetivo do jogo é eliminar a palavra *talvez* o máximo possível nas interações com mulheres.

Semear ajuda a aumentar a probabilidade de ela dizer sim, evita o tipo de pressão que ela pode sentir diante de um convite súbito, pressão essa que geralmente ativa uma resposta negativa automática. Mencionar o evento e depois dar tempo para ela pensar se quer ir antes de convidá-la lhe dá a oportunidade de chegar a uma decisão afirmativa por conta própria. Especialmente se você continuar exibindo mais da sua ótima personalidade, além de demonstrar valor e falta de carência durante o processo. Além disso, como você aprendeu no dia da desqualificação, não convidá-la quando mencionar o evento pela primeira vez só vai aumentar o desejo dela de ir.

Ter um pretexto para o caso de encontrá-la de novo e um plano bem definido também reduzem drasticamente a probabilidade de ela negar. Mesmo se ainda não tiver muita certeza em relação a você, haverá mais chances de ela ir junto só pela experiência. Acompanhar um pequeno grupo de pessoas interessantes para comer o melhor sushi do mundo, ver o comediante mais engraçado que já existiu ou ir ao bar mais bacana da cidade é muito mais tentador do que apenas "tomar um café" ou "me encontrar para conversar algum dia", que é como a maioria dos homens chama as mulheres para sair. E comparado a um encontro de verdade, no qual ela está ali presa a noite toda com um desconhecido com altas expectativas, o seu evento sem pressão é uma opção muito mais atraente.

Evite semear eventos complexos demais, muito distantes ou com duração maior que algumas horas. As pessoas têm menos probabilidade de dizer sim a algo se o custo do compromisso for alto.

Quando você começar a semear planos convincentes durante uma conversa, a troca de telefones e o próximo encontro vão ocorrer sem grandes esforços. Especialmente após você cumprir as missões de amanhã.

DIA

MISSÃO 1: O caminho para o número

O único objetivo de hoje é a segunda parte da troca de números de telefone. Leia as Instruções para o Dia 20 e aprenda uma tática útil, praticamente sem palavras e quase sem rejeição para usar junto com o semear antes de ir para a Missão 2.

MISSÃO 2: Aborde, semeie e troque

Aborde mulheres hoje usando o material que aprendeu até agora.

Semeie cada conversa com um plano da sua agenda, como fez ontem.

Se você chegou ao ponto de fisgada, tente o fechamento que aprendeu hoje antes de terminar a conversa.

A missão terá sido cumprida quando você tiver recebido um número de telefone ou abordado cinco mulheres, o que acontecer primeiro.

INSTRUÇÕES PARA O DIA 20

TROCANDO TELEFONES

Existem quatro objetos que todo desafiante deveria carregar no bolso o tempo todo:

- Chicletes ou balas de menta para eliminar o mau hálito.
- Uma caneta para anotar informações.
- Papel – o ideal é que sejam cartões de visita, mesmo se forem de outra pessoa.

- Camisinhas, porque se você quer permanecer no jogo tem que jogar com segurança.

Muitas pessoas anotam os telefones no próprio celular, e tudo bem. Há alguns procedimentos divertidos para trocas de telefones usando celulares, como escrever uma frase bem-humorada no telefone dela em vez do seu nome, para que apareça na tela quando você ligar, algo como "Tamale* Quente". Mas os bons e velhos papel e caneta têm muitas vantagens. A principal delas é a seguinte técnica:

Ontem você aprendeu a semear um plano durante uma conversa. A próxima etapa consiste em voltar ao assunto quando estiver terminando a interação.

Por exemplo, quando a conversa estiver em um ponto alto e você estiver prestes a ir embora, jogue algo, como esta frase: "E não deixe de ir ao Nazista do Sushi qualquer dia desses." Faça uma breve pausa. "Na verdade, você podia vir com a gente na quinta-feira porque aí eu posso acabar de contar sobre os tipos de personalidade dos quais estávamos falando."

Observe que acrescentar um incentivo a mais para ir, um pretexto do tipo "porque" para fechar um circuito aberto, diminui ainda mais a possibilidade de uma negativa ou rejeição.

Depois, diga: "Aqui, vou te dar meus contatos." As mulheres podem ter uma resposta automática quando o cara pede o telefone delas, mas raramente se recusam a receber as informações dele.

Veja o que fazer a seguir: pegue a caneta e um cartão de visita (ou algum outro pedaço de papel, como um recibo de cartão de crédito) do bolso. Rasgue-o no meio e anote seu nome e telefone em uma das metades.

Depois, segure o pedaço de papel com seu número e dê a ela a metade vazia do cartão junto com a caneta. Ela vai aceitar, pois seria mal-educado não fazê-lo.

Ela vai escrever o nome e o telefone dela em quatro de cinco vezes. Nas poucas ocasiões em que isso não acontecer, a interlocutora vai perguntar: "O que eu faço com isto?" Basta você mostrar a metade do cartão com as suas informações e olhar para ela com uma expressão que se traduz como: "Dã, o que mais você poderia fazer?"

Agora você tem as suas informações no seu pedaço de papel e ela tem as informações dela na outra metade. Troquem os pedaços de papel. Nada mais justo.

---

* O tamal ou tamale é um prato tradicional da culinária mesoamericana. (*N. do E.*)

Visualize esse movimento e pratique-o algumas vezes até ficar natural e suave. Parece simples e é assim que deve ser.

A troca de telefones não é um truque de mágica. Não vai fazer alguém que não está interessada em você subitamente passar as informações de contato. É uma ferramenta para ajudar a navegar com tranquilidade por um ritual social geralmente constrangedor e incerto. Nunca fui rejeitado fazendo isso e nunca recebi informações falsas. O motivo não é necessariamente a técnica em si, mas sim o momento.

A chave para essa troca dar certo é simplesmente fazer isso depois de ter chegado ao ponto de fisgada. Uma vez que você capturou a imaginação dela com seu ótimo papo, seu talento e sua personalidade, ela vai ficar decepcionada se você sair de repente sem trocar informações de contato. Desde que pareça sociável e confiável, mostrando que é mais interessante ou atraente do que as outras opções e sem tentar trocar telefones cedo demais, a transação se dará com tranquilidade.

Se você quiser ser espertinho (o que eu recomendo), depois de ela ter escrito o telefone, diga: "Faça um desenho de como você é caso eu me esqueça do seu rosto." Você vai poder tirar muitas conclusões sobre ela pelo desenho. Além do mais, é divertido.

Quando tiver o telefone, não vá embora. Continue falando com ela por alguns minutos. Se você simplesmente sair correndo, ela vai pensar que você só estava interessado no telefone e vai mudar de ideia. Para evitar isso, depois de trocarem telefones, conte mais uma história para deixá-la confortável. Se você não souber o que dizer, provoque-a com relação ao autorretrato que acabou de desenhar. "Isso aqui era para ser o quê? Um braço? Ah, acho que vi a semelhança."

Por fim, lembre-se de que um número de telefone não é um fim em si no jogo da atração. É apenas um ponto de parada. Em alguns casos, você pode não precisar pegar o número de telefone logo de cara porque ela vai querer passar a noite com você. Em outros, você poderá obter o número de telefone nos primeiros 15 minutos e passar horas junto com ela depois. E, de vez em quando, vocês vão fazer um plano certo de se encontrar naquele mesmo dia e nem trocarão telefones. Embora os homens tendam a tratar o fato de conseguirem um número de telefone como algum tipo de grande vitória, no fim das contas trata-se de um marcador que lhes permite retomar uma interação do ponto em que parou.

DIA

MISSÃO 1: Encontre seu parceiro silencioso

Hoje é um dia fácil.

E também importante.

Porque você vai sintetizar as informações que recebeu até agora e encaixá-las em uma estrutura maior de atração, sedução e namoro.

As Instruções para o Dia 21 contêm uma lista de cada etapa do jogo aprendida até agora, de começar uma conversa até obter um número de telefone. Preencha as lacunas com todo o material que aprendeu e usou com sucesso. Quando terminar, acrescente qualquer material que gostaria de experimentar. Então destaque, tire uma cópia ou reescreva em uma folha de papel comum.

Considere esta a sua cola e o seu parceiro silencioso.

MISSÃO 2: Aborde usando seu parceiro silencioso

Pegue a cola preenchida, dobre-a e coloque no bolso de trás da calça.

O objetivo hoje consiste em abordar uma mulher (ou um grupo que tenha uma mulher) e fazer todo o processo descrito na cola, de cima a baixo.

Desde que você chegue à troca de telefones, não precisa usar o material de todas as categorias da cola, nem mesmo a maioria deles. Ela é apenas sua rede de segurança.

À medida que você dominar o plano, vai descobrir que roteiros serão necessários apenas como cópias de segurança, caso uma interação perca o embalo ou não esteja progredindo naturalmente rumo à próxima etapa necessária para criar um relacionamento. A melhor forma de chegar à maestria é acrescentar tudo o que puder ao repertório e, depois que começar a ter sucesso regularmente, retirar o máximo possível sem afetar os resultados. Em outras palavras, pratique usando a cola de modo que um dia você não precisará mais dela.

MISSÃO 3: Estratégia geral de flerte

Qual é o grande plano? Talvez seja hora de contar a você.

Se você não sabe para onde está indo, não saberá a melhor forma de chegar lá. Então vá até a segunda parte das Instruções para o Dia 21 e leia o artigo sobre o quadro geral.

INSTRUÇÕES PARA O DIA 21

PLANILHA DO PARCEIRO SILENCIOSO

Atitude e afirmações

Estou tranquilo, confiante, alegre, sem carência, imperturbável, irradiando energia positiva. Vou desapegar do resultado. Sou um homem desejado pelas mulheres e elas me querem por perto. Vou aprender algo com todas as pessoas que encontrar. Estou testando as mulheres para ver se elas atendem aos meus padrões. Eu mereço o melhor.

____

____

____

Quebra-gelos

____

____

____

____

Raízes

____

____

Restrições de tempo

Ponto de parada

"De onde vocês se conhecem?"

Desqualificadores

Demonstrações de valor

Leituras frias

Declaração de identidade

____

____

____

Histórias

____

____

____

____

____

Eventos para semear

____

____

____

____

____

Técnicas para troca de telefones

____

____

____

____

A ANATOMIA DA ATRAÇÃO

Antigamente, minha estratégia de flerte era apenas ficar lá e ser o último homem a sair. Por isso, eu fazia questão de que ela ou eu falasse o tempo todo. Depois esperava que após uma quantidade suficiente de horas e de álcool eu seria capaz de agir.

Depois de criar coragem para tentar o beijo, porém, eu recebia a temida virada de rosto e acabava beijando a bochecha, atitude geralmente seguida de um breve discurso explicando que ela não queria estragar a nossa amizade. Parecia que uma adaga entrava no meu coração quando isso acontecia.

Não conseguia perceber o que estava fazendo de errado. Eu achava que não era suficientemente atraente ou confiante e repetia a mesma estratégia ineficaz toda vez que tinha a oportunidade de sair com uma mulher, esperando que ela gostasse de mim.

Quando descobri que a atração era uma habilidade que poderia ser aprendida, eu logo percebi o que deveria ter sido óbvio para mim o tempo todo: toda história de amor precisa de uma trama. Dois desconhecidos precisam viver uma sequência específica de eventos para criarem um relacionamento romântico ou sexual entre eles. E independentemente de essa sequência ocorrer por meio de um esforço consciente ou naturalmente, por conta própria, quase todos os relacionamentos a seguem.

Cresci pensando que uma etapa (criar afinidade) era o filme inteiro, o que explica o fato de ficar sempre na *friend zone*. As amizades são construídas em cima de afinidade, confiança e interesses em comum. O que eu não percebia era que a atração pode ser construída com a mesma facilidade, apenas usando materiais diferentes.

Quando entendi isso, tudo mudou. Com o tempo, à medida que minhas interações com mulheres mudaram de amizades para romances, eu fui capaz de criar um mapa e um caminho claro do início do flerte até o fim. E desde que eu soubesse onde ela estava no mapa e como trazê-la para o próximo ponto de controle, não precisava mais ter medo da terrível virada de rosto.

1. *Quebre o gelo*: todo romance começa com o encontro de dois desconhecidos. Foi assim que seus pais se conheceram. E assim que os pais deles se conheceram. É por isso que os primeiros nove dias do Desafio foram dedicados às minúcias da abordagem, permitindo que você quebre o gelo com a menor probabilidade de rejeição possível.

2. *Demonstre valor*: depois de quebrar o gelo, seu objetivo é atingir o ponto de fisgada o mais rapidamente possível. Dependendo da mulher, das opções, da autoestima, dos interesses e das preferências

dela, demonstrar valor pode envolver um esforço tão mínimo quanto dizer olá, ou máximo, a ponto de você parecer a pessoa mais cobiçada do recinto enquanto cativa a moça e os amigos com procedimentos marcantes e não carentes a fim de exibir seu valor e excelência.

3. *Crie uma conexão emocional*: você é bacana e interessante, claro, mas poderia falar com qualquer pessoa no local. Por que ela? É hora de mostrar que vocês dois estão ligados de alguma forma, têm pontos em comum, têm química, entendem-se e foram feitos um para o outro.

4. *Estruture a ação*: só porque ela gosta de você, não significa que vai dormir com você. Uma janela de possível intimidade se abriu, mas se você quiser que ela a pule, terá que fornecer um incentivo na hora certa. O mais comum é excitá-la por meio da conversa ou do toque. Tempo, conforto, confiança e risos também podem conseguir isso. Mas às vezes ela precisa de um motivo mais forte a fim de dar esse salto para a parte física da relação. Estas técnicas (gerar ciúme, falar de forma dúbia ou até desaparecer por um tempinho) vão ajudá-la a perceber que, se não agir rapidamente, poderá perder a oportunidade única de ficar com você.

5. *Crie uma conexão física*: quando ela estiver interessada em ir além, basta não cometer erros que possam fazê-la mudar de ideia. Atravesse a ponte para a intimidade física de um jeito que não a deixe incomodada, que não faça com que ela se sinta usada ou gere qualquer outra resposta negativa automática.

Tenha em mente que nem todo flerte começa nas fases iniciais. Às vezes a interação começa mais adiante no processo. Pode acontecer, por exemplo, de ela já estar atraída por você. No futuro você poderá até chegar ao ponto de abordar uma mulher e dar uns amassos nela em questão de minutos. Quanto melhor você ficar, mais rápido vai conseguir passar por essas etapas.

UMA VISÃO DE PERTO

As etapas mostradas anteriormente ajudaram a me guiar em praticamente todas as abordagens que fiz. Porém, há outras formas de retratar o mesmo processo. E pessoas diferentes respondem melhor a modelos diferentes.

Por isso, eu me sentei com os treinadores do Desafio Stylelife e pedi a eles para criarem outra versão, mais detalhada, para você. Existem seis fases no modelo deles, que tem a seguinte forma:

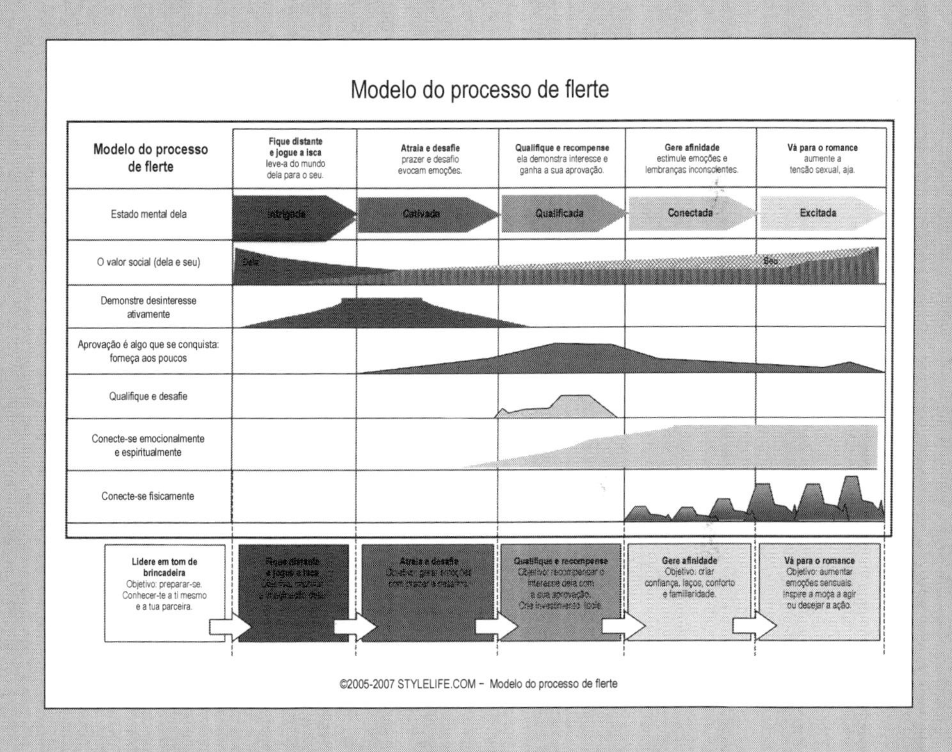

Este modelo se aplica tanto a homens conhecendo mulheres quanto ao inverso. Cada fase evolui para um marco ou ponto de virada importante, permitindo que o relacionamento avance para a próxima fase.

Embora entender essas fases enquanto o relacionamento se desenvolve seja útil, saber como avançar suavemente e com sucesso por elas é muito mais útil. Por isso, pedi à equipe para dar ainda mais detalhes das fases e sugerir ações específicas e atitudes para serem tomadas em cada ponto do processo. Eles criaram o seguinte:

Estratégia do processo de flerte

Fase do flerte	Objetivo da etapa	Estratégia: o que fazer
Autoimagem: lidere em tom de brincadeira. Objetivo: preparar-se. Conhecer a si mesmo, a sua parceira ideal e definir o plano.	Confiante	Use seus pontos fortes para desenvolver a identidade.
		Identifique a faixa etária das parceiras em potencial.
		Desenvolva-se e conheça a si mesmo e a sua estratégia.
		Domine o seu eu interior, seja um líder divertido.
Fase 1: Fique distante e jogue a isca Objetivo: capturar a imaginação dela. Fazer com que pense em você como parte fundamental do mundo dela.	Intrigada	Apareça como objeto de desejo, mas fique distante.
		Aborde de modo não ameaçador, use restrições de tempo.
		Pronto para ir embora. Ativamente desinteressado, desqualifique.
		Crie intriga e curiosidade, inspire a moça a se envolver.
Fase 2: Atraia e desafie Objetivo: criar prazeres & desafios para envolver as emoções dela. Gerar atração.	Cativada	Prove o seu valor social, crie emoções intensas.
		Crie uma leve confusão, desafie, provoque, brinque.
		Procure o ponto de fisgada, conquiste os amigos dela.
		Demonstre comprovação social, aumente seu valor social.
		Crie oportunidade para passar um tempo proveitoso com ela.
Fase 3: Qualifique e recompense Objetivo: recompensá-la pelo interesse com sua aprovação. Criar investimento em você.	Qualificada	Veja o potencial dela, desafie-a.
		Qualifique e desafie.
		Recompense, estabeleça coisas em comum, mostre interesse.
		Faça leitura fria, controle o enquadramento e reenquadre se necessário.
Fase 4: Gere afinidade Objetivo: criar confiança, aprofundar os laços, o conforto e a sensação de que vocês sabem tudo um do outro. O encontro de vocês é especial e estava escrito.	Conectada	Entretenha com histórias e jogos.
		Mude de locais, crie novas experiências.
		Demonstre confiança, o relacionamento encurta o tempo.
		Obtenha valores fundamentais, retome lembranças de afinidade.
		Associe a sentimentos positivos.
		Aprofunde os laços e a conexão.
		Teste cinestesicamente e vá se aprofundando.
		Insinue e motive para que ela corra atrás de você.
Fase 5: Vá para o romance Objetivo: aumentar a tensão sexual e as emoções físicas. Inspire a moça a agir ou desejar a ação.	Excitada	Crie uma atmosfera sensual.
		Obtenha valores sensuais e crie um estado mental erótico.
		Use provocações cinestésicas eróticas e vá se aprofundando.
		Observe e reaja ao que a excita.
		Faça um gesto ousado, explosão sensorial indireta.
		Fiquem de conchinha e relaxem juntos, sem pressa.
		Sem arrependimentos, ela se sente bem com a decisão que tomou.
		Defina e gerencie as expectativas.

Você não precisa memorizar todas essas fases e estratégias, desde que entenda o subtexto: a atração não é aleatória, a sedução não é algo que simplesmente acontece e o flerte não precisa envolver corpos se tocando. O fato é que independentemente de os outros homens usarem isso conscientemente ou não, há uma fórmula que faz uns poucos escolhidos terem sucesso com as mulheres e na vida em geral.

Agora você tem esta fórmula.

DIA

MISSÃO 1: Aprenda a virar o jogo

Hoje é o dia de controlar o enquadramento, em que você vai aprender técnicas para manter o domínio da conversa. Tais conceitos não só serão úteis em quase toda situação social como podem mudar a forma através da qual você encara o mundo.

A primeira tarefa é ler tudo sobre isso nas Instruções para o Dia 22 antes de continuar as outras missões de hoje.

MISSÃO 2: Reenquadramento construtivo

Sua primeira missão consiste em reenquadrar a negatividade, transformando-a em positividade pelo menos uma vez ao longo do dia.

Quando ouvir um amigo, colega ou desconhecido reclamando ou falando algo negativo, tente reenquadrar aquilo como algo positivo. Por exemplo: se um amigo disser que é incompetente em algo, diga que ele apenas gosta de fazer as coisas com perfeição.

Se alguém diz: "Minha namorada está me deixando louco", responda com "Por que você acha que ela o perturba? Porque se importa. Se ela não se importasse, não faria nada".

Continue reenquadrando até a pessoa aceitar uma das suas conclusões positivas.

Se você não ouvir frases negativas o dia inteiro, ligue para um amigo ou parente, pergunte qual a maior reclamação ou aborrecimento dele nesta semana e reenquadre-a para algo positivo.

MISSÃO 3: Usar o reenquadramento durante o flerte

Escolha um dos dois exercícios de reenquadramento a seguir para usar no flerte.

A missão estará cumprida quando você fizer algum deles com sucesso uma vez. Quando usar essas ideias, sorria para deixar claro que não está falando sério:

1. Reenquadre um acidente como se fosse intencional: vá a um lugar cheio, como um bar ou loja populares. Quando alguém esbarrar em você ou encostar ao passar do seu lado, diga com indignação falsa e em tom brincalhão: "Você me apalpou? Olha, eu não sou tão fácil assim. Exijo jantar e cinema antes."
2. Reenquadre bondade como se fosse interesse pessoal: vá a uma loja de CDs e fale com uma vendedora ou cliente do sexo feminino. Peça uma recomendação de um bom CD para tocar durante um jantar com os amigos, algo novo e bacana. Quando ela sugerir um CD, alegue em tom de brincadeira que ela está sendo paga para dizer isso. "Você realmente acha que eu deveria comprar *aquele* CD? Você não está recebendo jabá da gravadora, está? Provavelmente ganha uma máquina de lavar ou algo assim a cada cem cópias vendidas." Depois pense em comprar o CD. Você vai descobrir o motivo no Dia 24.

MISSÃO 4: Quando a situação fica difícil

Se você ainda não conseguiu trocar telefones, estude o seu parceiro silencioso, coloque-o no bolso de trás da calça, verifique se a sua agenda está atualizada e aborde mais quatro mulheres ou grupos hoje.

INSTRUÇÕES PARA O DIA 22

MUDANDO O ENQUADRAMENTO

Por Thomas Scott McKenzie

Uma artista enquadra uma pintura. Um carpinteiro faz a moldura para enquadrar uma obra de arte. Gerentes de projeto enquadram a equipe para realizar um trabalho. Um criminoso é enquadrado pela polícia. Um diretor de cinema enquadra uma cena.

Existem várias interpretações da palavra *quadro*, mas a maioria delas tem a ver com estrutura ou pauta. No clássico livro sobre programação neurolinguística *Introdução à PNL*, os autores Joseph O'Connor e John Seymour definem enquadramentos como "a forma pela qual colocamos fatos em contextos diferentes para dar a eles significados diferentes; o que consideramos importante no momento".

Em outras palavras, enquadramento é o contexto pelo qual uma pessoa, objeto ou ambiente é percebido, sendo enquadrar uma forma de moldar a interação a fim de conquistar o resultado desejado. Você pode mudar o seu enquadramento, o de outra pessoa ou o enquadramento no qual uma determinada conversa ou situação parece existir.

Reenquadrar é o processo de mudar o enquadramento ou fornecer uma nova visão. "Reenquadrar literalmente significa colocar alguma imagem ou experiência em outro quadro", escreve Robert Dilts no livro *Sleight of Mouth*. "Psicologicamente, 'reenquadrar' algo significa transformar seu significado, colocando aquilo em uma estrutura ou contexto diferente do que foi percebido antes."

De fato, a maior parte dos flertes se resume a reenquadramentos. Por exemplo, se após receber um esbarrão de uma mulher, você perguntar: "Você acabou de pegar na minha bunda?", acabou de reenquadrar a situação de uma colisão acidental para uma atmosfera de carga sexual.

A maioria das regras sociais também pode ser pensada em termos de enquadramentos. O macho alfa, por exemplo, é a pessoa com o enquadramento (ou ponto de vista) dominante em uma determinada situação. Porém, a dominância não deve ser confundida com teimosia ou mania de controle. Como Dilts afirma: "A pessoa com maior flexibilidade vai dirigir a interação."

Quando você encontra uma mulher pela primeira vez, é importante ter um enquadramento forte, de modo que ela sinta a necessidade de buscar sua aprovação, e não o contrário. Este é um dos motivos pelos quais você está preenchendo a agenda do Desafio Stylelife com eventos, para que elas possam entrar no seu mundo.

Até a maioria das atitudes que você não deve tomar durante a abordagem (por exemplo, atos de súplica como pagar bebidas para fazer a mulher conversar com você) pode ser analisada como evidência de um enquadramento fraco ou de você ter cedido ao enquadramento de outra pessoa.

Técnicas de reenquadramento

Embora existam inúmeras técnicas para reenquadrar, em *Sleight of Mouth* Robert Dilts se concentra especificamente em quatro.

MUDAR O TAMANHO DO ENQUADRAMENTO

Dilts usa o filme *Cabaret* para exemplificar como o tamanho do enquadramento afeta nossa percepção. Uma cena no filme começa com um close de "um jovem de aspecto angelical que está cantando com uma voz linda", escreve ele. Mas, quando a câmera se afasta, os espectadores notam que o jovem está com roupas de soldado. Quando a câmera se afasta mais um pouco, vemos o seu braço, e nele há uma braçadeira com uma suástica.

"À medida que o enquadramento fica cada vez mais amplo, nós acabamos vendo que o garoto está cantando em um grande comício nazista", conclui Dilts. "O significado e o sentimento transmitidos pela imagem são completamente transformados pela informação obtida com as alterações no enquadramento da imagem."

Durante as interações com mulheres, imagine que você tem uma câmera de filmagem e pode controlar a amplitude do enquadramento. Digamos que você deseja que uma mulher saia do bar e vá para casa com você, mas ela está preocupada com o que as amigas vão pensar. O enquadramento dela equivale a uma cena de grupo no seu filme. Você pode ampliar a imagem e dizer que o tempo dela neste planeta é curto, aventuras inesquecíveis a esperam e que se ela ficar se inibindo com base na opinião alheia, a vida vai passar em vão. Ou pode aproximar para um close, cortando os amigos do enquadramento e se concentrando apenas nos desejos e nas vontades dela, criando um mundo íntimo entre vocês do qual ela não vai querer sair.

REENQUADRAMENTO DE CONTEXTO

O reenquadramento de contexto se baseia no fato de o mesmo evento ter diferentes implicações dependendo das circunstâncias ou do ambiente em que ocorre. "Chuva, por exemplo, será percebida como algo extremamente positivo para um grupo de pessoas que esteja sofrendo com uma grande seca, mas negativo para um grupo que esteja no meio de uma enchente ou tenha planejado um casamento ao ar livre", escreve Dilts. "A chuva em si não é 'boa' nem 'ruim'. O juízo de valor relacionado a ela tem a ver com a consequência que produz em um contexto específico."

Isso é útil tanto para seu jogo interior quanto para o exterior. Digamos que você acabou de experimentar um novo quebra-gelo, mas a mulher lançou um olhar esquisito e foi embora. No contexto de tentar conseguir um número de telefone, você veria a interação como um fracasso, mas, se reenquadrar o contexto de modo que o objetivo não fosse obter o número e sim determinar a eficácia do novo quebra-gelo, então a interação terá sido um sucesso.

REENQUADRAMENTO DE CONTEÚDO

O reenquadramento de conteúdo reconhece que as pessoas veem o mesmo fato de modo diferente com base em suas atitudes, gostos, antipatias, necessidades e valores pessoais. Dilts usa o exemplo de um campo vazio. Um fazendeiro vê ali uma oportunidade de plantar, um arquiteto vê um terreno para construir uma casa gótica, enquanto um homem pilotando um pequeno avião sem combustível vê o campo como uma pista para uma aterrissagem de emergência.

Todos nós vemos as coisas de modo diferente. O enquadramento baseado no conteúdo significa olhar a perspectiva de cada indivíduo e a intenção por trás do comportamento externo dele.

Então supomos que você esteja de volta ao bar com a mulher que deseja levar para casa, mas a amiga dela fica dizendo: "Vocês deviam ficar aqui. Por que querem ir para outro lugar? Você não devia sair com um cara que acabou de conhecer."

Seria fácil simplesmente considerar o comportamento da amiga como egoísta e controlador, mas tente encontrar a intenção positiva nas ações dela. Talvez ela esteja preocupada com a segurança da amiga. Talvez pense que você é o tipo de cara que dirige uma van com sacos de lixo colados nas janelas e tem ferramentas penduradas na parte de trás.

Ela pode parecer determinada a frustrar você, mas o comportamento dessa amiga na verdade tem um objetivo positivo. E quanto mais rápido você entender o enquadramento dela, melhor poderá lidar com a objeção. Por exemplo: você pode lidar com a situação falando com a amiga por alguns momentos a fim de fazê-la confiar mais em você, além de dar o seu número de telefone para ela. Assim, se ela estiver preocupada com a amiga ou quiser saber onde ela está, terá a opção de ligar para você.

REENQUADRAR CRÍTICAS E CRÍTICOS

O problema com os críticos é que eles não indicam só o que você está fazendo de errado. Geralmente indicam o que eles acham que há de errado com você.

Para lidar com os críticos, é importante enxergar além da negatividade e perceber que o julgamento deles é geralmente feito com boas intenções.

Isso também se aplica às críticas que você faz com relação aos outros. Quando um amigo dá uma ideia, por exemplo, evite responder com algo negativo que pode gerar uma discussão, do tipo "Isso nunca vai dar certo". Prefira fazer uma pergunta positiva e construtiva que ele não vai levar para o lado pessoal, do tipo: "Como você vai conseguir fazer isso?"

Esse tipo de reenquadramento também funciona bem com seu crítico mais feroz: você mesmo. Pegue qualquer desculpa que use para não conquistar seus objetivos, como "Não tenho tempo" e a transforme em um problema com solução: "Não uso meu tempo de modo eficiente." Depois tente converter o problema em pergunta: "Como posso usar meu tempo de modo mais eficiente para poder conquistar meu objetivo?"

Reenquadrar as críticas e limitações como questões do tipo "como" pode transformar um beco sem saída em uma porta aberta.

Como enquadrar o jogo

Quanto mais você aprender sobre enquadramentos, maior flexibilidade, diversão e sucesso terá na vida social e na profissional. No mínimo, tenha sempre em mente os três itens a seguir quando interagir com mulheres:

1. Sempre tenha um enquadramento forte. Faça com que ela o encontre na sua realidade, em vez de você mudar para se encaixar na dela. Mais do que dinheiro e aparência, esta atitude vai ajudá-lo a transmitir status;

2. Reenquadrar é fundamental tanto para a persuasão quanto para o flerte. Você passa a ter o controle da conversa e a capacidade de redirecioná-la para um lado divertido, positivo, empolgante ou, no momento certo, sexual. Pratique o máximo que puder e não só você terá mais sucesso com as mulheres, como também vai se transformar em um orador mais talentoso e um pensador mais ponderado;

3. Use estas técnicas com moderação. Não fique obcecado tentando controlar o enquadramento em todas as interações o tempo todo. Às vezes a rendição pode ser uma vitória.

DIA

MISSÃO 1: Autoavaliação

Bem-vindo ao último dia da revisão.

A seguir estão algumas habilidades que você aprendeu até agora. Avalie-se circulando um número de 1 a 10 em cada área, sendo que o número 1 representa um resultado totalmente deficiente, o número 5 significa médio e o 10 simboliza a perfeição na habilidade ou característica listada.

Postura	1	2	3	4	5	6	7	8	9	10
Projeção vocal	1	2	3	4	5	6	7	8	9	10
Tonalidade da voz	1	2	3	4	5	6	7	8	9	10
Sem *tilts* cerebrais	1	2	3	4	5	6	7	8	9	10
Apresentação pessoal	1	2	3	4	5	6	7	8	9	10
Estilo das roupas	1	2	3	4	5	6	7	8	9	10
Jogo interior	1	2	3	4	5	6	7	8	9	10
Contato visual	1	2	3	4	5	6	7	8	9	10
Nível de energia/positividade	1	2	3	4	5	6	7	8	9	10
Abordar desconhecidos	1	2	3	4	5	6	7	8	9	10
Usar quebra-gelos	1	2	3	4	5	6	7	8	9	10
Restrições de tempo	1	2	3	4	5	6	7	8	9	10
Raízes	1	2	3	4	5	6	7	8	9	10
Desqualificadores	1	2	3	4	5	6	7	8	9	10
Expressar identidade singular	1	2	3	4	5	6	7	8	9	10
Demonstrar valor	1	2	3	4	5	6	7	8	9	10
Falta de carência	1	2	3	4	5	6	7	8	9	10
Habilidade para contar histórias	1	2	3	4	5	6	7	8	9	10
Leitura fria	1	2	3	4	5	6	7	8	9	10

Conversa espontânea	1	2	3	4	5	6	7	8	9	10
Circuitos abertos	1	2	3	4	5	6	7	8	9	10
Semear	1	2	3	4	5	6	7	8	9	10
Trocar telefones	1	2	3	4	5	6	7	8	9	10
Controle de enquadramento/Dominância	1	2	3	4	5	6	7	8	9	10
Reenquadramento	1	2	3	4	5	6	7	8	9	10

Escolha as áreas em que você se avaliou com resultados mais baixos e trabalhe nelas hoje, usando o material e os exercícios já fornecidos.

A corrida final para conseguir um encontro amoroso começa semana que vem, então faça de tudo para ficar em dia.

MISSÃO 2: Arrume uma corda de salvamento

Se você ainda não recebeu um número de telefone, tudo bem. Provavelmente está acontecendo uma de duas coisas.

A primeira é que você empacou. Se for o caso, é hora de conseguir ajuda. Visite www.stylelife.com/challenge e entre no Challenger fórum (fórum dos desafiantes). Comece uma conversa lá com o título "Sticking Point" (ponto em que empaquei). Discuta a área específica em que você está com problemas, dando o máximo de detalhes. Usando os conselhos recebidos dos técnicos e colegas desafiantes, faça mais quatro abordagens hoje.

A segunda possibilidade é você estar apenas lendo este livro sem cumprir as tarefas de campo. O que é uma vergonha.

Se você já conseguiu um número de telefone ou encontro amoroso, não fique sentado aí se gabando. Saia e também faça mais quatro abordagens. A prática leva à perfeição.

MISSÃO 3: Comece a persuadir

Agora que você sabe o que funciona ao conhecer mulheres, é importante entender por que essas técnicas funcionam para que você possa reagir melhor às flutuações, surpresas e circunstâncias inesperadas que ocorrem em quase toda situação social. Portanto, leia o relatório do livro *As armas da persuasão: Como influenciar e não se deixar influenciar*, de Robert Cialdini, nas Instruções para o Dia 23, e preencha as lacunas.

INSTRUÇÕES PARA O DIA 23

O MOTOR DO SIM – RELATÓRIO DO LIVRO

Em *As armas da persuasão: Como influenciar e não se deixar influenciar*, o professor de psicologia Robert B. Cialdini examina os atalhos que as pessoas usam para tomar decisões e resume as táticas de persuasão a seis princípios psicológicos principais.

O foco de Cialdini são as áreas de vendas e publicidade. Porém, seus princípios ajudam a explicar não só o que faz as pessoas comprarem um determinado carro ou escolherem uma marca de sabão, como também a forma pela qual elas tomam decisões com relação umas às outras.

A seguir está um breve resumo dos princípios de Cialdini. Cada um tem uma grande quantidade de aplicações no processo de criar atração. Por exemplo: o princípio da comprovação ou aprovação social explica por que as mulheres ficam mais atraídas pelos homens que estão acompanhados de outras mulheres do que por homens sozinhos. Após cada princípio, anote pelo menos uma forma prática de usá-lo para melhorar seu jogo.

Um aviso: estes princípios são poderosos e devem ser usados para atingir o lado mais nobre das pessoas, e não as fraquezas. Guie as pessoas na direção dos interesses delas, não apenas dos seus.

Comprovação social

Este é o princípio do "a maioria decide": se muitas pessoas estão fazendo algo, outras tendem a acreditar que isso deve ser o certo. Como Cialdini explica: "Um dos modos de decidirmos o que é correto é descobrindo o que outras pessoas acham que é correto."

A comprovação social é particularmente persuasiva, observa ele, quando a pessoa que tenta tomar uma decisão está insegura ou em uma situação pouco clara. Também é mais forte quando os indivíduos que estamos observando são pessoas com as quais nos identificamos ou acreditamos que sejam exatamente como nós.

APLICAÇÃO ____

____

____

____

Afeição

Talvez o mais óbvio de todos, o princípio da afeição alega que estamos mais inclinados a concordar com os pedidos de uma pessoa que conhecemos e de quem gostamos.

Cialdini cita vários fatores que produzem afeição: estilo de se vestir, histórico de vida ou interesses parecidos com os nossos; elogios; atração física; ou contato frequente conosco, especialmente em situações em que precisamos cooperar para conquistar um benefício mútuo.

Cialdini acrescenta um toque interessante ao princípio: "Uma associação inocente com coisas boas ou ruins influenciará os sentimentos das pessoas em relação a nós." Para o bem ou para o mal, ele continua: "Se pudermos nos cercar de algum sucesso ao qual estejamos ainda que superficialmente ligados, nosso prestígio público aumenta."

APLICAÇÃO ____

____

____

____

Reciprocidade

Se as pessoas fazem algo para nós, nos sentimos obrigados a retribuir. Mesmo "pessoas de quem normalmente não gostamos [...] podem aumentar muito as chances de fazermos o que desejam ao nos prestarem um mero favor antes de enunciarem seus pedidos", escreve Cialdini.

Ele acrescenta uma conclusão interessante: para fazer com que alguém concorde com um pedido pequeno, uma boa tática é começar fazendo um pedido grande que provavelmente será recusado.

APLICAÇÃO ____

____

____

____

Compromisso e coerência

Quando as pessoas se decidem em relação a algo, tendem a não mudar de ideia, especialmente se respaldarem a opinião com uma ação ou declaração. Mesmo quando confrontadas com fatos contrários, elas não costumam mudar suas decisões ou crenças.

"Depois que fazemos uma escolha ou tomamos uma posição, nos deparamos com pressões pessoais e interpessoais exigindo que nos comportemos de acordo com esse compromisso", explica Cialdini.

Há várias conclusões para esta regra. Uma delas é que as pessoas geralmente observam as próprias ações a fim de determinar suas crenças, em vez de deixar as crenças guiarem as ações. Outra diz que se você puder fazer as pessoas se comprometerem com a decisão de comprar algo, mas o preço subir ou as regras mudarem antes de elas terem a oportunidade de comprar, ainda vão querer aquilo. E, por fim, existe a técnica do pé na porta: para fazer com que as pessoas se comprometam com uma grande compra, faça com que elas primeiro efetuem uma compra pequena e inconsequente.

APLICAÇÃO ____

____

____

____

Autoridade

Este princípio diz simplesmente que tendemos a obedecer a figuras de autoridade, mesmo nos momentos em que os desejos delas não fazem sentido ou entram em conflito com nossas crenças pessoais.

Um efeito colateral disso, observa Cialdini, é que somos tão sugestionáveis a pessoas que apenas possuem símbolos de autoridade quanto às autoridades verdadeiras. Entre os símbolos aos quais costumamos nos prostrar estão títulos profissionais, uniformes ou roupas formais, símbolos de status caros e voz de comando ou convincente. E chegamos ao ponto de aceitar como autoridade uma pessoa que é simplesmente mais alta do que nós.

APLICAÇÃO ____

____

____

____

Escassez

De acordo com a regra da escassez, as pessoas percebem algo raro ou que está escasseando como mais valioso e desejável do que se estivesse prontamente disponível. Segundo Cialdini: "As oportunidades parecem mais valiosas para nós quando estão menos disponíveis."

Uma das conclusões mais importantes que Cialdini tira disto é que "as pessoas parecem mais motivadas pelo pensamento de perder algo do que pelo pensamento de ganhar algo de mesmo valor". Portanto, quando obstáculos são colocados no caminho de algo ou nosso acesso àquilo fica limitado, nosso desejo aumenta. Assim, tendemos a atribuir mais qualidades positivas ao artigo, a fim de justificar o desejo.

"Sabemos que as coisas difíceis de se obter costumam ser melhores do que as fáceis", escreve Cialdini. "Muitas vezes podemos usar a disponibilidade de um objeto para nos ajudar a decidir, rápida e corretamente, sobre sua qualidade."

Ele acrescenta que tendemos a desejar mais objetos cuja disponibilidade ficou subitamente restrita do que objetos que sempre foram escassos.

APLICAÇÃO ____

____

____

____

O próximo nível

Os motivadores mais fortes acontecem quando diferentes princípios de persuasão se unem. Por exemplo: quando a comprovação social se junta à escassez. Segundo Cialdini, não só nós queremos o mesmo objeto quando ele fica escasso, como "somos mais atraídos por recursos escassos quando competimos por eles com outros".

Para o seu último exercício, anote um exemplo de como dois princípios diferentes podem ser combinados a fim de criar um motivador mais forte para a atração.

APLICAÇÃO ____

____

____

____

DIA

MISSÃO 1: Seja a festa

Um dos maiores erros que os homens cometem ao tentar fazer planos com uma mulher é não ter um plano. "Não sei, o que você quer fazer?" talvez seja a pior forma de chamar uma pessoa para sair.

A segunda pior forma é perguntar: "E aí, o que você vai fazer no sábado?" e depois se convidar para ir junto.

Em vez de tentar se apropriar do estilo de vida dela, um enquadramento melhor a adotar é que talvez ela não esteja obtendo tudo o que deseja da própria vida e espere entrar no mundo empolgante de outra pessoa. E este mundo por acaso é o seu.

O Desafio Stylelife não diz respeito apenas a mulheres, é uma questão de estilo de vida. Se você construir uma órbita positiva e empolgante de pessoas, lugares e objetos ao seu redor, que os outros respeitem e da qual desejem fazer parte, vai conhecer e atrair mulheres automaticamente.

Então, para fechar o Desafio Stylelife, você vai planejar uma festa para o Dia 30. Sua tarefa consiste em ler as instruções de hoje e descobrir como conseguir fazer isso antes de ir para a Missão 2.

MISSÃO 2: Semeie a festa do Desafio

A missão de hoje consiste em semear sua festa.

Aborde mulheres e grupos usando o material aprendido até agora, mas, em vez de semear um evento da sua agenda, semeie a festa. Você poderá discutir o tema ou a ocasião para a festa e mencionar amigos que tenham algo em comum com a mulher. Mas não a convide.

Só quando a conversa estiver terminando e for hora de trocar os telefones, você vai convidá-la para a festa.

Uma forma de fazer isso é dizer: "Quer saber? Você devia vir à minha festa. Acho que vai gostar de algumas pessoas lá. E, além disso, precisamos de um curinga."

Se ela perguntar o que é um curinga, provoque-a dizendo "alguém imprevisível" ou elogie-a com "alguém novo e interessante". O que você vai falar dependerá totalmente da autoestima dela.

A menos que a interlocutora esteja realmente empolgada para ir, não dê os detalhes da festa imediatamente. Isso pode dar a impressão de que você está muito ansioso. Espere para falar ao telefone, assim ela vai ter que trabalhar um pouco mais para ir, demonstrando que é confiável e que vai se dar bem com seus amigos.

A missão estará terminada depois de ter conseguido o telefone de uma possível convidada para a festa ou feito cinco abordagens, o que acontecer primeiro.

Amanhã você vai usar esse telefone.

INSTRUÇÕES PARA O DIA 24

A FESTA DO DESAFIO STYLELIFE

Você sabe a parte boa de dar uma festa?

É uma desculpa para conseguir o telefone de praticamente todo mundo que você conhece, além de um motivo para ligar para qualquer pessoa com quem você não fala há muito tempo. Nenhum telefone vai perder a validade desde que exista uma festa ocasional.

Para os objetivos do Desafio, uma festa é definida simplesmente como seis ou mais pessoas juntas em qualquer local público ou privado com a intenção de ter uma experiência divertida, recreativa e de conexão.

Intenção

Dar uma festa permite que você encontre uma mulher no seu território, onde ela terá que competir pela sua atenção. Também faz com que seja um encontro fácil e sem compromisso. Há um monte de gente ao redor para manter a conversa fluindo e criar a expectativa de que vocês dois terão um tempo juntos em particular mais tarde.

Além disso, dar uma festa vai aumentar seu círculo de amigos e namoradas em potencial, construir sua habilidade social, fortalecer sua liderança e ajudar a desenvolver um estilo de vida do qual os outros vão querer participar. Algumas das mulheres mais desejadas do mundo não namoram apenas atores, músicos, diretores, bilionários e atletas, elas também namoram donos de boates e *promoters*. Isso acontece porque todo mundo quer ser aceito no grupinho dos populares. Então faça um favor a todas elas criando um grupinho popular e aceitando novas integrantes.

Promoção

Você não precisa criar convites para sua festa. E, não importa o que faça, não distribua panfletos. Este é um evento pequeno e exclusivo com uma lista de convidados escolhidos a dedo, e panfletos significam convites indiscriminados em massa.

Contudo, você tem que ter um motivo para a festa. Não precisa ser nada complicado. Pense em apresentar sua festa a mulheres como um ritual semanal em que você reúne algumas das pessoas mais interessantes que conheceu para apreciar boa comida e boa conversa. Ou, melhor ainda, faça mesmo disto um ritual semanal ou mensal. Você pode chamar de Segunda-Feira do Martini, Terça Feira da Mímica ou Desafio da Cozinha das Quartas-Feiras. Se você quiser ser realmente pretensioso, pode até chamar o evento de Reunião de Cúpula.

Outra opção é criar uma ocasião para o jantar. Se um amigo seu fez algo digno de nota (lançou um disco independente, publicou um artigo, criou um site, fez aniversário, adotou um cachorro, comprou uma camisa nova), dê uma festa para homenageá-lo. Toque o novo disco, leia um trecho do artigo ou exiba com orgulho a camisa na festa.

Outro pretexto é fazer a reunião em uma data comemorativa. Todo dia é dia de alguma coisa: dia nacional dos irmãos, dia dos grupos à capela, nascimento de Gary Coleman, então dê uma festa para celebrar isso.

Local

A festa pode acontecer em vários locais.

O melhor é ser na sua casa, ou na casa de um amigo. Basta fazer alguns preparativos necessários: limpar o local, oferecer algo para comer, escolher a música adequada e, supondo que você e seus convidados sejam maiores de idade, providenciar álcool o suficiente para a festa toda.

Se cozinhar não for o seu forte, uma festa pode ser a desculpa ideal para aprender. Se alguma das mulheres que você conheceu gostar de cozinhar, convença a moça a dar uma ajuda. Como seus convidados sabem que você vai dar a festa para aprender a cozinhar, nem vão se importar quando o peru pegar fogo. Desde que haja álcool para beber.

Se você não tiver tempo ou motivação para cozinhar, apenas compre comida pronta, retire tudo das quentinhas, deixe esquentar no forno até os convidados chegarem e sirva em pratos comuns. Se ninguém perguntar, você não precisa dizer que veio do restaurante grego do outro lado da rua.

Caso o grupo tenha menos de dez pessoas, forneça um local coberto para sentar, a fim de facilitar a conversa. Compre cadeiras dobráveis baratas, se for preciso. Se tiver menos experiência como anfitrião, comece ou termine a noite com um evento em grupo, como assistir ao seriado de TV predileto do grupo ou fazer um jogo interativo como mímica. Nunca subestime o apelo de algo que era divertido aos 7 anos de idade.

O segundo melhor local é um restaurante ou salão com mesas ou sofás grandes o suficiente para todo o grupo. Faça uma reserva antecipada e confirme-a no dia da festa. É perfeitamente educado que todos dividam a conta. Embora na realidade não seja diferente de um jantar fora comum, sua intenção de celebrar como grupo é o bastante para justificar o nome de festa.

Outros locais podem ser um parque ou praia para fazer um piquenique ou churrasco noturno, um bar ou boate, ou até um boliche, quarto de hotel ou parque de diversões. Os únicos limites são a sua imaginação e a lei.

Elenco

Você não vai dar algum tipo de chopada louca, a menos que realmente queira. O mais provável é que seja uma reuniãozinha para um grupo seleto e é assim que você vai explicar para a mulher com quem está falando. Quanto mais seleta e exclusiva a festa parecer, melhor ela será e mais rapidamente a notícia sobre ela vai se espalhar.

Por exemplo, em vez de dizer que está convidando um pessoal, diga que está "escalando o elenco" da festa, escolhendo a combinação certa de personalidades, interesses e ocupações, e que a convidada poderá ser uma boa adição ao elenco. Afinal, toda festa precisa de um curinga.

Embora chamá-la de curinga possa ser uma provocação divertida, você realmente vai querer um desses na sua festa. Por isso, não deixe de convidar alguém cuja conversa ou comportamento seja levemente excêntrico e extrovertido (mas nunca desagradável ou radical). Isso tira a pressão de você como anfitrião porque os convidados terão outra pessoa com quem conversar e que possa entretê-las.

Você também vai querer convidar pelo menos um amigo do sexo masculino que seja bom de conversa, pelo menos uma amiga ou casal, além das mulheres que você conheceu (ou vai conhecer) durante o Desafio. É crucial haver mais de uma mulher presente na festa, de modo que a garota em quem você está interessado não se sinta desconfortável e nem em minoria.

Caso mais de uma mulher que você conheceu durante o Desafio apareça, não fique preocupado se elas trocarem ideias sobre como o conheceram. Apenas mantenha o enquadramento forte: você é uma pessoa sociável que gosta de sair e conhecer gente nova, conversando sobre o que surge na cabeça e reunindo-as de tempos em tempos para que se conheçam. Se você viver nessa realidade, elas vão acabar competindo pela sua atenção.

Se ela quiser trazer uma amiga, não entre em pânico. Permita. Se você encantar a amiga, provavelmente vai encantá-la também. Mesmo se for um amigo, não tem problema. Afinal, você convidou outras mulheres e elas podem até ajudar a mantê-lo ocupado. Embora você não queira estimular a moça a trazer amigos, se isso acontecer só vai expandir o seu círculo social e deixar a próxima festa muito melhor.

Caso você organize a festa em casa, a empolgação pode diminuir depois da refeição. Uma forma de impedir que isso aconteça é convidar um segundo grupo de quatro a oito pessoas para uns drinques depois. O pessoal novo, com seus respectivos entusiasmo e empolgação vão dar o gás de que a festa precisa para ser animada e inesquecível. (Tenha cuidado com o tempo: a maioria dos convidados costuma chegar meia hora depois do horário marcado para o início da festa.)

Apresente cada convidado de modo interessante – pense em usar o mesmo tipo de declaração de identidade que fez para você. Quanto melhor os seus amigos parecerem, melhor você parecerá.

Conexões

Há várias coisas que você pode fazer antes, durante e depois da festa para aprofundar a ligação com a mulher em quem está interessado.

Se a festa acontecer na sua casa, faça com que ela fique para ajudar na limpeza. Se a festa ocorrer em outro ambiente, pense em alguma opção de lugar para ir depois.

Talvez seja divertido envolvê-la na organização da festa, em vez de fazê-la apenas confiar no seu trabalho e hospitalidade. Para isso, dê a ela tarefas ou atribuições, como trazer comida ou cozinhar.

Um amigo meu faz sangria com as moças em quem está interessado. O trabalho é leve, envolve álcool e é perfeito para duas pessoas. Para isso, consiga uma garrafa de vinho espanhol, duas limas-da-pérsia, dois limões, duas laranjas, uma manga e meia xícara de açúcar. Despeje o vinho em uma jarra, deixe respirar por dez minutos e acrescente o açúcar. Esprema o suco de uma lima-da-pérsia, limão e laranja no vinho. Faça com que ela corte o resto das frutas em pedaços triangulares e adicione tudo ao drinque. Deixe na geladeira por uma hora se possível, coloque uma forma inteira de pedras de gelo e sirva para os convidados. (Esta receita serve cinco pessoas, então dobre as quantidades caso tenha dez convidados.)

Outras atividades para fazer juntos variam de comprar os ingredientes (o supermercado pode ser um primeiro encontro divertido) até tentar fazer o próprio sushi, o que pode causar uma bagunça – e isso é bom.

Tenha cuidado para não babar muito nela ou fazer de tudo para deixá-la entretida. E não fique com ciúme se outro cara da festa começar a falar com ela. Como anfitrião, você é o cara, ninguém é páreo para você. Se tiver um amigo de confiança, diga a ele sua declaração de identidade para que ele possa contar à sua pretendente o quanto você é admirado.

O objetivo da festa é se divertir, criar um estilo de vida animado e reunir pessoas que vão se achar mutuamente interessantes. Se você conseguir isso, a atração vai acontecer de forma natural.

DIA

MISSÃO 1: Regras do telefone

A etapa após trocar os números de telefone, que é ligar, causa ansiedade em alguns homens. Porém, a regra do telefonema é simples: não faça nada de errado. Ela acabou de conhecer você e qualquer sinal de alerta é a desculpa de que ela precisa para decidir nunca mais vê-lo.

Você não quer que isso aconteça. Então sua tarefa é ler as Instruções para o Dia 25 com relação ao jogo para o telefone.

MISSÃO 2: Planeje a sua festa

Se você ainda não definiu o lugar para a festa no Dia 30, faça isso hoje.

Anote a seguir a lista ideal de convidados, contendo de seis a dez pessoas. Inclua qualquer mulher com quem você tenha trocado números de telefone. Anote o nome de cada pessoa na coluna da esquerda e sua respectiva identidade na coluna da direita. Sua descrição de cada um deve ser resumida e cativante para que a festa pareça um evento especial a quem olhar a lista.

	Nome	Identidade
1.	________________	________________________
2.	________________	________________________
3.	________________	________________________
4.	________________	________________________
5.	________________	________________________
6.	________________	________________________
7.	________________	________________________
8.	________________	________________________
9.	________________	________________________
10.	________________	________________________

MISSÃO 3: Colha o que semeou

Ligue para todas as mulheres cujos números de telefone você coletou nas últimas semanas. Pratique as técnicas ao telefone aprendidas nas instruções.

Convide cada mulher para o evento ou festa a ser realizada no Dia 30. Não deixe de dizer a ela o local e a hora para chegar. Enfatize que vai ser um grupo pequeno e escolhido a dedo para que ela saiba que o convite é um privilégio e que a presença dela será crucial para o evento.

Comparado a pedir recomendações de filmes a pessoas que você nem conhece ao telefone, isso deve ser moleza.

Se você ainda não conseguiu um número de telefone, faça mais cinco tentativas hoje, com o objetivo de recrutar convidadas para a festa. Estude bem a sua cola.

Caso você já tenha conseguido um encontro amoroso, não se esqueça de acrescentar seu nome ao círculo dos vencedores no fórum Stylelife e contar sua história aos colegas Desafiantes.

INSTRUÇÕES PARA O DIA 25

O JOGO PARA O TELEFONE

Sabe, eu costumava esperar dois dias para ligar para alguém, mas agora parece que todo mundo espera dois dias. Então acho que três dias é o negócio. O que você acha?

Do filme *Swingers – Curtindo a noite*

Você fez uma abordagem bem-sucedida e trocou números de telefone com uma mulher de quem realmente gosta, mas e agora? Será que ela se esqueceu de você? E se você ficar nervoso demais ao telefone e estragar tudo? E se ela tiver um compromisso no dia em que você quiser vê-la? E se ela estiver no meio de algo mais importante quando atender? E se um cara pegar o telefone? E se ela deu o número errado? E se a Califórnia se romper dos Estados Unidos?

Não se preocupe.

Se você relaxar, o primeiro telefonema será um processo bem simples.

Quanto tempo esperar

Quanto tempo você deverá esperar entre conseguir o número e fazer o telefonema?

Alguns dizem para ligar no dia seguinte, enquanto outros recomendam esperar três dias.

Todos estão errados. Não há um período fixo de tempo para isso.

Saiba de uma vez quanto tempo esperar: o máximo que puder.

Em outras palavras, se você conhecer uma mulher, tiver uma conexão incrível com ela e a pretendente implorar para você ligar, você poderá esperar até uma semana. Ela não vai esquecê-lo.

Porém, se você conhecer uma mulher, conversar por alguns minutos, trocar números de telefone e depois vê-la falando com outros caras a noite toda, vai precisar ligar no dia seguinte. Isso acontece porque, se você não criou uma conexão ou causou uma impressão profunda, ela provavelmente terá se esquecido totalmente de você em 48 horas.

Quando se trata da hora de ligar, a regra geral é: não perca o embalo. Ligue enquanto a interação ainda estiver na cabeça dela, mas não cedo demais e com tanta frequência que ela o considere um perseguidor.

Bloquear ou não bloquear?

Os assim chamados especialistas recomendam bloquear seu número de telefone quando ligar para uma mulher, fazendo com que apareça "Número Privado". Eles também sugerem não deixar recado se ela não atender.

Segundo eles, a ideia é que se você continuar ligando ela vai acabar atendendo e uma vez que você a encurralou poderá convencer a pretendente a encontrá-lo.

Não uso e nem recomendo esse método de força bruta, a menos que você seja operador de telemarketing.

A verdade é: se ela não ligar de volta ou atender às suas ligações, o problema não está no seu jogo ao telefone e sim no jogo ao abordar porque você não transmitiu as qualidades necessárias para que ela deseje vê-lo de novo. Na verdade, sempre que algo sair errado durante uma etapa da interação, geralmente significa que você cometeu um erro na etapa anterior.

Por isso, nunca bloqueie seu número de telefone e sempre deixe recado. Por quê? Porque mostra confiança. Se você exibiu uma personalidade atraente, demonstrou valor e transmitiu confiança quando a conheceu, ela vai se empolgar com sua ligação.

O objetivo deve ser deixar a mulher se perguntando, "E se ele não ligar?", depois de cada interação.

Se você semeou seu evento adequadamente, quando telefonar ela vai saber exatamente por que você está ligando e vai se sentir bem ao atender.

O que dizer

Aqui está uma estrutura geral para seguir no primeiro telefonema:

1. Tente evitar se apresentar pelo nome. Prefira começar a conversa lembrando o último papo que vocês tiveram. Se você usou o quebra-gelo do Village People para conhecê-la, diga devagar e de modo confiante: "Descobri: não tem bombeiro no Village People." Ela vai saber quem é. Se você brincou chamando-a de pirralha, quando ela atender apenas diga: "Oi, pirralha." Assim, em vez de lembrar-lhe que você é um desconhecido (especialmente se ela tiver esquecido o seu nome), isto vai trazê-la de volta ao momento agradável que teve quando conversou com você daquela vez.

2. Para evitar uma pausa constrangedora, depois que ela o cumprimentou, conte uma breve história da sua vida. Escolha uma narrativa adequada que tenha criado no dia de contar histórias ou acrescente uma nova ao repertório. Comece dizendo algo como "Aconteceu uma coisa incrível hoje...". Sua história precisa ser curta e ter o objetivo de fazê-la sorrir, rir e se sentir bem, em vez de criar uma boa imagem para você.

3. Fale em um tom de voz profundo, calmo e confortável com um toque divertido e energia positiva. É bom ser alegre, mas não fale rápido demais nem exagere na empolgação. Sorria ao telefone e ela vai conseguir ouvir.

4. Após contar a história curta, dê a ela a oportunidade de falar. Na maior parte do tempo ela vai contar como foi o dia dela ou fazer uma pergunta. Se não fizer, siga em frente.

5. Faça planos para a semana. Alguns especialistas sugerem dizer em quais dias você tem compromisso para demonstrar, entre outras coisas, que você tem uma vida completa e está se esforçando

para encaixá-la na sua agenda. Incorporando a técnica do puxa--empurra aprendida no dia da desqualificação, você pode dizer algo como: "Tenho compromisso na sexta e no sábado, mas vou organizar uma reuniãozinha no domingo. Estou escalando um grupo bem interessante e você devia vir. Precisamos de uma pessoa encrenqueira."

6. Se estiver convidando-a para um evento que não seja a festa, não enquadre a interação como um encontro amoroso. Convide-a para "passar um tempo", "acompanhar" ou "se juntar" a você e seus amigos.

7. Se ela puder ir, ótimo. Caso diga que tem compromisso, fale de um dos outros eventos na sua agenda. E só de um. A menos que a interlocutora se mostre muito empolgada para ir, diga que ela provavelmente iria gostar e que se sobrar uma vaga você vai ligar avisando.

8. Independentemente de ela estar disponível, não se despeça subitamente e desligue após convidá-la para sair. Assim como você fez ao trocar os números de telefone, continue a conversa por mais uns dois minutos. Acrescente umas provocações divertidas ou conte uma história rápida relacionada à conversa.

9. Termine bem a conversa. Seja a pessoa que se despede primeiro. Você tem compromisso. Tem mais o que fazer.

Embora esse roteiro simples seja utilizado com eficácia por milhares de homens, não é a única forma de lidar com o primeiro telefonema. À medida que você ficar mais confortável com o processo, poderá querer se destacar de outros caras ligando primeiro apenas para conversar rapidamente, deixando para fazer os planos na segunda ligação.

Se você preferir mandar SMS, tente evitar essa prática na primeira interação. Por outro lado, caso tenha caído na armadilha de trocar várias mensagens pelo correio de voz antes da primeira conversa, mandar SMS pode salvar sua vida.

Se ela tiver compromisso de novo...

Se ela não der certeza de compromisso com seus planos ou recusar vários convites, é hora de examinar o seu jogo. Em algum momento da interação inicial, você provavelmente cometeu um erro. Talvez tenha transmitido um valor social baixo, mostrado desespero ou trocado números de telefone cedo demais. Pode ser que sua noção de estilo (ou a falta dela) não atendesse aos critérios da moça. Descubra qual foi o problema e trabalhe para melhorar. Em alguns poucos casos, se você fez tudo certo e ela ainda estiver indecisa, a moça pode ter namorado ou estar saindo de um relacionamento.

No geral, nunca aceite as palavras "tenho compromisso" como desculpa. Se Angelina Jolie ligasse convidando para um jantar na mansão dela com Bono, Jay-Z, Bill Clinton e George Lucas, você conseguiria ir?

Claro que sim. Você cancelaria todos os planos que tivesse, mataria o trabalho e provavelmente chegaria lá plantando bananeira, se fosse preciso.

O objetivo em cada interação é ser tão interessante, de uma raridade tamanha que ela nunca estará ocupada demais para você. Afinal, se você conhecesse uma pessoa que fosse um dez perfeito, não arranjaria tempo para ela?

Então seja o dez perfeito.

DIA

MISSÃO 1: Esvazie a mente

Este talvez seja o dia mais desafiador até agora, mas vai fornecer o maior benefício para sua compreensão intuitiva do jogo.

A primeira tarefa de hoje é: esqueça tudo o que aprendeu até agora.

MISSÃO 2: Aborde desarmado

Aborde três mulheres ou grupos hoje, sem usar material algum.

Não comece a conversa pedindo opinião. Não use desqualificadores pré-fabricados. Não discuta anéis e deuses gregos. Não rasgue cartões de visita no meio.

Improvise para começar o papo, talvez sobre alguém ao redor, algo que ela esteja vestindo ou o que vier na cabeça no momento. Não tenha medo de papo-furado (fazer perguntas genéricas sobre trabalho, filmes e viagens), ou mesmo de pagar uma bebida para ela caso estejam em um bar ou café. Quebre todas as regras.

Fique na conversa até ela pedir licença ou ficar claro que a interlocutora deseja que você vá embora. Pode ficar constrangedor, mas não desista.

Se possível, marque o tempo da interação. O objetivo é ficar na conversa por pelo menos dez minutos sem usar material do jogo.

Se tudo sair bem, fique à vontade para convidá-la para o seu jantar ou um dos seus eventos na agenda.

MISSÃO 3: Viva a diferença

Reflita sobre as abordagens de hoje.

Você notou alguma diferença entre usar material do jogo e improvisar? Alguma diferença entre como você interagia antes do Desafio Stylelife e agora? Se for o caso, anote-as no espaço a seguir:

____

____

____

____

____

MISSÃO 4: Preencher as lacunas

A sua última tarefa de hoje é ler os conselhos a seguir para preencher as lacunas.

Vários desafiantes empacam neste ponto. Eles abordam um grupo, usam o quebra-gelo, demonstram valor, fazem a leitura fria, o pacote completo. Mas por dentro ficam tensos e constrangidos por não terem ideia do que fazer *entre* todas essas técnicas. O que dizer? Como mudar de uma técnica para a outra? Como chegar ao ponto de trocar números de telefone?

Claro que são medos irracionais, afinal eles conseguiram manter conversas interessantes em outros momentos. Superar a dependência do material roteirizado e perceber que você tem muito a dizer para preencher as lacunas é um dos objetivos da tarefa de campo de hoje.

Pode ser fácil esquecer que é sua personalidade, mais do que o material, que vai fazer com que ela deseje vê-lo de novo. Certos procedimentos são ótimos, pois mostram que você é mais interessante que os outros caras. E também servem como trampolim para a próxima etapa da interação, mas toda a conversa não precisa ser uma grande performance. Você não deseja que a mulher o considere um macaquinho de chapéu tocando uma caixinha de música para entretê-la.

Então mantenha-se atualizado sobre entretenimento, cultura, notícias e acontecimentos à sua volta: cultive a capacidade de prestar atenção aos detalhes do que as outras pessoas fazem, dizem e vestem; domine a arte da inteligência social; sinta-se bem; e, se ainda tiver dificuldade para preencher as lacunas, faça aulas de comédia de improviso para aprender a agir com espontaneidade.

Se o jogo é o do aperfeiçoamento pessoal, estamos nele para a vida inteira. Então aprenda a jogar certo.

DIA

MISSÃO 1: Aprenda a conectar-se

Imagine se você conhece uma mulher cujo músico e filme predileto são exatamente os mesmos que os seus; que tem as mesmas crenças e opiniões que você; e que por acaso passou a infância a um quarteirão de distância da sua casa, mesmo que vocês nunca tenham se encontrado. Não iria parecer que você encontrou alguém incrível?

Esse é o poder da afinidade. E é algo que você quer criar com toda mulher em que estiver interessado. Então leia sobre o assunto nas Instruções para o Dia 27 antes de ir para as outras missões de hoje.

MISSÃO 2: Preencha sua agenda

Imprima ou tire xerox de outra página da agenda do Desafio Stylelife.

Preencha a agenda com eventos diários até o fim do Desafio, além dos argumentos para convencer possíveis companhias e os motivos para ir. Não deixe de incluir sua festa. Depois familiarize-se com as atividades, datas e motivos.

MISSÃO 3: Exercício de afinidade

Escolha dois dos três exercícios de afinidade a seguir para fazer. Não tem problema experimentá-los com uma colega de trabalho, vendedora, conhecida ou até em uma conversa pela internet, mas você vai aproveitar mais se os fizer com uma pessoa ou grupo novos que vier a abordar. Se a interação correr bem, não se esqueça de convidar a mulher em quem está interessado para a festa ou algum dos eventos da agenda.

Preste muita atenção às reações das outras pessoas à medida que você aumenta e diminui o nível de afinidade.

CRIANDO E DESTRUINDO AFINIDADE

Durante o exercício a seguir, observe a reação da outra pessoa enquanto cria afinidade rapidamente e depois a destrói na mesma velocidade.

VOCÊ: De onde você é?
ELA: [*Diz uma cidade*].
VOCÊ: Minha nossa, sério? Também cresci lá. Você estudou em que escola?
ELA: [*Diz uma escola*].
VOCÊ: Não é possível. Também estudei lá.
ELA: Sério?
VOCÊ: Não, eu nunca estudei lá. [*Em seguida, em tom seco e monocórdico*] Ficou chateada?

TESTE DE AFINIDADE

No exercício a seguir, destrua a afinidade e depois veja se a pessoa com quem está falando vai tentar recriá-la.

VOCÊ: Só de curiosidade, qual foi o último CD que você comprou ou a última música que baixou?
ELA: [*Alguma música de algum artista*].
VOCÊ: Sério? Estou surpreso. Não sou muito fã da música deles.

Se ela recuar e disser que também não gosta muito do artista, isso significa que está buscando afinidade com você. Se disser por que gosta da música ou discordar de você, significa que não está procurando afinidade ou apenas é confiante com relação aos próprios gostos e opiniões.

AFINIDADE FÍSICA

Este exercício ilustra a força que a linguagem corporal tem sobre os outros.

Ao falar com uma pessoa com quem você se sente confortável, cruze os braços e afaste-se enquanto ela estiver falando. Se estiver sentado, cruze as pernas também, de modo a parecer afastado. Continue nessa posição por um ou dois minutos.

Veja se a pessoa começa a ficar nervosa, incomodada ou se comenta sua atitude. Em seguida descruze os braços, abra a linguagem corporal e volte-se para a pessoa novamente. Se ela for íntima, pergunte se notou ou sentiu alguma diferença quando você destruiu a afinidade física.

Repita o exercício mais uma vez com outra pessoa.

INSTRUÇÕES PARA O DIA 27

O CAMINHO PARA A AFINIDADE

Criar afinidade é o processo de desenvolver uma conexão com alguém com base em confiança, conforto, características em comum e semelhanças em geral. Para muitos homens é a parte mais fácil e natural do processo de namoro.

Afinidade é o ponto da interação em que ela vê as pequenas partes que você às vezes tenta esconder (seu nerd interior, seu lado pateta, sua empolgação com quadrinhos de super-heróis, teatro musical ou corridas de *monster truck*) e acha fofo. É o momento em que ela lhe conta seus pensamentos, experiências e sentimentos mais íntimos e você entende, talvez melhor do que qualquer outra pessoa que ela vá conhecer. É quando vocês se pegam rindo juntos ou falando as mesmas coisas ao mesmo tempo.

Em resumo, afinidade é quando duas pessoas realmente se conhecem e descobrem que, sim, era destino que se encontrassem. Sorte a delas.

Ao mesmo tempo, a afinidade é um castelo feito de Lego: pode ser desmontada em um instante e remontada poucos segundos depois. Saber quando e como construir e destruir a afinidade vai ajudar a levar uma interação pelas etapas necessárias a fim de criar um relacionamento romântico ou sexual.

Observe qualquer história de amor. Antes de os amantes se unirem totalmente, eles primeiro perdem a afinidade, talvez por conta de um mal-entendido, pai ou mãe que não aprovam o relacionamento, um(a) rival menosprezado(a) ou a punição por um erro. Eles ficam angustiados e depois, no meio da mágoa, percebem como o sentimento pela outra pessoa é forte. Só quando reconquistarem a afinidade e confessarem os sentimentos mútuos se sentirão inteiros de novo.

Os assim chamados caras bonzinhos cometem o erro de tentar criar apenas afinidade com uma mulher, excluindo tudo o mais que gera a atração. Há uma linha tênue entre ter afinidade naturalmente e ser visto como alguém que se esforça demais para conseguir afinidade.

Além disso, o momento certo é fundamental. Se você luta pela afinidade cedo demais, o relacionamento pode virar amizade. Se você lutar pela afinidade tarde demais, ela pode pensar que você é um jogador que não a vê como um indivíduo dinâmico. A melhor hora para criar afinidade ao conhecer uma mulher é depois de chegar ao ponto de fisgada e antes de ficar muito físico. Agora que ela está interessada e investida na interação, você poderá até disparar todas as perguntas que recomendamos não fazer quando a encontrou pela primeira vez.

Para ajudar a criar o tipo de afinidade que acontece magicamente, pedi ao treinador sênior do Desafio Stylelife, Don Diego Garcia, para explicar tudo. E ele resumiu a questão em duas belas categorias: liderar e sincronizar.

Liderar

Por várias décadas, pais deixaram os filhos serem entretidos por Fred Rogers no programa de TV *Mister Rogers' Neighborhood*. Ele começava cada episódio com um jeito cordial e um amigável: "Oi, vizinho!"

Observe que ele não disse "Oi, estranho!". Ele *supôs* que você era um vizinho. Embora você provavelmente nunca tenha morado nem perto do Fred, ele fez com que você se sentisse vizinho. O Sr. Rogers supôs uma afinidade amigável e continuou o programa como se você fosse um velho amigo na sala de estar dele. Foi um sucesso.

Embora você não queira ser exageradamente amigável como o Sr. Rogers, quer supor afinidade com uma mulher de modo parecido. Para isso, basta se perguntar: "Como eu agiria se essa pessoa fosse minha amiga há muito tempo?" Agora passe a resposta por um filtro de cunho social e você vai saber como abordá-la.

Você deverá supor afinidade desde o momento em que ela o vê ou escuta pela primeira vez. Imagine que há alguém que você deseja conhecer na seção de laticínios do supermercado local. Uma abordagem que pressupõe formalidade começa com você estendendo a mão e dizendo seu nome.

Uma abordagem que pressupõe afinidade, contudo, começa de modo diferente: "Até consigo entender leite com 2% de gordura para pessoas que não conseguem decidir entre leite integral e desnatado, mas com 1%? Tem realmente uma diferença tão grande assim entre 1% e 2%?".

As pessoas também se conectam naturalmente a líderes críveis, que tenham qualidades como firmeza, autoridade, autenticidade, segurança, autoconfiança, cortesia e honestidade. Manter essas qualidades vai impedi-lo de sucumbir aos riscos de procurar afinidade, como suplicar, perder enquadramento, cair na *friend zone* ou virar o terapeuta em vez do namorado dela.

Sincronizar

Carl Jung gostava de falar sobre sincronicidade como dar significado a eventos que são coincidência. Eu chamo esse processo de produzir ativamente o estado de sincronizar.

Sincronizar não é copiar ou imitar tudo o que a parceira faz. É uma forma mais sutil de entrar no ritmo dela e cultivar empatia. As pessoas em grupos fazem isso inconscientemente o tempo todo. Quando você sincroniza corretamente, a parceira vai se conectar a você em um nível mais emocional, espiritual e energético do que intelectual.

Vamos examinar as formas de sincronizar com a mulher em quem você está interessado.

VISUALMENTE

Para sincronizar visualmente com uma mulher, observe a postura, a expressão facial, o ritmo respiratório, os gestos ou até o quanto ela pisca, e imite. Permaneça tranquilo e calmo enquanto fizer isso. Se você a acompanhar do jeito certo, ela vai subconscientemente replicar sua linguagem corporal também.

AUDITIVAMENTE

Se você observar que ela usa algumas palavras específicas com frequência ou que aquelas palavras parecem ter um significado especial para ela, considere-as palavras quentes e guarde-as na cabeça para uso futuro. Você também poderá sincronizar sua linguagem com o jargão do trabalho dela, expressões regionais ou quaisquer palavras que a definam como integrante de uma subcultura específica.

A sincronia auditiva também pode envolver prestar atenção nas palavras que indicam afinidade especial por determinados sentidos da parte de quem fala. Por exemplo: pessoas visuais tendem a usar palavras como *foco*, *brilho*, *ver* e *mostrar* ao conversar sobre seus pensamentos e desejos. Quem é ligado nos próprios sentimentos usa palavras como *tocar*, *sentir*, *ter consciência* e *perceber*. Já os audiófilos preferem descrições como *soar*, *tom* e *bater*. Ouça atentamente os padrões no discurso dela, detecte quais palavras relacionadas aos sentidos ela usa e salpique-as na conversa.

Você também poderá sincronizar outras coisas no jeito dela de falar: o tom, o volume, a velocidade, o timbre ou a tonalidade da voz, ou mesmo expressões não verbais, de gemidos a risos, bem como as pausas. Isso pode parecer radical, mas é praticamente senso comum que uma pessoa que fala devagar e outra que fala rápido, por exemplo, vão ter dificuldade para se comunicar. Quem fala devagar vai ter problemas para acompanhar quem fala rápido e quem fala rápido vai ficar impaciente com quem fala devagar. Quanto mais parecida for a forma de vocês se comunicarem, maior a probabilidade de ambos se darem bem.

LOGICAMENTE

Sincronize logicamente descobrindo interesses, valores estéticos ou morais, percepções ou detalhes específicos em termos de história de vida que vocês tenham em comum. Essa forma simples de criar afinidade envolve fazer o jogo do "eu também". Tópicos do tipo "eu também" podem incluir experiências familiares, histórias de viagens, objetivos profissionais, preferências de entretenimento, idiossincrasias pessoais e critérios para relacionamento.

Você pode sincronizar logicamente com tópicos leves: de onde ela é, por que saiu de lá, quais são os interesses dela. Mais adiante na interação vá para a afinidade profunda, usando enigmas morais, testes de personalidade, exercícios de imaginação, confissões de vulnerabilidade, histórias íntimas e discussões de sonhos e desejos.

Em resumo, a semelhança leva à proximidade. A proximidade leva à afinidade.

EMOCIONALMENTE

Enquanto estiver falando com a mulher em quem está interessado, invista sinceramente em entender como ela pensa e se sente. Domine a habilidade da empatia para se colocar no lugar dela. Veja as coisas do ponto de vista dela. Todos nós queremos encontrar alguém que nos entenda neste mundo grande, alienante e por vezes cruel.

NÓS CONTRA ELES

Uma das formas mais fortes de criar afinidade é criar uma conspiração na qual apenas vocês dois tenham algo em comum que mais ninguém entende.

Isso pode variar de se unir em torno de uma ideia peculiar em que poucos acreditam até interpretar papéis e dizer aos outros que vocês são amigos de infância ou até noivos. Este último truque é particularmente forte, pois os papéis em si já pressupõem uma afinidade maior.

Solução de problemas

Embora algumas dessas estratégias sutis possam exigir um esforço consciente no começo, elas vão acabar ficando automáticas. A melhor forma de dominá-las é praticar uma por vez até entender o funcionamento de cada uma delas. Você vai notar, por exemplo, que imitar a respiração da parceira vai subitamente mudar a energia entre vocês e uni-los ainda mais, excluindo todos os outros no recinto.

Geralmente a maior barreira para criar uma afinidade ampla e profunda não é a outra pessoa, e sim você. Se você tiver muito medo de se revelar ou mostrar qualquer vulnerabilidade, então ela não vai se sentir confortável para baixar a guarda com você. A afinidade é uma via de mão dupla. E não existe sem confiança e abertura.

Então se você achar difícil obter afinidade, seja devido às suas máscaras e muros ou aos dela, pense em baixar a guarda, esquecendo tudo sobre essas técnicas e apenas se identificando com ela de coração aberto. Você poderá se surpreender com o resultado.

DIA

MISSÃO 1: A bússola interna

Há uma peça crucial do jogo que a maioria das pessoas nunca menciona, ensina ou percebe que existe. Mesmo se você parar de usar os procedimentos e abandonar a estrutura aprendida, ainda vai se basear nela.

Além de ser usada na atração, trata-se de uma habilidade que afeta todas as áreas da vida, seja uma entrevista de emprego ou a situação de ter uma arma apontada para você.

Leia sobre isso nas Instruções para o Dia 28 antes de avançar nas tarefas de hoje.

MISSÃO 2: Você é vidente ou psicopata?

O exercício a seguir funciona melhor com um grupo de duas ou mais pessoas sentadas e que pareçam tranquilas.

Sua tarefa consiste em adivinhar como eles se conhecem. São parentes? Colegas de quarto? Amigos de trabalho ou escola? Estão em um relacionamento? Em um encontro amoroso? Fazem algum curso juntos?

Dê um palpite. Depois vá até lá, pergunte e descubra se estava certo.

Suas habilidades de calibração não só vão ajudá-lo a adivinhar corretamente como também a perguntar de um jeito que o grupo não se sinta participando de um experimento científico.

Por exemplo, você pode dizer: "Preciso de ajuda para resolver um debate que acabei de ter com meu amigo. Nós vimos vocês conversando e ele disse que vocês provavelmente trabalham juntos, enquanto eu disse que eram amigos de faculdade."

Se eles olharem estranho, o que vai acontecer de vez em quando, basta reconhecer a esquisitice da situação, dizendo algo como: "Eu sei, a pergunta é estranha, mas ele é ligado em psicologia, faz isso o tempo todo e o trabalho sujo fica para mim".

Faça questão de sorrir — sua abordagem vem de uma curiosidade saudável, eles sabem que você não está julgando ninguém — e use uma restrição de tempo.

A missão estará cumprida quando você abordar três grupos ou fizer uma adivinhação correta, o que acontecer primeiro.

Se a conversa fluir tão bem que você acabe se juntando ao grupo por um tempo, aproveite a oportunidade para abastecer sua festa com gente nova.

MISSÃO 3: Obtenha a prova de interesse (opcional)

Se a Missão 2 parecer fácil demais ou você quiser treinar mais a calibração hoje, há um objetivo a mais para acrescentar nas abordagens anteriores.

A missão secundária consiste em receber pelo menos um indicador de interesse de uma mulher em um dos grupos abordados. Estude a lista com os sinais de atração nas instruções de hoje para se familiarizar com esses indicadores.

Se você não receber uma indicação de interesse em um dos três grupos que abordar hoje, faça mais duas abordagens usando o quebra-gelo padrão.

A missão estará cumprida quando você tiver recebido um indicador de interesse ou abordar cinco mulheres ou grupos hoje.

Se você receber qualquer indicador de interesse de uma mulher que abordou, então é seu dever trocar números de telefone e convidá-la para a festa.

INSTRUÇÕES PARA O DIA 28

CALIBRAÇÃO

Há apenas três coisas que você precisa aperfeiçoar para dominar a arte de atrair mulheres:

- Quem você é;
- O que você faz;
- Quando e como o faz.

Quando se trata de quem você é, durante os primeiros dias do Desafio foram trabalhados seus objetivos, sua declaração de missão e sua identidade.

Amanhã você vai expandir e refinar as características individuais da sua personalidade.

Com relação ao que você faz, quase todos os últimos dias foram dedicados a desenvolver esse elemento do seu jogo, dos quebra-gelos às demonstrações de valor.

E no que diz respeito a quando e como o faz, você aprendeu a ordem e a sequência de cada evento de atração e estudou o quadro geral. Mas há mais uma peça neste quebra-cabeça: a calibração. E ela faz toda a diferença.

Tecnicamente falando, a calibração é o ato de ajustar ou corrigir a precisão de um instrumento de medida, geralmente determinando o quanto ele se desvia de um padrão. Em termos de atração, a definição continua a mesma, mas o instrumento de medida é você e o padrão é ela.

Identificar o instrumento

Ao abordar, a calibração é a habilidade que lhe permite ler a dinâmica do grupo ou da mulher em que está interessado e saber o que fazer a seguir.

Se, por exemplo, uma mulher chega até você em um bar, passa a mão no seu tórax e diz que você é um gato, o que você faz?

Se tentar um quebra-gelo de opinião vai entediá-la e uma demonstração de valor vai dar a entender que está se esforçando demais. Através da calibração você vai saber pular a maioria das etapas que aprendeu e pensar em como fornecer a experiência física que ela deseja. Mais calibração vai ajudá-lo a determinar se ela quer dar uns amassos ali mesmo, se deseja ser levada para casa ou se apenas está tentando fazer ciúme em outra pessoa do recinto. Todas essas avaliações, feitas em uma fração de segundo, vão determinar o seu próximo passo.

A calibração continua a ser necessária ao longo de uma interação. Fazer leves ajustes na linguagem corporal, no contato visual e na tonalidade da voz poderá afetar o comportamento, as respostas e o nível de interesse da mulher com quem estiver falando. Experimente ficar excessivamente perto e observe como ela reage, depois fique longe demais. Tente se inclinar na direção da mulher e depois se afastar. Explore o contato visual direto, olhando para a boca da interlocutora ou por cima do ombro ao conversar.

Aprender a ler as respostas dela e ajustar suas ações para gerar os sentimentos que você deseja é a parte principal do jogo.

Configurar o instrumento

Embora a calibração seja uma das partes mais cruciais do jogo, também pode ser uma cilada. Se você exagerar e se preocupar demais com cada sinalzinho que a mulher transmitir, provavelmente vai ficar ansioso, inseguro e sabotar a interação.

Quando conhecer uma pessoa nova, todo tipo de pensamentos e julgamentos rápidos, tanto positivos quanto negativos, podem passar por sua cabeça em segundos. Então, para evitar a insegurança, quando estiver tentando avaliar como ela se sente em relação a você, configure o calibrador não para 0 (interesse neutro) e sim para +2 (levemente interessada). Faça todas as interações com a atitude de que conquistou a mulher desejada e, caso você se pergunte como interpretar algo que ela fez, suponha o melhor. Isso vai motivá-lo a seguir em frente de modo confiante.

Rotular o instrumento

Após configurar seu instrumento dessa forma, a próxima etapa consiste em tentar determinar como ela se sente em relação a você no momento e do que ela precisa de modo a avançar para a etapa seguinte na sua sequência de atração.

Em todo momento você vai procurar uma destas três respostas da parte dela:

- Luz verde: resposta positiva, o que significa vá em frente;
- Luz amarela: resposta neutra, o que significa vá com cuidado;
- Luz vermelha: resposta negativa, o que significa pare o que está fazendo.

A luz vermelha representa o controle de danos, quando você calibrou errado, passou do limite ou cometeu um erro. Se isso ocorrer, volte para a última luz amarela.

A luz amarela aparece com mais frequência. É um ponto em que tudo pode acontecer. E o resultado depende da sua capacidade de avaliar onde ela está no processo de flerte, para onde precisa ser levada a seguir e do que precisa para chegar lá. Entre as características que ela talvez precise de você estão mais valor, mais atração, mais conforto, mais confiança ou apenas mais tempo.

Faça esses cálculos mentalmente do modo mais imperceptível que puder. Um mau hábito que as pessoas às vezes desenvolvem enquanto aprendem o jogo é ficar procurando reações. Lembre-se: assim que estiver claro que você fez ou disse algo apenas para obter uma resposta específica dela, não só perderá o impacto como vai parecer carente.

O jogo depende por completo de sutilezas e detalhes como esses, em parte porque, independentemente de saber ou não, ela também está calibrando você. E a maioria das mulheres têm instrumentos e intuição muito mais afiados do que nós.

Ler o instrumento

A calibração de alguns indivíduos é meio desregulada. Eles não parecem saber quando estão deixando os outros incomodados ou, por outro lado, quando uma mulher está realmente atraída por eles.

Não importa qual seja o caso, se você prestar atenção e aprender com o feedback da mulher, vai acumular experiência e sucesso suficientes para que a calibração se corrija. Com o tempo, sua intuição vai ficar tão forte que você não vai precisar aplicar regra alguma para calibrar. Vai simplesmente saber o que fazer.

Enquanto isso, aqui estão alguns sinais claros que podem ajudar a dizer se uma mulher está atraída por você. Os sinais são sutis, então não confie em apenas um para considerar a situação como um caso de luz verde e seguir em frente. Tenha três ou quatro sinais positivos claros antes de supor que ela está interessada em ficar um pouco mais íntima. Entre os indicadores de interesse estão:

- Ela pergunta, sem incentivo, qual é o seu nome, no que você trabalha, de onde você é ou a sua idade.
- Você se inclina para trás e ela se inclina na sua direção.
- As pernas dela estão descruzadas ou cruzadas na sua direção, o corpo está inclinado na sua direção e os braços não estão cruzados.
- Ela muda de opinião sobre uma música, filme ou notícia com base na sua opinião.
- Você faz uma piada e ela é a única do grupo a rir.
- Você a segura pela mão para levá-la a algum lugar e ela aperta a sua mão, especialmente se você soltar a mão e ela segurar de novo.
- Ela diz: "Não vou dormir com você" ou "Não vou para casa com você" antes de você perguntar ou transmitir qualquer intenção de fazer isso.

- Ela bate na sua mão ou braço de brincadeira.
- Ela ignora os amigos quando eles tentam entrar na conversa ou querem ir embora.
- Você para de falar e faz contato visual, que ela mantém por mais de um segundo.
- Você vira para falar com outra pessoa e ela espera você virar na direção dela.
- Ela exibe uma combinação de gestos de atração subconscientes: lamber os lábios, mexer no cabelo, dilatar a pupila e até expandir as narinas.
- Ela se arruma ou ajusta as roupas para expor mais o corpo enquanto fala com você.
- Ela distraidamente segura algo, como um canudinho, um celular ou alguma joia. (Se estiver apertando o objeto ou parecer inquieta, não é um bom sinal.)
- Você para de falar e ela tenta continuar a conversa, geralmente com a palavra "Então...".
- Ela imita os seus movimentos: mexe no cabelo depois de você ter mexido no seu, toma um gole da bebida depois que você faz o mesmo, até faz careta depois que você fizer uma para ela.

Como ao enviar um sinal de sonar e esperar que ele volte para determinar a distância, você poderá mandar sinais para testar o interesse dela. Para isso, faça uma pequena ação e observe como ela reage. Por exemplo: bata no ombro dela de brincadeira (e de leve). Se ela bater de volta, é um bom sinal. Se ela endurecer o corpo ou recuar levemente, não é um bom sinal.

Esteja avisado de que algumas mulheres expressam sentimentos de forma bem física assim que o conhecem, pois buscam validação dos homens que estão atrás delas, gostam do poder que isso lhes dá sobre eles ou estão se exibindo para outra pessoa no recinto. Com essas mulheres, não considere atitude alguma como demonstração sincera de interesse a menos que você saiba que conquistou ou mereceu aquilo. Enquanto isso não acontecer, diga a ela com um sorriso que você cobra vinte dólares por toque e a conta está aumentando bastante.

Atualizar o instrumento

Nós discutimos a calibração para determinar suas ações, mas há outro tipo de calibração mais divertido e poderoso. Ele inclui elementos de leitura fria, determina quais desqualificadores são adequados, se for o caso, e ajuda a criar afinidade.

Como óculos de raios X fictícios, essa forma avançada de calibração lhe permite explorar os pensamentos, necessidades e desejos mais íntimos da mulher. A fim de treinar, pergunte a si mesmo enquanto conversa com ela:

- Que tipo de personalidade ela tem?
- Ela tem autoestima elevada ou baixa?
- Ela é sexualmente aberta ou reservada?
- No que ela trabalha?
- Ela está em um relacionamento?
- Ela é a irmã mais velha, mais nova, do meio ou filha única?
- Ela é mais ligada à mãe ou ao pai?
- Ela é principalmente atlética, emocional ou intelectual?
- Que qualidades a atraem em um homem?
- Quais são as necessidades dela?
- Em que ponto da vida ela está e o que procura?

Assim como acontece com a leitura fria, há várias pistas que podem fornecer essas informações. Entre elas estão roupas, maquiagem, postura, gestos, movimentos dos olhos, jeito de falar e as companhias dela.

Dominar o instrumento

Há apenas um jeito de dominar a calibração: obtendo feedback.

A forma mais simples de praticar é ligar a TV em uma novela e assistir a ela sem som. Tente adivinhar o máximo possível dos relacionamentos entre os personagens na tela. Depois aumente o volume e verifique os acertos.

Um bom exercício intermediário consiste em dar palpites informados sobre as pessoas com quem estiver falando. Tente determinar no que ela trabalha, o ambiente em que foi criada, se era popular na escola e qual a ordem do nascimento dela na família. Então, em algum momento durante a conversa, pergunte e veja se acertou.

Quando estiver confortável fazendo isso, da próxima vez que sair com amigos, olhe um grupo de duas ou mais pessoas e descubra o máximo que puder sobre elas. Além dos detalhes já discutidos, tente determinar os relacionamentos entre os indivíduos, se são da cidade ou turistas e qual é a história deles no geral.

Quando terminar, apenas vá até o grupo e pergunte se estava certo. Não se esqueça de sorrir; pergunte com curiosidade sincera, não os faça se sentirem incomodados e não pareça que está debochando ou julgando essas pessoas. Não só isso vai lhe dar o feedback necessário para melhorar a calibração, a afinidade e a leitura fria, como é um ótimo quebra-gelo, o que você vai descobrir no exercício de campo de hoje.

DIA

MISSÃO 1: Suba na balança

Como você aprendeu ontem, existem três aspectos do jogo: quem você é, o que faz, e quando e como você o faz.

Hoje vamos explorar mais a ideia de quem você é. Não é fácil ter melhoras duradouras nas características da sua personalidade, mas quando você começa o processo, vai seguir na direção dos seus objetivos no namoro e na vida como se estivesse em piloto automático. Não vai precisar sacar o procedimento do anel para demonstrar valor porque vai demonstrar valor apenas existindo.

Os interruptores da atração e do desejo podem ser ativados por oito grandes características de personalidade trabalhando em conjunto. Veja as Instruções para o dia 29, leia tudo e se avalie de um a dez em cada categoria.

Se você vem fazendo o Desafio com um amigo, contou a alguém sobre as missões ou encontrou um parceiro local no fórum do Desafio Stylelife, quando terminar a autoavaliação, peça ao colega de confiança para também avaliá-lo de forma honesta em cada categoria.

MISSÃO 2: A corrida final

Se você ainda não conseguiu um encontro este mês é hora de mudar isso.

Caso ainda não tenha recebido uma confirmação definitiva e certa para o seu jantar de pelo menos uma das mulheres que conheceu, também é hora da abordagem.

Amanhã o Desafio Stylelife chega ao fim.

E você tem as ferramentas de que precisa para ser um vencedor. Basta usá-las e implementá-las.

Para garantir que ninguém fique para trás, reservei uma técnica para hoje: o motivador instantâneo de conversa.

Pegue um caderno ou um pedaço de papel. Escreva no alto da folha, em letras maiúsculas: TOP DEZ FILMES. Agora numere de um a dez.

A missão hoje é fazer uma lista dos dez melhores filmes de todos os tempos. Você vai deixar um ou dois desses passando ao fundo, sem som, em toda festa que organizar. Obviamente, vai precisar de ajuda em uma tarefa tão importante.

Então vá a um destes cinco locais nos quais terá maior probabilidade de encontrar mulheres amigáveis e de mente aberta:

1. Supermercado de comida saudável;
2. Lobby, salão, bar ou piscina de um grande hotel;
3. Biblioteca, livraria, café ou centro acadêmico de uma faculdade;
4. Livraria voltada para a espiritualidade, café alternativo ou estúdio de ioga;
5. Um evento descoberto no jornal local com probabilidade de ser frequentado por mulheres solteiras atraentes, seja uma degustação de vinho ou uma escalação de elenco.

Não se esqueça de levar a sua lista e uma caneta. Preencha cinco espaços da lista com títulos de filmes, mas faça questão de deixar os dois primeiros itens em branco para obter a valiosa opinião dela.

Aqui está um exemplo de roteiro que pode ser utilizado: "Oi, você parece que entende de cinema. Estou tentando escolher os dez melhores filmes de todos os tempos para uma festa semanal de cinema que estou organizando e me deu um branco total. Olha o que tenho até agora."

Em seguida, mostre a lista e peça ajuda para completá-la. Use a desqualificação, implicando com ela por escolher filmes frívolos ou óbvios e falem dos seus filmes favoritos em comum para criar afinidade. Quando a empolgação começar a diminuir, comece um novo assunto usando um quebra-gelo de opinião, o procedimento do anel, uma história da sua vida ou qualquer técnica aprendida neste mês.

O objetivo, claro, é semear a sua festa, convidá-la para o evento e trocar números de telefone. Como este é o penúltimo dia do Desafio, passe o máximo de tempo na interação até confirmar a troca dos números de telefone.

Este é o primeiro dia do resto da sua vida amorosa.

INSTRUÇÕES PARA O DIA 29

QUEM VOCÊ É: O SISTEMA L.A.S. V.E.G.A.S.

Avalie-se com base nas qualidades a seguir em uma escala de um a dez, em que um é completamente deficiente nesta característica, cinco significa a média e dez, a perfeição. Avalie não como você se vê, mas como acredita que os outros o veem. Tente ser o mais honesto e realista possível. Anote as respostas nos espaços fornecidos.

Looks (aparência)

No início do Desafio, aprendemos que a aparência tem menos a ver com as características físicas do que com a forma pela qual você se apresenta. Avalie-se em relação a higiene pessoal, postura, contato visual, se você se destaca de modo positivo e se o seu estilo atrai o tipo de mulher com quem deseja ficar.

NOTA: ________________

SUGESTÃO PARA MELHORAR: Estude e execute mais tarefas do Dia 5, encontre homens em quem se inspirar, cujo estilo você admira, marque de ir a lojas para comprar roupas, sapatos e produtos de higiene e beleza com mulheres que conheceu.

Adaptability (adaptabilidade)

Já notou que homens tensos demais tendem a não se dar bem com as mulheres? Isso acontece porque eles não são adaptáveis. Avalie-se em termos de ousadia, espontaneidade, independência, capacidade de assumir riscos, inteligência social, flexibilidade e aptidão para enfrentar situações e ambientes novos.

NOTA: ________________

SUGESTÃO PARA MELHORAR: Anote algumas coisas que você gostaria de fazer na vida. Não se concentre em objetivos profissionais e de relacionamento, e sim em habilidades recreativas e aventuras, como aprender a mergulhar, fazer um safári, reformar um carro ou competir em um triatlo. Depois circule um desses itens e se comprometa a realizá-lo nos próximos seis meses. Marque a data daqui a seis meses na agenda para criar um prazo firme.

Strength (força)

Força é a capacidade de proteger uma mulher e fazer com que ela se sinta segura. Alguns homens demonstram isso por meio do dinheiro ou dos músculos, o que não é necessário e geralmente não basta. Avalie-se quanto a ser um comunicador eficaz, ter um enquadramento poderoso, viver na sua realidade, além da capacidade de cuidar de outras pessoas e de critérios como assertividade, liderança, coragem, lealdade, decisão e autoconfiança.

NOTA: ________________

SUGESTÃO PARA MELHORAR: Da lista acima, escolha um atributo que você precisa trabalhar para aumentar um ponto de força. Depois comece a demonstrá-lo em situações sociais, seja indicando que sabe tomar decisões, fazendo o pedido para os amigos em um restaurante, ou demonstrando a capacidade de comunicação, usando a lábia para entrar em uma loja quando ela está prestes a fechar.

Value (valor)

Como você aprendeu no Dia 14, o valor é um dos principais critérios que as pessoas procuram ao decidir com quem ficar e possui três elementos: o valor que você considera ter, o que ela considera que você tem e o que observadores imparciais consideram que você tem. Avalie-se no quanto você é líder de um círculo social, admirado pelos outros, capaz de ensinar algo às pessoas e exibir confortavelmente comportamentos de alto status. Entre outros critérios estão: ser inteligente, interessante, talentoso, divertido, bem-sucedido, autossuficiente e criativo.

NOTA: ________________

SUGESTÃO PARA MELHORAR: Faça uma lista de cinco motivos para uma mulher querer vê-lo de novo após conhecer você por 15 minutos. A lista deve se basear no valor que você projeta ou fornece para ela. Comprometa-se em aprender uma habilidade, jogo ou atributo novo para acrescentar à lista.

Emotional connection (conexão emocional)

Este é o lar da afinidade e dos conceitos abstratos, como química, e diz respeito a ter qualidades que fazem as pessoas se sentirem empolgadas, conectadas, confortáveis, e compreendidas ao seu redor, como se tivessem acabado de conhecer um melhor amigo ou uma alma gêmea. Avalie-se com base no seu sucesso para encontrar algo em comum com desconhecidos, criar afinidade profunda com as pessoas, estar em contato com os próprios sentimentos, ouvir atentamente os outros, além de critérios como compaixão, positividade, altruísmo e empatia.

NOTA: ________________

SUGESTÃO PARA MELHORAR: Medo, insegurança e falta de autoconhecimento bloqueiam a capacidade de se conectar emocionalmente aos outros. Tente passar uma parte do dia comunicando-se, sentindo e existindo de coração aberto e por meio dos seus sentimentos mais profundos, não importa o que isso signifique para você. Deixe de lado todas as pretensões, máscaras e muros que o separam dos outros. Se você discordar das pessoas, em vez de tentar afirmar sua opinião, tenha empatia pelo que o interlocutor está sentindo. Se você não é do tipo que medita, então saia da sua zona de conforto, faça uma aula ou retiro e experimente.

Goals (objetivos)

Conforme discutido no Dia 1, objetivos não são definidos pelo que você faz e sim pelas suas ambições e o que é capaz de fazer. Avalie-se quanto à clareza dos seus objetivos, sonhos e fome de viver. Você pode medir seu potencial para conquistá-los determinando se tem características como estabilidade, eficiência, perseverança e capacidade de aprender rápido.

NOTA: ________________

SUGESTÃO PARA MELHORAR: Revise os objetivos que você definiu no Dia 2. Em uma folha de papel, escreva uma linha do tempo para alcançar cada objetivo, com pontos de referência bem claros. Não se esqueça de incluir os requisitos financeiros ou possíveis complicações em seus cálculos. Ajuste a agenda a cada ano com base em novas percepções, informações e conquistas, e viva de acordo com elas.

Authenticity (autenticidade)

Uma pessoa autêntica é feliz em relação a si mesma e aceita até as próprias imperfeições. Avalie-se em termos de congruência, o alinhamento entre o que você mostra ao mundo e o que você realmente é por dentro. Lembre-se de que ter lados contraditórios em termos de personalidade não faz de você incongruente. Dualidade, contradição ou complicações podem deixá-lo mais rico e cativante como pessoa. Mas ser falso, prepotente ou hipócrita não.

NOTA: ______________

SUGESTÃO PARA MELHORAR: Anote em um pedaço de papel as qualidades que você tenta comunicar ao mundo. Ao lado de cada uma delas adicione uma nota de um a dez para o quanto tal qualidade combina com quem você realmente é por dentro. Para qualquer qualidade cuja avaliação tenha sido abaixo de sete, anote o obstáculo que a impede de se tornar verdade. Por exemplo: se deseja que os outros pensem em você como uma pessoa confiante, mas deu nota cinco ao próprio sentimento de confiança, então o seu obstáculo é a insegurança. Se a característica é o sucesso financeiro, então o obstáculo é a falta de riqueza. Trabalhe para remover esse obstáculo. Entre as formas de fazer isso estão: livros de autoajuda, seminários, terapia ou mudanças de vida como um novo emprego, hobby ou círculo social. Não vai ser um caminho curto nem fácil, mas você não vai se arrepender de segui-lo.

Self-worth (autoestima)

Este talvez seja o atributo mais importante de todos e a fonte a partir da qual a maioria dos outros fluem. Avalie-se quanto à noção de confiança e valor, bem como no que diz respeito à ausência de medos e inseguranças em relação a si mesmo. Examine sua disposição de ocupar espaços no mundo, o quanto você aceita elogios, o quanto fica confortável quando outras pessoas prestam atenção em você e o quanto merece a devoção de uma mulher do mais alto calibre. Você realmente acredita que merece o melhor que o mundo tem a oferecer?

NOTA: ______________

SUGESTÃO PARA MELHORAR: No fim das contas (e você está a apenas um dia do final), o Desafio Stylife é uma questão de autoestima. Não pare de aprender e melhorar após o Dia 30. Continue a se avaliar rigorosamente, trabalhe para acabar com os defeitos, elimine pontos em que empacou, expanda os próprios limites e desenvolva relacionamentos com pessoas de mente positiva. À medida que você vivenciar cada vez mais sucessos, vai reconhecer, adotar e exalar cada vez mais autoconfiança.

Nota Total (todas as oito categorias): ___________

Nota L.A.S. V.E.G.A.S. (pontos totais divididos por oito): ___________

Nos próximos meses, a missão de longo prazo é aumentar sua nota L.A.S. V.E.G.A.S. Dá muito menos trabalho atrair as melhores quando você é verdadeiramente o melhor.

DIA

MISSÃO 1: Hora da festa

Você está ocupado demais para lidar com uma grande missão hoje. Afinal, tem uma festa para organizar. Consulte as Instruções para o Dia 24 se precisar de ajuda com os últimos preparativos e planos.

Caso você não tenha conseguido convidar nenhuma mulher para a festa ou não tenha certeza da quantidade de pessoas que vai aparecer, reserve algumas horas no início do dia para fazer abordagens.

Vá a um local próximo, como shopping, café ou outra área em que mulheres se reúnem. Faça o máximo de abordagens possível. Assim que chegar ao ponto de fisgada com uma mulher ou grupo de quem gostou, dê a si mesmo uma restrição de tempo e convide-os para a festa. Se você for para casa sem ter recrutado nenhuma convidada extra, não cancele a festa. É uma ótima oportunidade de fortalecer o círculo social e a capacidade de liderança.

Quando chegar a hora da festa, não entre em pânico se os convidados se atrasarem. Tudo vai dar certo. Aproveite. Faça questão de que a mulher em quem você está interessado esteja confortável, mas não preste muita atenção nela para ser um anfitrião generoso e encantador no geral. Faça com que os copos de todos estejam sempre cheios.

Depois do jantar, se tudo correr bem com sua pretendente, peça para ela ficar e ajudar na limpeza. Se a festa acontecer em um restaurante ou local público, tenha um segundo lugar em mente para ir depois, um bar interessante, boate ou evento da sua agenda. Se vocês dois decidirem ir dirigindo até lá, sugira o uso de um carro só. Assim, você poderá ficar um tempo sozinho com ela.

Pense em fazer esse tipo de festa uma vez por semana (ou uma vez por mês) para começar a construir um estilo de vida que atraia regularmente o tipo de mulheres que você merece namorar.

MISSÃO 2: Comemore

Parabéns. Você chegou ao último dia do Desafio Stylelife.

Se você realizou todas as tarefas e sentiu que se aperfeiçoou de alguma forma durante este mês, então é um vencedor. Algumas pessoas passam a vida inteira na escuridão.

Se você tem um encontro amoroso, orgulhe-se por alcançar um objetivo do Desafio. Caso queira contar sua experiência ou obter feedback sobre ela, descreva os detalhes da abordagem e do encontro no círculo de vencedores do Desafio Stylelife em: www.stylelife.com/challenge.

Se você não conseguiu um encontro, mesmo cumprindo todas as missões, então fará uma tarefa adicional hoje. Vá a www.stylelife.com/challenge e ouça a lição em áudio intitulada "Works in Progress" ("Trabalho inacabado"). Você poderá encontrar nela uma solução para o seu problema.

MISSÃO 3: Comprometa-se com a grandeza

Então o que você vai fazer no Dia 31 e em todos os outros dias?

Veja o quanto melhorou neste mês. Agora imagine os resultados que poderia obter caso se comprometesse com o jogo por outro mês. Ou dois. Ou três.

Ainda há muito a aprender: o que fazer durante um encontro, o básico da atração, técnicas de excitação, cruzar a fronteira física, lidar com ambientes diferentes, transformar amigas em namoradas, ser mais divertido, fabricar química, aplicar persuasão, liderança, dinâmica de grupo, isolamento, beijos, parceria, leitura rápida de linguagem corporal, técnicas sexuais do círculo interno, além de centenas de procedimentos ótimos e conceitos avançados. Tudo o que você aprendeu até agora foi apenas o começo.

A arte da dinâmica social é como a da musculação: se você parar de ir à academia, os músculos enfraquecem e voltam ao tamanho anterior. Por isso, a penúltima missão é ir a www.stylelife.com/day31 a fim de receber um plano de jogo para o futuro.

Este pode ser o fim da estrada no Desafio Stylelife, mas é o começo de uma nova jornada.

Eu o encontrarei nesta jornada.

MISSÃO 4: Ao espelho

Sua última tarefa: olhe-se no espelho.

Quem você vê?

Mesmo tendo passado anos em campanha intensiva para me aperfeiçoar, às vezes eu me olho no espelho e vejo o cara que nunca foi popular e não teve um encontro amoroso no ensino médio olhando de volta. Apesar de a aparência e a atitude serem completamente diferentes, às vezes eu ainda vejo o mundo através dos olhos dele.

Da mesma forma, alguns desafiantes que encontrei passaram por transformações radicais. Eles pareciam bacanas, tinham bons empregos, namoravam mulheres incríveis e era divertido estar perto deles. Mas quando se olhavam no espelho, viam a pessoa que costumavam ser.

Então, se você não ama, valoriza e aprecia o cara que te olha de volta no espelho, é hora de trocar as lentes. Não vou pedir para você enxergar seu verdadeiro eu no espelho, poucos de nós têm essa perspectiva. Contudo, em vez de enxergar sua versão antiga no espelho, tente ver o homem em quem você está se transformando. Você vai gostar muito mais dele.

Lembre-se: percepção é realidade. Enquanto você se enxergar como um cara socialmente esquisito, vai agir dessa forma e os outros vão tratá-lo como tal, independentemente da sua aparência externa e do seu valor.

Mas quando você enxergar no espelho o homem divertido, otimista, confiante, elegante e socialmente hábil em que está se transformando e, em consequência, passar a ver o mundo pelos olhos dele, as pessoas vão reagir de modo muito diferente, porque você acabou de travar a batalha mais difícil de todas e ganhou. Você derrotou sua antiga programação.

Então arrume-se e dê uma boa olhada no espelho. Reflita sobre quando você se viu refletido no Dia 4 e pense em tudo o que aprendeu e conquistou desde então.

Tenha consciência da sua postura, do seu sorriso e da sua empolgação quando se olhar no espelho. Relembre sua abordagem de maior sucesso e de como a mulher realmente gostou de você. Quando você vir sua melhor versão olhando de volta de modo confiante (o cara com quem toda mulher gostaria de estar), tire uma foto mental dele. E carregue essa fotografia na cabeça aonde quer que vá. Porque este cara é você.

Bem-vindo à sua nova realidade.

A COLETÂNEA DE PROCEDIMENTOS

“O mundo é um palco e
todos nós somos meros atores.”

— Rush, citando Shakespeare

ESTE VOLUME NÃO É PARA TODOS

AS PÁGINAS A SEGUIR FORAM ADICIONADAS A ESTE COMPÊNDIO COM EXTREMA PREOCUPAÇÃO.

ELAS CONTÊM PALAVRAS ABOMINÁVEIS, BREGAS, FALSAS. PALAVRAS PARA AS QUAIS TANTO HOMENS QUANTO MULHERES TORCEM O NARIZ. ELAS FORAM MAL-INTERPRETADAS, USADAS INCORRETAMENTE E CONDENADAS. SÃO PALAVRAS QUE TRANSFORMARAM A VIDA DE QUEM CONFIOU NELAS EM UM INFERNO.

MESMO ASSIM, CADA UMA DELAS ME LEVOU A CONQUISTAR VÁRIAS AMIZADES, RELACIONAMENTOS E BONS MOMENTOS PARA AMBAS AS PARTES.

ENTÃO, VOCÊ DECIDE: É POSSÍVEL TER UM RELACIONAMENTO VERDADEIRO SE ELE COMEÇA COM UM PROCEDIMENTO DECORADO E QUE SEGUE UM ROTEIRO?

NA MINHA EXPERIÊNCIA, SIM, MAS EU NÃO OUSO DIZER ISTO A NINGUÉM. AS PESSOAS NÃO ENTENDERIAM QUE ESTAS PALAVRAS SÃO APENAS FERRAMENTAS QUE PERMITEM A QUEM AS PRONUNCIA DRIBLAR UM DOS MAIORES OBSTÁCULOS DO MUNDO: A RESISTÊNCIA DAS PESSOAS PARA CONFIAR EM UM DESCONHECIDO.

SE VOCÊ TIVER A FORÇA NATURAL PARA SUPERAR ESSA RESISTÊNCIA, ENTÃO NÃO PRECISA DELAS. SE VOCÊ AINDA ESTIVER APRENDENDO E JÁ PASSOU PELO MATERIAL DO *DESAFIO STYLELIFE*, ENTÃO AQUI ESTÃO MAIS ALGUNS EXERCÍCIOS PARA AJUDAR A FORTALECER OS SEUS MÚSCULOS SOCIAIS.

CONTUDO, LEMBRE-SE DE QUE ESTAS SÃO APENAS RODINHAS DE BICICLETA, POIS O SEGREDO DO JOGO É QUE QUANTO MAIS VOCÊ SE APERFEIÇOA NELE, MENOS PRECISA USÁ-LO.

SUMÁRIO

INTRODUÇÃO

Não existe isso de cantada.

Mas existem *roteiros* para cantada.

O que é um roteiro?

É um texto com marcações que, se for seguido adequadamente, obtém um efeito consistente quando colocado em prática, independente do lugar.

A ideia de um roteiro pode ser perturbadora para muita gente. Para alguns homens, parece falta de sinceridade: eles preferem ser naturalmente sedutores sem ter que recorrer a materiais enlatados. Para algumas mulheres, parece falso: elas aprenderam com a experiência a escolher pretendentes em potencial e a tomar rapidamente uma decisão binária sobre cada um deles: *sim* ou *não*. E a ideia de que os homens podem fingir as qualidades que gera um *sim* faz todo o sistema de avaliação entrar em curto-circuito.

Por isso, eu recomendo não usar estes roteiros. Em vez disso, invente quebra-gelos, histórias e jogadas que sejam verdadeiras e interessantes para você.

Porém, antes de criar seu material você pode dar uma olhada nestes aqui, porque funcionam. E me ajudaram a me transformar de um cara que tinha medo demais para falar com uma mulher em um cara que teve experiências inimagináveis, mesmo em suas fantasias mais loucas.

Uma das coisas mais interessantes da chamada comunidade da sedução é que ela funciona como um laboratório internacional. Cada procedimento a seguir foi utilizado por mim com sucesso diversas vezes. E só depois eu o compartilhei em fóruns de sedução, onde foram testados por dezenas de milhares de homens do mundo inteiro em poucos dias. O feedback deles logo permitiu identificar quais procedimentos eram universalmente eficazes.

Mesmo tendo mais sucesso e ficando mais natural em minhas abordagens, sendo capaz de dizer praticamente tudo o que me vem à cabeça, ainda acho estes procedimentos valiosos como base para a próxima etapa de interação antes da conversa ficar empacada. Às vezes, mesmo estando em um relacionamento, eles se mostram úteis para animar uma festa chata ou conquistar um cliente.

A nata da nata está incluída aqui (em versões melhoradas e atualizadas), exceto, claro, pelos procedimentos incluídos em *O jogo* (como o quebra-gelo da namorada ciumenta, o teste da melhor amiga, o cubo, a evolução e troca de fase e a massagem dupla de indução).

Como variações destes procedimentos foram compartilhadas por mim ao longo dos anos, queria garantir que eles não tinham ficado muito conhecidos antes de publicá-los. Portanto, formei uma equipe de alunos do mundo inteiro para testar o material nas ruas. Antes de cada procedimento eu listo os resultados das abordagens deles, incluindo o *nível de dificuldade* (o quanto o material foi fácil ou desafiador), o *nível de saturação* (com que frequência os alunos eram acusados de fazer jogo) e a *taxa de sucesso* (com que frequência o procedimento alcançava o efeito desejado).

Algo interessante a se observar é que, mesmo nos raros casos em que o material foi reconhecido, a maioria dos alunos ainda teve sucesso, desde que não ficassem confusos, não mentissem em relação a isso, criassem um vínculo em cima desse inesperado fato em comum e continuassem a conversar tranquilamente com as mulheres que abordavam.

Lembre-se de que não existem poderes mágicos nas palavras contidas nas páginas a seguir. O que faz com que elas funcionem é a forma como você diz. Recitá-las como uma lista de compras decorada não vai levar a uma vida social rica e variada. Em vez disso, entenda por que estes procedimentos funcionam antes de usá-los, seja sinceramente curioso em relação às perguntas que está fazendo e utilize o material mais para sua diversão do que para atingir uma resposta desejada.

Do mesmo modo que um comediante ou ator, você deve se conectar com a plateia e dar a impressão de que suas palavras foram ditas apenas para ela naquele momento. Contudo, ao contrário do teatro tradicional, a chave para o sucesso em interações sociais é a improvisação: esteja disposto a aceitar interrupções e reações inesperadas e incorpore-as em vez de tentar finalizar o procedimento exatamente como ele foi escrito. E, por favor, fique à vontade para modificar cada um destes roteiros de modo a se encaixar em sua personalidade e interesses.

Por fim, não deixe de reler a seção do *Desafio Stylelife* associada a cada tipo de procedimento antes de testá-lo pela primeira vez, para aprender o melhor momento e as sutilezas da elocução. Ao usar os quebra-gelos, por exemplo, sempre acrescente a restrição de tempo e a raiz. E quando você criar procedimentos que funcionem tão bem quanto estes, não se esqueça de dividi-los com seus amigos, colegas desafiantes e autores prediletos.

AVISO FINAL

OS PROCEDIMENTOS SÃO
INVENÇÕES DO DEMÔNIO.

ELES PODEM LEVAR A SEXO DEPRAVADO
E GRAVIDEZ NA ADOLESCÊNCIA.

NÃO OS UTILIZE!

A MENOS QUE SEJA ESTRITAMENTE NECESSÁRIO.

O QUEBRA-GELO DO BEIJO

Tipo de procedimento: Quebra-gelo
Nível de dificuldade: 3/10
Taxa de sucesso: 91%
Saturação: 1,63%*
Resposta: "As reações são sempre boas. Este é o meu quebra-gelo padrão. É ótimo e costuma sempre levar a perguntas interessantes." – GrandMasterFlex
Origem: Enquanto escrevia *O jogo*, acompanhei Courtney Love a uma premiação. Em uma das festas pós-evento, o namorado estava chateado com ela porque de tempos em tempos Courtney dava uns amassos com mulheres. Ela disse que não considerava aquilo traição. Ele discordava. Então decidimos fazer uma pesquisa no recinto.

VOCÊ: Ei, pessoal, estamos tendo um pequeno debate e precisamos de uma opinião rápida sobre um negócio.

GRUPO: O quê?

VOCÊ: Se um cara está namorando uma garota e ela vai para um bar com as amigas uma noite e dá uns amassos com um cara só por diversão, você considera isso traição?

GRUPO: Sim, é traição.

VOCÊ: Tudo bem, faz sentido. Então vamos à pergunta de verdade. E vou dizer por que estou perguntando já, já. Se ela sair, ficar bêbada e der uns amassos com uma *garota* por diversão, isso é traição?

---

* As estatísticas refletem os resultados de até mil testes individuais de cada procedimento.

GRUPO: [*As respostas vão variar, mas se algum cara disser "não", você pode chamar a atenção para os dois pesos e duas medidas usados por ele (mas sempre com um sorriso).*]

VOCÊ: Tudo bem. Interessante. O motivo da minha pergunta é porque o meu amigo ali está namorando uma garota e ela gosta de sair, beber e dar uns amassos com outras garotas. Vejam bem, alguns caras podem gostar disso, mas ele fica angustiado por achar que é traição. Ela diz que não é. Então nós pensamos em ouvir uma perspectiva de fora sobre a situação.

GRUPO: Bom, realmente depende...

O QUEBRA-GELO DO AMAR OU ESTAR APAIXONADO

Tipo de procedimento: Quebra-gelo
Nível de dificuldade: 3/10
Taxa de sucesso: 88,8%
Saturação: 1,49%
Resposta: "Quebra-gelo legal. Eu o usei seis vezes e funcionou em todas. A maioria das garotas disse que usava a mesma frase porque não estava tão a fim do cara." – LosDog
Origem: Conheci uma garota pela internet que me mandou fotos de topless e depois veio direto ao Project Hollywood (a casa onde morei enquanto escrevia *O jogo*) para transarmos. Por algum motivo, notei que muitas mulheres que apenas querem sexo, mas têm pouco tempo para formalidades como telefonemas, refeições ou passar a noite, geralmente estão traindo o marido ou namorado. Então naquela conversa pós-sexo, perguntei se ela estava com alguém. Ela respondeu que era casada. "Eu o amo, mas não estou *apaixonada* por ele", confessou. Parecia uma pequena diferença, mas para ela a palavra era suficientemente importante para marcar a diferença entre fidelidade e infidelidade.

VOCÊ: Oi, minha amiga e eu precisamos de um ponto de vista feminino sobre um assunto: para você, qual é a diferença entre amar e estar apaixonada? A pergunta é porque o namorado acabou de terminar com a minha amiga dizendo que a amava, mas não estava apaixonado por ela. O esquisito é que uma garota disse a mesma coisa para outro amigo meu recentemente, então estamos tentando descobrir exatamente qual é a diferença.

GRUPO: Acho que a diferença é...

VOCÊ: É, acho que faz sentido. Porque eu posso dar um abração no meu melhor amigo e dizer: "Eu te amo cara." Mas se eu disser: "Estou apaixonado por você", ele provavelmente vai surtar e me dar um soco.

O QUEBRA-GELO DO GARY COLEMAN ALBINO

Tipo de procedimento: Quebra-gelo
Nível de dificuldade: 5/10
Taxa de sucesso: 85,5%
Saturação: 1,81%
Resposta: "O procedimento foi muito bem-sucedido quando usado adequadamente. É mais difícil usá-lo em um grupo que inclua tanto homens quanto mulheres. Uma boa forma de fazer isto é pedir primeiro a opinião dos homens, depois a das mulheres e comparar as respostas." – Major
Origem: Um artista da sedução conhecido como Swinggcat e eu estávamos em um bar, esperando um amigo dele chegar. Este amigo é um cara confiante que parece um gnomo e tinha acabado de sair de um relacionamento, então para passar o tempo decidimos descobrir se alguma mulher ali estaria interessada em sair com ele. Não só isto serviu de quebra-gelo eficaz durante a noite, como nós descobrimos o que cada mulher achava mais atraente em um homem e em ordem de importância.

VOCÊ: Oi, eu vou encontrar um amigo aqui, mas antes que ele chegue preciso de uma opinião rápida e você provavelmente pode me ajudar.

ELA: O que é?

VOCÊ: A namorada terminou com esse amigo recentemente e hoje é a primeira saída dele após a recuperação. Ele queria que nós déssemos alguns conselhos sobre conhecer mulheres, mas você deve entender mais do assunto. Então só de curiosidade, enquanto esperamos por ele, qual é a primeira coisa que as mulheres procuram em um cara?

ELA: Senso de humor [*ou seja lá qual for a resposta*].

VOCÊ: Tudo bem, mas infelizmente ele não tem senso de humor [*ou seja lá qual for a resposta*]. Tem outra coisa que as mulheres procuram em um cara?

ELA: Se ele for muito rico, talvez [*ou seja lá qual for a resposta*].

VOCÊ: Bom, ele não é muito rico [*ou seja lá qual for a resposta*]. Na verdade, acabou de perder o emprego no Taco Bell.

ELA: Bom, se ele não é engraçado e nem tem emprego, eu não sairia com ele.

VOCÊ: E se ele for o cara mais bonito que você já viu? Ou for o cara mais inteligente do planeta? Ou for incrível na cama? Tem que haver outra coisa.

ELA: Acho que se ele for muito inteligente [*ou seja lá qual for a resposta*] e eu puder aprender muito com ele.

VOCÊ: Na verdade, ele também não é muito inteligente [*ou seja lá qual for a resposta*]. Você conhece o Gary Coleman daquela série *Arnold*? [*Se você não acha que ela vai saber quem é, fique à vontade para usar outro personagem baixinho, como o Mini-Me dos filmes do Austin Powers.*] Ele tem um metro e meio de altura e parece um Gary Coleman albino, só que não é engraçado.

ELA: [*rindo*] Acho que eu não sairia com ele.

VOCÊ: Tudo bem. Você não é o tipo dele, mesmo. [*Uma pequena porcentagem de pessoas pode ficar ofendida se você disser isso sem um sorriso provocador. Se isto acontecer, recupere-se dizendo:*] Estou brincando. Obrigada pelos ótimos conselhos. Você totalmente devia ter um programa no rádio ou algo do tipo.

O QUEBRA-GELO DOS FEITIÇOS

Tipo de procedimento: Quebra-gelo
Nível de dificuldade: 5/10
Taxa de sucesso: 88,6%
Saturação: 4,45%
Resposta: "Não foi fácil lembrar os detalhes importantes deste quebra-gelo, então tive muita dificuldade nas primeiras seis vezes, mas continuou funcionando apesar de eu usá-lo de um jeito meio esquisito, então ele é bom mesmo. E faz a transição muito bem em qualquer direção, assim foi mais fácil sair do quebra-gelo e passar para uma demonstração de valor." – Wingding
Origem: Quando comecei a aprender o jogo, eu me inscrevi no primeiro workshop oferecido pelo artista da sedução chamado Mystery. Ele nos orientou a abordar mulheres perguntando: "Você acredita em feitiços?" Como ele era mágico, era fácil dar continuidade a essa pergunta fazendo a bebida dela levitar, mas eu, por outro lado, não poderia fazer o mesmo. Felizmente, eu me lembrei que quando estava escrevendo um livro com o guitarrista Dave Navarro, uma atriz foi até a casa dele e deixou um feitiço de atração embaixo das almofadas do sofá. Duas semanas depois, ela virou namorada dele. Então eu usei esta história para transformar a pergunta aleatória do Mystery em conversa.

VOCÊ: Pergunta rápida: Você acredita em feitiços, tipo magia? Sei que é uma pergunta incomum, mas vou dizer por que quero saber em um segundo.

ELA: Sei lá [*se ela não responder, faça uma pausa e depois continue a história*].

VOCÊ: Tudo bem. Está vendo o meu amigo ali? Ele acabou de se mudar para cá e conheceu uma garota em uma boate. Ele não estava interessado nela sexualmente, porque não fazia o tipo dele.

ELA: Sei, sei.

VOCÊ: Não, é sério. Bom, então ela foi até a casa dele alguns dias depois para ver um filme e nada aconteceu.

ELA: [*Faz cara de cética.*]

VOCÊ: É sério, não aconteceu nada. Bom, depois que ela saiu ele estava arrumando a casa, levantou a almofada do sofá e encontrou um anel de metal enferrujado com um papelzinho dentro e algumas penas enroladas. Ele desenrolou o papel, ligou para mim e disse que tinha umas letras esquisitas e indecifráveis escritas nele. Falei que parecia um feitiço e ele decidiu levar o negócio para uma daquelas lojas de esoterismo onde se vendem frascos do que alegam ser sangue de dragão. E uma mulher lá disse que era um feitiço de atração.

ELA: Você está brincando.

VOCÊ: Não estou e o mais estranho é que, do nada, ele começou a ficar atraído por ela. Tipo, não conseguia tirá-la da cabeça. Às vezes estava andando pela rua e a imagem dela cercada por flores surgia na cabeça dele. Então você acha que foi o feitiço ou é só psicológico?

ELA: Eu acho...

A LEITURA FRIA DAS PESSOAS QUE PREFEREM GATOS

Tipo de procedimento: Quebra-gelo/Demonstração de valor
Nível de dificuldade: 3/10
Taxa de sucesso: 87,5%
Saturação: 2,17%
Resposta: "As respostas foram variadas, porém empolgadas. E todo mundo adorou a parte do procedimento sobre cachorros e bebês. A distância pareceu ter um papel importante na hora de pedir às mulheres para abrir outro grupo com você. Porém, bastou diminuir a distância para resolver o problema." – Metz
Origem: Uma noite, durante o jantar, os treinadores da academia Stylelife e eu estávamos revisando os assuntos sobre os quais as mulheres parecem gostar mais de conversar. O primeiro era relacionamentos, o segundo era espiritualidade e o terceiro, animais. Percebemos que havia quebra-gelos sobre relacionamentos (como o do amar ou estar apaixonado) e sobre espiritualidade (como o dos feitiços), mas nenhum sobre animais. Então decidimos inventar um jogo naquela noite e descobrir qual bicho de estimação as mulheres que conhecíamos tinham em casa. Isso acabou evoluindo para este quebra-gelo. Fique à vontade para inventar teorias sobre donos de animais de estimação com base em suas experiências com este procedimento. E não se esqueça de incorporar as dicas de leitura fria aprendidas no Dia 15 do Desafio Stylelife.

VOCÊ: Preciso perguntar, só de curiosidade. O que você prefere: gato ou cachorro? [*Após fazer este procedimento algumas vezes, você deverá ser capaz de iniciar adivinhando com alguma precisão quais pessoas do grupo preferem gatos e quais preferem cachorros.*]

ELA: Gosto de gatos [*ou de cachorros*]. Tenho até dois em casa.

VOCÊ: Engraçado. Meu amigo acabou de dizer que conseguia descobrir se a pessoa preferia gato ou cachorro com base na personalidade dela. Eu não acreditei logo de cara, mas, segundo ele, quem prefere gato tende a ser mais assertivo, ter personalidade e convicções mais fortes e, por isso, escolhem um animal mais feminino. Ele disse que é um lance de yin-yang. Já quem prefere cachorro tende a ser mais tímido e tranquilo, e por isso preferem um animal mais masculino, para equilibrá-los. Isso meio que fez sentido, então pensei em ver se ele estava certo.

Depois do quebra-gelo, se houver mais alguém que você quiser conhecer por perto ou se quiser continuar a interação com ela, pode continuar com:

VOCÊ: Antes de eu ir embora, podemos testar rapidamente. [*Pausa.*] O que você acha que aquelas pessoas ali preferem?

ELA: Eu diria que a garota ali prefere gato e a outra ao lado dela prefere cachorro.

VOCÊ: Legal. Vamos descobrir.

Aborde o novo grupo (sozinho ou com ela) e repita o quebra-gelo desde o início. Você poderá voltar ao grupo que abordou originalmente, conhecer mais pessoas desta forma, ou fazer a transição para o seguinte trecho:

VOCÊ: Esse amigo também tem outra teoria interessante. Segundo ele, quando uma mulher na casa dos 20 ou 30 anos arruma um cachorro, significa que está pronta para ter filhos. Acho que é porque ela quer cuidar de algo.

ELA: Olha, isso é bem verdade mesmo...

VOCÊ: Também dizem que o jeito que um cara trata o animal de estimação vai ser o jeito que ele vai tratar os filhos.

O QUEBRA-GELO DO *STALKER* DE FACEBOOK

Tipo de procedimento: Quebra-gelo
Nível de dificuldade: 3/10
Taxa de sucesso: 84,5%
Saturação: 0%
Resposta: "Uma garota me disse que fez exatamente o que é descrito pelo quebra-gelo. Eu me recusei a dar meu número de telefone e falei que ela teria que me procurar no Facebook. Recebi a solicitação de amizade dela no dia seguinte." – CloverThief
Origem: Ao contrário dos outros quebra-gelos, este veio de um dos treinadores da academia Stylelife, Stephen Grosch e está incluído aqui porque é algo que ele usa para iniciar conversas com bartenders e garçonetes. O interessante nesta história é que o quebra-gelo o retrata como um cara generoso com os amigos e que as garçonetes acham atraente. E, como todos os outros quebra-gelos aqui, é verdadeiro. No fim das contas, Stephen convidou a garçonete da história para a casa dele e os dois dormiram juntos, apesar de ela ter namorado. Evidentemente, ela amava o namorado, mas não era apaixonada por ele.

VOCÊ: Rapidinho, preciso de uma opinião profissional sobre algo. Outro dia uns amigos e eu fomos a um restaurante incrível. A garçonete que nos atendeu parecia iradíssima e estávamos nos dando muito bem. No fim da noite eu quase pedi o telefone dela, mas decidi não fazer isso porque achei que ela pudesse estar flertando só para conseguir uma gorjeta maior. Você sabe que garçonetes fazem isso. Algumas até tocam clientes do sexo masculino no ombro quando falam com eles porque isso supostamente faz com que as gorjetas sejam maiores.

ELA: Não acredito.

VOCÊ: Pois é. Então, quando pagamos, já que era a minha vez de pagar a conta, eu usei cartão de crédito. Depois nós fomos embora e decidi que da próxima vez que voltasse lá, veria o que acontece e pediria o telefone dela. Bom, para minha surpresa, dois dias depois eu recebo uma mensagem dela no Facebook [*fique à vontade para substituir pela rede social de sua preferência*] dizendo que nós éramos muito legais e que ela gostaria de me conhecer. Aparentemente, ela copiou o meu nome do cartão de crédito e me procurou.

ELA: Ai, meu Deus.

VOCÊ: Eu ainda não respondi e nem sei se vou responder. Mas você acha que isso foi legal da parte dela ou meio assustador?

ELA: Acho que é legal e um elogio também.

VOCÊ: Então se você estivesse jantando fora e o garçom a procurasse no Facebook depois, você acharia legal?

ELA: Não, seria bem assustador.

VOCÊ: Então é assustador se um cara fizer, mas se uma mulher fizer é legal? Não é meio dois pesos e duas medidas isso? [*Se estiver falando com uma garçonete ou bartender, acrescente:*] Aliás, nem pense nisso, porque vou pagar em dinheiro.

QUEBRA-GELOS RÁPIDOS PARA TODAS AS OCASIÕES

Tipo de procedimento: Quebra-gelo
Nível de dificuldade: 2/10 (média)
Taxa de sucesso: 88,5% (média)
Saturação: 1,55% (média)
Resposta: "O quebra-gelo sobre a cor do cabelo foi o mais fácil de usar. Foi rápido e abriu com sucesso quando a energia era de baixa para média. Ter uma raiz é crucial. Minha raiz era: 'Acabei de perguntar ao meu amigo se ele prefere louras, morenas ou ruivas. E ele respondeu que prefere mulheres de cabelo preto.'" – Jadebelly
Origem: Muitos quebra-gelos envolvem pedir a opinião de alguém sobre um assunto complicado. Porém, existem várias outras formas de começar uma conversa interessante e espontânea sem parecer que está dando em cima de alguém. Estes aqui podem ser especialmente úteis em ambientes barulhentos como uma boate, onde fica mais difícil contar uma historia longa e envolvente. Aqui estão alguns quebra-gelos rápidos adicionais.

- Está vendo aquele cara ali? Ele acabou de me contar que luta kung fu. Por que raios ele iria me contar isso assim, do nada?
- Está vendo aquela garota ali? Ela acabou de me contar que é uma bruxa do bem. O que isso significa?
- Em quem você confiaria mais: uma mulher mais velha ou mais nova?

- Se uma mulher de cabelo preto é morena, uma mulher de cabelo vermelho é ruiva e uma mulher de cabelo amarelado é loura, qual é a palavra para alguém de cabelo castanho?
- Qual é o nome daquela dança que as pessoas fazem no Cirque du Soleil em que elas ficam penduradas naquelas fitas vermelhas? Quero aprender isso, mas não faço ideia do nome, então não posso jogar no Google.
- Você pode segurar isto aqui um minutinho [*entrega a ela um copo, uma câmera ou telefone*]? Obrigado. [*Pausa.*] Um amigo me ensinou que a melhor forma de iniciar uma conversa é pedir para alguém segurar algo para você. E eu quis testar para ver se funciona.

MNEMÔNICA DOS NOMES

Tipo de procedimento: Demonstração de valor
Nível de dificuldade: 3/10
Taxa de sucesso: 96,9%
Saturação: 0%
Resposta: "É uma ótima forma de iniciar uma conversa. As pessoas realmente se envolvem e quanto mais ridícula for a imagem mental, mais elas riem." – Farmer
Origem: Um dos procedimentos que Mystery e eu costumávamos ensinar em workshops era chamado Sistema de Pinos, que usa dispositivos mnemônicos para dar a impressão que a pessoa tem uma memória perfeita. Um dia em uma festa eu estava demonstrando o sistema para uma supermodelo e ela disse que o ex-namorado era um mágico que costumava fazer o mesmo. Ela me recomendou um site sobre mnemônica, no qual aprendi a técnica a seguir. Também pesquisei na internet para descobrir se o ex-namorado dela era um artista da sedução. Acabou que era o David Blaine.

ELA: Qual é o seu nome?

VOCÊ: [*Nome*].

ELA: Eu sou Hilary, esta é Donna e esse é Tony.

VOCÊ: Certo... Hilary... Donna... Tony [*fazendo uma pausa antes de cada nome e olhando para cada pessoa*]. Sabe, eu costumava ser muito ruim com nomes.

ELA: Nossa, eu sou horrível com nomes.

VOCÊ: Mas você não precisa ser assim, provavelmente só está fazendo errado. Por exemplo, eu costumava repetir os nomes na cabeça e dez segundos depois esquecia tudo. Agora vou mostrar rapidinho como sempre se lembrar de nomes e depois eu realmente tenho que ir embora.

ELA: Tudo bem.

VOCÊ: Isso é ótimo para reuniões e coisas do tipo. Tudo o que você precisa fazer quando for apresentada a alguém é criar uma imagem na sua cabeça. Então se você é Hilary, só consigo imaginar você com o rosto da Hilary Clinton. Não se ofenda. Quanto a você, Donna, eu a imaginei como uma dona de casa. E Tony, eu vi você estampado em uma caixa de sucrilhos Kellogg's como o tigre Tony. Pronto, experimente.

Originalmente, eu prosseguia tentando fazer o grupo memorizar o meu nome, mas acabava ficando muito brega, como se seu estivesse tentando forçá-los a se lembrar de mim. Então, em vez de fazer isso, arraste um amigo ou estranho na boate (melhor ainda se for outra pessoa que você deseje conhecer) e ensine o grupo a memorizar o nome completo daquela pessoa. Digamos que o nome da pessoa seja Thomas Scott McKenzie. Enquanto estiver fazendo isso, lembre a eles:

VOCÊ: Você não pode apenas pensar na imagem visual. Precisa colocar isso na sua mente, então tente imaginá-lo usando a peruca do Thomas Jefferson [*pausa para dar tempo a eles de visualizar a cena*], mas com o rosto do Scott Baio [*pausa*] e para o McKenzie podemos imaginar alguém com um grande M amarelo do McDonald's nas mãos e o rosto de um boneco Ken sorrindo. Assim, temos o Thomas Scott McKenzie.

Fique à vontade para substituir as referências por outras que você ache mais fáceis para o grupo identificar. Na dúvida, pergunte se eles conhecem alguém com o mesmo nome e faça com que eles imaginem o rosto desta pessoa.

O mais divertido deste procedimento é que mais tarde (especialmente quando Thomas Scott McKenzie passar ao seu lado) ou mesmo ao telefone no dia seguinte, você pode testar rapidamente e ver se eles ainda se lembram do nome. Caso você tenha ensinado corretamente, após pensarem um pouco, eles sempre vão lembrar. Se o procedimento ainda prender o interesse deles, em algum momento você também pode explicar como ele funciona:

VOCÊ: A maioria das pessoas tenta repetir o nome de alguém na cabeça para memorizá-lo, mas sempre esquece. Isso acontece porque quando você é um bebê não domina a linguagem. Você tem imagens e é assim que interpreta e entende o mundo. Então, criar e armazenar imagens é a melhor forma de guardar qualquer coisa na memória, pois é assim que fazemos a vida inteira.

ASTROLOGIA DO SANGUE

Tipo de procedimento: Demonstração de valor
Nível de dificuldade: 6/10
Taxa de sucesso: 88,5%
Saturação: 0%
Resposta: "Funcionou melhor quando criei uma boa relação com o grupo e fiz a transição para o procedimento de modo suave. Também funcionou com duas garotas sarcásticas. Quando falei para uma que ela era do tipo O e depois expliquei as características, ela concordou e até disse que iria fazer um exame para descobrir." – Shure
Origem: Quando estava fazendo aulas de medicina para o livro *Emergência*, aprendi quais tipos sanguíneos eram compatíveis para transfusões e isso me fez pensar: se as pessoas acreditam tanto em astrologia e em como o movimento dos corpos celestes afeta o nosso comportamento e personalidade, elas não deveriam prestar a mesma atenção ao sangue que flui pelas nossas veias e o efeito que ele deve ter em nós? Naquela noite, enquanto falava com George Rockwell, um dos treinadores da academia Stylelife, decidimos investigar se existia alguma ciência para leitura da personalidade e compatibilidade no relacionamento com base nos tipos sanguíneos. No dia seguinte, ele encontrou um sistema japonês de adivinhação nesta linha. Depois fizemos algumas modificações e criamos este procedimento.

VOCÊ: Eu estava com um amigo japonês outro dia e ele contou que é possível descrever a personalidade das pessoas e de quem pode ser compatível com elas pelo tipo sanguíneo. É como se fosse o equivalente japonês da astrologia, só que ele disse que era mais preciso porque a astrologia fala de coisas que estão a bilhões de quilômetros no céu, mas o sangue corre pelo nosso corpo então tem um efeito mais forte. Até agora eu fiquei surpreso, pois tudo bateu direitinho. Por acaso você sabe o seu tipo sanguíneo?

Se ela não souber o tipo sanguíneo:

VOCÊ: É, seria bom saber. Estou curioso para saber se isso funciona mesmo. Vamos fazer uma coisa: vou tentar adivinhar o seu tipo sanguíneo e a gente descobre depois se estou certo.

Use as descrições a seguir para adivinhar o tipo sanguíneo da garota. Se ela realmente procurar os pais ou médico para confirmar o tipo sanguíneo, você definitivamente a impressionou.

Se ela souber o tipo sanguíneo, continue com a análise correspondente a seguir. Fique à vontade para enfeitá-la com a habilidade de leitura fria. Você pode copiar as descrições no celular ou em um pedaço de papel, para consultar caso seja necessário. Basta explicar que você anotou as informações dadas pelo seu amigo para conseguir lembrar depois.

Observe que algumas mulheres ficam sensíveis quando ouvem falar em sangue. Se elas não quiserem conversa, ficarem pálidas ou desmaiarem, é melhor parar o procedimento e mudar de assunto. Além disso, a compatibilidade entre tipos sanguíneos abaixo se aplica apenas a interações e não valem para transfusões, que exigem mais do que um procedimento para serem feitas com sucesso.

Descrições

Tipo A: O Fazendeiro. Pessoas de tipo sanguíneo A são conhecidas pela capacidade de manter a calma sob pressão. Além disso, trabalham muito, gostam de manter a paz e viver confortavelmente, o que pode levar a relacionamentos fortes com a pessoa certa. Porém, às vezes elas se sentem isoladas, o que por um lado costuma render incríveis talentos artísticos e por outro faz com que sejam um pouco tímidas e sensíveis. Elas secretamente anseiam pelo sucesso e são conhecidas pelo perfeccionismo, embora possam ocasionalmente ser teimosas e excessivamente cautelosas. O Tipo A é mais compatível com os tipos A e AB.

Tipo B: O Caçador. O tipo B é o mais confiável entre os tipos sanguíneos. Você pode contar com estas pessoas para terminar qualquer projeto que começarem. Elas são boas para seguir instruções, mas preferem descobrir o jeito próprio de terminar uma tarefa. Também tendem a pensar só em uma determinada coisa e geralmente se concentram no que estão trabalhando naquele momento, excluindo todo o resto. Quem é tipo B pode parecer frio, pois tende a se ater à lógica em vez da emoção ao lidar com as pessoas. Costumam ser percebidos como individualistas e às vezes podem parecer egoístas. O tipo B é mais compatível com os tipos B e AB.

Tipo AB: O Humanista. O tipo AB tende a ser um amante apaixonado e também é conhecido por sua natureza um tanto imprevisível e sua dualidade: frio e quente, retraído e confiante, a alma da festa e a pessoa mais tímida que você conhece. Tendem a ficar facilmente sobrecarregados pela responsabilidade. Pessoas do tipo AB são conhecidas por serem confiáveis e sinceras. Além disso, não costumam gostar da rotina e do conformismo. O tipo AB é compatível com todos os outros tipos sanguíneos.

Tipo O: O Guerreiro. Quem tem tipo O é conhecido por ser bem disposto, sociável e ambicioso. Seguem suas paixões e tendem a definir tendências, mas quando algo não os interessa, podem agir de modo estranho. É fácil se apaixonar por eles e também perigoso justamente por este motivo. Eles amam a atenção e em geral são bons ouvintes. Também costumam dizer o que lhes vêm à cabeça (às vezes sem pensar) e geralmente são confiantes, embora às vezes possam ser invejosos. O Tipo O é mais compatível com os tipos O e AB.

INTERVALO

VOCÊ: Olha, Neil, esses procedimentos não funcionam.

EU: Claro que funcionam. Eu os utilizei centenas de vezes, assim como milhares de caras ao redor do mundo.

VOCÊ: Bom, mas não estão funcionando comigo.

EU: Ah, então é diferente. Você terminou o Desafio Stylelife?

VOCÊ: [*envergonhado*]: Não.

EU: Acho que estou vendo o problema. Termine o Desafio Stylelife primeiro, depois retome os procedimentos.

VOCÊ: Preciso mesmo? Ficou difícil no Dia 8, então eu parei.

EU: Sim. Para que estes procedimentos sejam eficazes, você precisa entender como utilizá-los, por que eles funcionam e, o mais importante, em que momento da interação eles devem ser utilizados.

VOCÊ: Então o timing é tudo?

EU: Timing, tonalidade, linguagem corporal, congruência, calibração, curiosidade, espontaneidade, atitude, intuição, experiência. Tudo é importante. Tudo conta. Isso não diz respeito apenas às mulheres, diz respeito a você e a se transformar em uma pessoa melhor. Então os procedimentos só funcionam se você se esforçar.

A APOSTA DAS CINCO PERGUNTAS

Tipo de procedimento: Demonstração de valor/Jogo divertido
Nível de dificuldade: 2/10
Taxa de sucesso: 95,7%
Saturação: 0%
Resposta: "Esta é uma das apostas de bar mais fáceis para injetar diversão e aumentar o nível de empolgação na sua noite. Fiz a aposta com garotas diferentes valendo um número de telefone, uma bebida grátis, uma pergunta do tipo verdade ou consequência e um beijo, e ganhei todas." – 20spot
Origem: Enquanto tentava melhorar o meu jogo, passei um fim de semana com um amigo vigarista aprendendo várias apostas que ele usava para enganar frequentadores de bar e fazê-los pagar uma bebida para ele. Eu notei que mesmo quando as pessoas perdem uma bebida, elas quase sempre acham que valeu a pena pelo entretenimento. O exemplo a seguir continua sendo a minha aposta de bar predileta.

VOCÊ: Olha só, para decidir quem paga a primeira rodada de bebidas [*também é possível apostar um dólar, um café, uma massagem nas mãos ou qualquer coisa pequena ou simples*], vamos fazer um jogo para ficar divertido. É a aposta das cinco perguntas.

ELA: O que é isso?

VOCÊ: Vou fazer cinco perguntas e basta responder a cada uma delas incorretamente. Só para saber, não há pegadinha, todas têm respostas erradas. É muito fácil vencer, basta errar cinco perguntas seguidas.

ELA: Hmmm. Tudo bem.

VOCÊ: E dê as respostas mais surreais que puder para eu saber que estão erradas. Tudo bem?

ELA: Parece justo.

VOCÊ: Você quer uma pergunta de treino ou já podemos começar?

ELA: Vamos começar.

VOCÊ: Certo. Qual é o seu nome?

ELA: Bill. [*Algumas pessoas dizem o nome verdadeiro e já perdem na primeira pergunta. Provavelmente você não vai querer ter um relacionamento de longo prazo com elas.*]

VOCÊ: Muito bem. Em que cidade nós estamos?

ELA: No Vaticano.

VOCÊ: Ótimo. Agora qual é o nome deste bar [*ou café ou shopping ou seja lá onde vocês estiverem*]?

ELA: Wal-Mart.

VOCÊ: Ótimo. Então... [*Faça uma pausa e mude o tom de voz. Olhe para baixo, toque o próprio rosto e aja como se estivesse meio confuso*] foram quantas perguntas até agora?

ELA: [*Se ela responder "três", você ganhou. Se ela entender o que você está fazendo e responder com outro número, vá para a quinta pergunta.*]

VOCÊ: [*Impressionado e chocado*] Ah, você me pegou! Já jogou isso antes?

ELA: Não!

VOCÊ: Ah, te peguei! [*Pausa*] Obrigado pela bebida.

ELA: Ah, meu Deus. Não acredito que fiz isso.

VOCÊ: Olha, para fazer você se sentir melhor por ter perdido, vou ensinar como a aposta funciona para que você possa ganhar bebidas dos seus amigos. Na quarta pergunta sempre diga: "Quantas perguntas foram até agora?" Esta pergunta é feita para pegar alguém que é prestativo por natureza. Já a quinta pergunta: "Você já jogou isso antes?" é feita para pegar quem é orgulhoso ou egoísta. Então com essas duas, você basicamente pega a maior parte das pessoas. E obviamente você não é prestativa. [*Ou "E obviamente você é uma pessoa prestativa."*] Bom saber.

O INCRÍVEL VIDENTE DE MESA

Tipo de procedimento: Demonstração de valor/Mágica
Nível de dificuldade: 5/10
Taxa de sucesso: 81,3%
Saturação: 0%
Resposta: "Pode ser usado como quebra-gelo, se você preferir. Basta dizer: 'Oi, pessoal, posso falar com vocês um segundo? Estou tentando mostrar este truque ao meu amigo porque ele não acredita que funciona.' Isso geralmente levou a um contato físico de brincadeira por parte das garotas, pois elas ficavam tentando descobrir como eu fiz aquilo." – Symphonie
Origem: Eu estava no Jerry's Diner em Los Angeles ensinando algumas demonstrações de valor para um amigo. Durante a conversa, o gerente Mike veio e começamos a falar sobre o jogo. Depois de eu ter explicado o básico, ele se ofereceu para mostrar algo que aprendeu no ensino médio. Em seguida, sussurrou algumas palavras para o meu amigo e fez o que está descrito a seguir.

O EFEITO

VOCÊ: Sabe o que é interessante? As pessoas deixam energia para trás em todo lugar. Se você tocar em algo, deixa uma espécie de impressão psíquica.

ELA: É mesmo?

VOCÊ: Vou dar um exemplo. Vou pegar alguns objetos nesta mesa. [*Enquanto estiver falando pegue seis objetos diferentes, como celular, chaves, um guardanapo amassado, etc. e coloque em três fileiras de dois em cima da mesa. A disposição deve parecer o número seis em um dado.*] Quando eu sair da sala, toque qualquer objeto e vou conseguir dizer qual você escolheu apenas sentindo a energia dele. Na verdade, você nem precisa tocá-lo, se não quiser. Basta colocar a mão rapidamente em cima do objeto.

Saia do recinto e deixe bem claro para a mulher que você não consegue ver a mesa. Quando voltar, coloque a mão por cima de cada objeto para sentir a energia. Quando já tiver feito bastante suspense, faça sua escolha.

VOCÊ: É este o objeto?
ELA: É! Como você fez isso?
VOCÊ: [*Faz uma pausa, depois diz, relutante*] Você consegue guardar segredo?
ELA: Sim.
VOCÊ: [*Dando um sorrisinho*] Eu também.

COMO FAZER

O seu parceiro deve ter uma bebida e um guardanapo na frente dele antes de começar o procedimento. Quando você sair do recinto, ele vai observar o objeto que a mulher escolher. Em algum momento antes de você voltar à mesa ele deverá dar um gole na bebida e posicionar o copo na borda do guardanapo correspondente à posição do objeto escolhido por ela.

Lembre-se de que os objetos estão dispostos em três colunas de dois. Então, se ela escolher o objeto do canto superior esquerdo, o seu parceiro vai colocar a bebida no canto superior esquerdo do guardanapo. Se ela escolher o objeto na segunda linha do lado direito, o seu parceiro vai colocar a bebida do lado direito no meio do guardanapo, e assim sucessivamente.

Pela minha experiência, ninguém jamais descobriu o truque, mas não se preocupe se ela por acaso souber como você fez isto e pegá-lo no flagra ou se você fizer besteira. O objetivo do procedimento não é convencer as mulheres de que você é vidente. A ideia é apenas evitar uma conversa fiada sem graça e se divertir. Enquanto todos estiverem sorrindo ou rindo, o procedimento terá sucesso.

O JOGO DA MENTIRA

Tipo de procedimento: Demonstração de valor
Nível de dificuldade: 5/10
Taxa de sucesso: 75%
Saturação: 2,77%
Resposta: "Embora pareça complicado no papel, deu muito certo na prática. Assistir a vídeos de Derren Brown no YouTube, além de procurar no Google por PNL e artigos sobre o movimento dos olhos me deu uma compreensão maior do procedimento e mais assuntos para conversar. Com a popularidade de seriados de TV como *Lie To Me*, algumas pessoas disseram que conheciam o procedimento, mas nesses casos eu falei que este era mais preciso." – Diamond
Origem: Um dos mais de cem livros que li enquanto estudava dinâmica social foi *Never Be Lied To Again*, de David Lieberman. Na época eu estava entrevistando a cantora Carly Simon para o *New York Times* e, durante a conversa, recomendei o livro. Uma semana depois, ela me ligou e disse que tinha comprado dez cópias. "Então você gostou mesmo?", perguntei, e a resposta foi: "Não li. Apenas comprei algumas cópias e dei a todos os meus amigos para que eles ficassem com medo de mentir para mim." Aquela conversa iniciou uma exploração de formas mais inteligentes e sutis para detectar mentiras.

VOCÊ: Sabe, tem um jeito de sempre descobrir se alguém está dizendo a verdade. É bom saber, porque se o seu namorado chegar em casa uma noite dizendo: "Eu estava jogando boliche com os amigos", você vai pegá-lo no flagra se for mentira.

ELAS: Eu adoraria saber isso.

VOCÊ: Tudo bem, vamos precisar que uma de vocês seja a mentirosa. Hmmm, você parece ótima para isto. Então a gente vai fazer o seguinte...

Sussurre a frase a seguir para o resto do grupo de modo que a mentirosa não ouça.

VOCÊ: Observe a mudança no movimento dos olhos dela quando responder a cada pergunta.

Para a mentirosa da vez:

VOCÊ: Você tem irmão ou irmã?
MENTIROSA: [*Diz a resposta.*]
VOCÊ: Certo, escolha um deles. [*Se ela for filha única, faça com que escolha o carro ou o quarto dela.*] Para este teste, você vai pensar em cinco fatos sobre o seu irmão. Não os diga em voz alta, apenas pense. Mas não pense em cada fato até eu contar. Quando disser "um", pense no primeiro fato. Quando eu falar "dois", pense no segundo e assim sucessivamente. Pronta?
MENTIROSA: Sim.
VOCÊ: E faça com que um destes cinco fatos seja mentira. [*Dê esta informação no último minuto, para que ela não tenha tempo de pensar na mentira.*] Muito bem, um. [*Dê uma pausa para ela pensar.*] Dois. [*Pausa.*] Três. [*Pausa.*] Quatro. [*Pausa.*] Cinco. [*Pausa.*]

Para o resto do grupo:

VOCÊ: Certo, qual das respostas vocês acham que é mentira?
GRUPO: Definitivamente a número três.
VOCÊ: Eu diria que a número um ou a número três. [*Pense em dar duas respostas, só para aumentar a chance de estar certo.*]
ELA: Foi realmente a número um. Como você soube?
VOCÊ: Quando as pessoas se lembram de algo vão para uma determinada parte do cérebro a fim de acessar a informação, mas quando inventam vão para outra parte. Assim, dava para dizer quando você estava mentindo apenas procurando as variações no movimento dos seus olhos, o que significava que você estava obtendo informações da parte criativa do cérebro em vez de onde você guarda as lembranças.

Se ninguém conseguir determinar qual resposta era mentira, continue com:

VOCÊ: Uau, você mente bem. Eu nunca sairia com você. Felizmente, existem duas outras formas de dizer quando a pessoa está mentindo. A primeira é ver se ela interrompe o contato visual. Geralmente os mentirosos sabem que precisam manter contato visual enquanto estão mentindo, mas costumam afastar o olhar depois. A segunda forma é... Olha, vou mostrar rapidamente. Vamos escolher outra pessoa desta vez. [*Escolha outra pessoa do grupo.*] Certo, diga três coisas que você fez ontem em voz alta, sendo uma delas mentira.

Quando ela disser as três coisas, escolha cada afirmação, começando com a mais provável de ser mentira. Depois faça muitas perguntas sobre os detalhes, o mais rápido que puder. Por exemplo, se ela disser que foi nadar, pergunte: "Onde você foi nadar? Por quanto tempo? Descreva o traje de banho que estava usando. Quem estava na raia ao seu lado?" As respostas dela não importam. O que você está procurando é um momento em que ela tropece nas palavras, hesite, comece a rir ou dê um sorrisinho culpado. É aí que você vai pegá-la na mentira.

VOCÊ: Essa é a terceira forma. Você faz várias perguntas rápidas, do jeito que eles fazem quando você passa pela Imigração. As respostas não importam. Basta ficar disparando perguntas até a pessoa hesitar, como ela acabou de fazer.

O DESAFIO DO FAT BASTARD

Tipo de procedimento: Jogo divertido
Nível de dificuldade: 3/10
Taxa de sucesso: 87,5%
Saturação: 0%
Resposta: "Não recebi tantas respostas negativas como imaginei. O procedimento foi bem envolvente e todos tiveram algo a dizer. Eu estava ciente de que a opção "arma na cabeça" podia ser complicada, mas não notei qualquer sentimento negativo em relação a isso. Também me surpreendi com a quantidade de garotas que aceitavam a oferta de um milhão de dólares. Um cara disse que faria sexo com o Fat Bastard por um McLanche Feliz." – Pendragon
Origem: Eu estava jantando com uma amiga chamada Kendra e uma das coisas que mais gosto de fazer quando estou entediado (desculpe, Kendra) é perguntar para as pessoas, de modo divertido e sem julgamentos, o que eles fariam por dinheiro. Então por algum motivo acabei perguntando quanto dinheiro ela pediria para dormir com o Fat Bastard dos filmes do Austin Powers. Fiquei surpreso com a resposta. Não só ela não faria isto nem por cem milhões de dólares, como disse que preferia morrer a dormir com ele.

VOCÊ: Estou curioso em relação a uma coisa. Você conhece o personagem Fat Bastard dos filmes do Austin Powers?

ELA: Sim.

VOCÊ: Se alguém chegasse para você e dissesse que lhe daria um milhão de dólares para dormir com um cara que fosse parecido com o Fat Bastard, mas dez vezes pior, você aceitaria?

ELA: Não.

VOCÊ: Você faria por dez milhões de dólares? Só uma vez?

ELA: De jeito nenhum.

VOCÊ: E se só durasse meia hora? Você poderia pensar em outras coisas, ir para aquele lugar especial na sua mente e depois teria dez milhões de dólares, sem impostos.

ELA: Talvez eu pudesse deixar ele bem bêbado e fazê-lo pensar que dormimos juntos ou enganá-lo de alguma forma.

VOCÊ: Não, você teria que dormir com ele.

ELA: Então, não.

VOCÊ: Tudo bem. E por cem milhões de dólares? Pensa só: cem milhões de dólares na sua conta bancária.

ELA: Nem assim eu toparia.

VOCÊ: Ah, qual é. Até eu dormiria com o Fat Bastard por cem milhões de dólares.

ELA: Eu não toparia.

VOCÊ: Sério? E se ninguém soubesse ou jamais ficasse sabendo, nem eu?

ELA: Hum... Não sei. Acho que não faria. Talvez. Sei lá.

É revelador que metade das mulheres que ainda dizem "não" a essa altura hesitem quando ouvem a pergunta acima.

VOCÊ: Certo, esta é a última pergunta e depois vamos falar sobre algo chato, como o tempo. E se alguém colocasse uma arma na sua cabeça e dissesse: "Ou você faz sexo com o Fat Bastard ou morre." O que você escolhe?

ELA: Eu tentaria fugir.

VOCÊ: Olha, essa é uma pergunta hipotética. Você não tem outra opção. Ou dorme com o Fat Bastard ou morre. O que você faria?

ELA: [*Responde.*]

VOCÊ: Interessante. O engraçado é que a todo cara para quem faço esta pergunta disse que preferia fazer sexo com o Fat Bastard do que morrer, mas metade das mulheres disse que preferiria morrer. Por que você acha que isso acontece?

O IV DO STYLE

Tipo de procedimento: Conexão emocional/Demonstração de valor
Nível de dificuldade: 5/10
Taxa de sucesso: 89,7%
Saturação: 0%
Resposta: "Embora tenha achado esse procedimento um pouco mais difícil que os outros, valeu a pena. Logo na primeira vez que usei consegui um número de telefone. A mulher gostou mesmo do exercício e alegou ter aprendido algo muito legal sobre si mesma." – Farmer
Origem: Quando comecei a aprender Programação Neurolinguística (ou PNL), recomendaram que eu descobrisse o principal valor de uma mulher e depois aproveitasse exatamente a mesma linguagem utilizada por ela para convencê-la a fazer algo que normalmente recusaria. Logo descobri, contudo, que era mais eficaz e ético praticar a PNL abertamente. Então, transformei o processo que alguns terapeutas usam para descobrir as principais crenças motivadoras das pessoas (conhecido como inferir valores ou IV) em uma discussão que ensinaria a elas (e a mim) algo sobre si mesmas. Hoje, eu uso esse procedimento não só com mulheres que conheço, mas também em quase todas as entrevistas que faço para revistas. É uma ótima forma de conhecer alguém muito rapidamente.

VOCÊ: Oi, já que estamos conversando, vamos fazer algo interessante. Fizeram isto comigo há pouco tempo. É uma ótima forma para conhecer alguém. Na verdade, muita gente nem sabe isto sobre si mesmo.

ELA: O quê?

VOCÊ: São apenas três perguntas. É fácil e vai dizer o que realmente move e motiva a sua vida.

ELA: Isso seria legal. Qual é a primeira pergunta?

VOCÊ: A primeira é: Se você tivesse que escolher uma coisa que precise ter na vida para sentir que ela vale a pena, o que seria? [*Se a pergunta for abstrata demais para ela, então use: "Diga algo que você gosta muito de fazer."*]

ELA: [*Cita algo que faz a vida valer a pena.*]

VOCÊ: Certo, se você tem [*o que faz a vida valer a pena*], que tipo de coisas isso permite que você faça ou vivencie? [*Se a segunda pergunta também for abstrata demais, use: "Descreva a sua experiência perfeita de (o que faça a vida valer a pena). O melhor momento que você teve fazendo isso ou o seu cenário ideal para (o que faça a vida valer a pena)."*]

ELA: [*Cita várias coisas.*]

VOCÊ: Ótimo, agora imagine um momento no futuro ou presente em que você tem [*o que faz a vida valer a pena*] na sua vida. E isso permite que você faça [*várias coisas*]. [*Crie uma imagem ideal aqui, mas faça questão de usar exatamente as palavras que ela disse, pois significam algo especial além da definição do dicionário.*] Como você se sentiria?

ELA: Sei lá. Bem, eu acho.

VOCÊ: Vá um pouco mais fundo. Há apenas um minuto você sorriu quando imaginava isso. O que você sentiu? Bem lá no fundo?

ELA: [*Cita a sensação.*]

Geralmente a resposta vai ser uma palavra como "realizada", "segura", "livre" ou "alegre." Tente direcioná-la para algo mais específico caso ela responda com uma sensação vaga como "bem" ou "feliz". Se ela ainda não conseguir elaborar mais, diga: "Bom, talvez seja difícil definir algo assim por meio da linguagem, mas a sensação que você tem lá no fundo quando disse essa palavra, esse é o seu principal valor."

VOCÊ: Sim, é isso. [*A sensação citada por ela*] é o seu valor principal. Em outras palavras, é o que realmente te motiva. Algumas pessoas expressam vontade de atuar e acreditam que é pela fama, mas o que elas realmente querem é sentir [*o sentimento citado por ela*]. Engraçado que quando estávamos falando sobre imaginar o cenário, você chegou a sentir isso por um segundo. Foi realmente legal.

ELA: É, senti mesmo.

VOCÊ: Sensacional. Descobrimos o seu objetivo de vida em cinco minutos. Agora você já pode morrer [*pausa*]. Sério, e esta é a verdadeira lição aqui:

sempre que você tomar uma decisão importante na vida, seja sobre um emprego, um cara ou um amigo, pergunte a si mesmo se ela te deixa mais perto do sentimento que você descreveu. Se deixar, então você deve correr atrás disso. Se não, é melhor se afastar.

ELA: Uau, isso é realmente interessante.

VOCÊ: Bom, são cinquenta dólares. Eu não faço essas coisas de graça, viu?

O PROCEDIMENTO DO EU SECRETO

Tipo de procedimento: Conexão emocional
Nível de dificuldade: 5/10
Taxa de sucesso: 100%
Saturação: 0%
Resposta: "Fiquei realmente surpreso pela facilidade com que as garotas me contaram o que não gostam em si mesmas. Também é divertido. Achei mais fácil que o IV do Style porque elas têm menos coisas para pensar. Todas deram exemplos bem aleatórios da aparência de suas partes desagradáveis, o que rendeu algumas risadas." – Sandoval
Origem: Uma noite eu estava jantando com a minha namorada na época e Billy Corgan, do Smashing Pumpkins. Ele nos ensinou um exercício que tinha aprendido com um de seus professores com objetivo de ajudar pessoas com seus demônios interiores, questões e inseguranças. Desde então eu o repeti com centenas de pessoas. Pode ser uma experiência poderosa e transformadora. Contudo, nem toda mulher vai estar disposta a mostrar seu lado vulnerável. Então verifique se você tem um grau suficiente de confiança, conforto e vínculo antes de iniciar essa discussão. Se ela ficar constrangida com o assunto, deixe o procedimento para lá e fale de outra coisa.

VOCÊ: Sabe, muita gente tenta reprimir as partes de que não gostam em si mesmas, mas isso nunca dá certo. Quando você tenta reprimir algo, está basicamente empurrando uma mola para baixo. Ela vai acabar se soltando com toda a força e tomando conta da sua personalidade. É interessante porque um amigo fez esse teste psicológico comigo há pouco tempo e me ensinou que em vez de negar essas partes das quais você não gosta, há uma forma melhor de lidar com elas.

ELA: E qual é?

VOCÊ: Seguinte, vou fazer rapidamente com você. São só quatro perguntas. Mas para funcionar, você tem que ser completamente honesta.

ELA: Tudo bem.

VOCÊ: A primeira pergunta é a mais difícil. De qual parte da sua personalidade você menos gosta? Aquela que você não gosta de mostrar aos outros, o seu eu secreto, do qual você pode até querer se livrar. [*Se estiver lidando com uma pessoa que não tenha essa consciência ou não entenda o conceito, liste algumas características negativas comuns até ela escolher uma ou você definir para ela a mais adequada.*]

ELA: [*Diz uma característica negativa.*]

VOCÊ: Certo, se você pudesse dar um nome para essa sua parte, qual seria? Por exemplo, um amigo me contou que o problema dele era ser muito controlador e batizou esta parte dele de Dexter.

ELA: Tudo bem, vou chamar de [*diz um nome*].

VOCÊ: Bom. Como é a [*nome*]? Descreva as características desta parte de si e o que ela está vestindo. Por exemplo, o meu amigo disse que o Dexter era um bebê vermelho que flutuava no ar carregando um forcado e tinha uma cauda bifurcada como um demônio.

ELA: [*Faz uma descrição.*]

VOCÊ: Certo, agora vem a pergunta principal. Essa parte de nós da qual não gostamos provavelmente já serviu para alguma coisa, mas agora não serve mais. Então, se dermos a ela um novo objetivo que seja útil para nós, não precisaremos mais reprimi-la. Por exemplo, quando meu amigo fez este exercício precisava achar uma função útil para sua natureza controladora. Como ele é ator, ele transformou o Dexter no seu agente. Então, Dexter o ajuda a ensaiar, faz com que meu amigo chegue à gravação na hora, critica o desempenho dele e o ajuda a tomar as decisões certas na carreira. Outro amigo tem problemas com raiva, mas agora usa essa energia como personal trainer na academia para poder malhar mais intensamente. Então que função você poderia dar para a [*nome*] que a transformaria em algo construtivo na sua vida em vez de destrutivo?

ELA: [*Diz uma função.*]

Se ela tiver problemas ao encontrar uma função para o eu secreto, você pode sugerir algumas ocupações ou reenquadrar a característica dela em algo positivo. Depois, para não ficar preso no papel de "terapeuta", mude de assunto e diga algo como:

VOCÊ: Perfeito. Então [*nome*] pode ser o seu [*função*] e ajudar sua vida em vez de prejudicá-la. É um exercício incrível. Acho que precisamos falar de algo superficial agora, como reality shows.

COMO DESCOBRIR FANTASIAS COM A NANCY FRIDAY

Tipo de procedimento: Chamada à ação
Nível de dificuldade: 4/10
Taxa de sucesso: 100%
Saturação: 0%
Resposta: "Adoro este procedimento. Levar uma garota a contar suas fantasias sexuais após alguns minutos de conversa é surreal. Fiz isso com uma noiva que iria se casar em cinco semanas e ela basicamente se jogou para cima de mim!" – Tigs
Origem: Pela maior parte da minha vida eu achei que sexo era algo que uma mulher precisava ser enganada para fazer, geralmente com a ajuda de um parceiro chamado Jack Daniel's ou Grey Goose. Por isso, fiquei empacado por vários meses quando estava aprendendo a arte da atração. Eu conseguia conhecer uma mulher e trocar telefones, mas não tinha a coragem de transformar a conversa em toque. O primeiro passo para resolver esse problema foi ler livros que me fizeram uma lavagem cerebral para que eu aceitasse a verdade: as mulheres não só querem sexo tanto quanto os homens, como geralmente gostam muito mais de sexo do que eles. Um dos primeiros livros que li foi *Mulheres por cima.* Existe um momento da conversa em que se pode mudar o assunto para sexo sem passar por desesperado ou pervertido e o livro foi o ponto de partida ideal para isso.

VOCÊ: As mulheres são muito mais fascinantes que os homens. Por exemplo, um professor nos anos 60 escreveu um livro dizendo que as mulheres eram incapazes de ter fantasias sexuais.

ELA: Isso não é...

VOCÊ: Pois é, eu sei. Obviamente, não é verdade. Aí uma mulher chamada Nancy Friday escreveu um livro chamado *Mulheres por cima* em resposta. Para provar que a teoria dele estava errada, Friday entrevistou centenas de mulheres sobre suas fantasias sexuais. Enquanto as fantasias dos homens são entregues de bandeja para eles e devidamente estimuladas, fazendo com que quase todas sejam iguais, as mulheres vivem um mundo muito mais empolgante e variado de fantasias. Acho que isto acontece porque a sexualidade da mulher geralmente é reprimida na juventude. Se elas veem o cachorro ou o pai fazendo xixi e perguntam "O que é isso?", dizem para elas "Isso é ruim, só as garotas que não são direitas falam disso". Então a sexualidade delas é contida e acaba florescendo de forma dinâmica e maravilhosa.

ELA: Isso é interessante.

VOCÊ: Também acho. E a Nancy Friday entrevistou mulheres que estavam em relacionamentos, mas nunca tinham recebido sexo oral ou só transaram na posição papai-mamãe e tinham umas fantasias loucas. Então ela diz que a mente feminina é igual a uma casa, na qual cada cômodo contém uma fantasia diferente. Há o cômodo do sexo anônimo, o de estar com outras mulheres, o de ser observada por uma plateia, o de ser dominada, o de ser prostituta e até o de se transformar em outra coisa ou pessoa durante o sexo. Obviamente, nem toda mulher tem todos estes cômodos na mente. Por exemplo, quando você está sozinha em casa pensando em algo que a excita (e não precisa ser algo que você já tenha feito ou faria na vida real), você pensa em algo que está em um desses cômodos ou em algo completamente diferente?

ELA: Acho que...

VOCÊ: É engraçado. Muita gente pensa em algo que as excita, mas quer que isso continue sendo apenas uma fantasia. Tipo, eu saí com uma garota cuja fantasia era estar em um palco, presa nos estribos de um dispositivo mecânico, enquanto robôs faziam sexo com ela em um auditório cheio de médicos de jalecos brancos, que observavam tudo. [*Pausa.*] E não, nunca fizemos isso.

ELA: [*Descreve a sua fantasia*]

VOCÊ: Interessante. É incrível. As mulheres podem ter diversos tipos de orgasmo: vaginal, clitoriano, misto, de corpo inteiro, e geralmente elas podem ter vários, um após o outro. Enquanto a maioria dos homens só tem um orgasmo que não é nem de longe tão prazeroso ou intenso. Por isso, seria lógico que as mulheres corressem atrás dos homens em busca de sexo e não o contrário.

Em vez de continuar essa conversa, mude temporariamente para um tema não relacionado a sexo logo em seguida e deixe que ela tenha pensamentos subsequentes enquanto vocês conversam apaixonadamente sobre outra coisa que não tenha nada a ver com esse assunto.

O ENCONTRO DE SETE MINUTOS

Tipo de procedimento: Chamada à ação
Nível de dificuldade: 6/10
Taxa de sucesso: 65%
Saturação: 0%
Resposta: "Este procedimento exige um enquadramento muito forte para funcionar. Precisei deixá-lo divertido e usar um tom de brincadeira para que fosse eficaz. Além disso, teve que parecer algo espontâneo. Separar a mulher dos amigos foi o maior problema e ou eu precisava de um bom parceiro para manter o grupo entretido ou de uma mulher forte o bastante para se afastar dos amigos." – DocDan
Origem: Um dos artistas da sedução com quem eu mais gostava de sair enquanto escrevia *O jogo* era conhecido como Maddash. Toda noite nós transformávamos várias desconhecidas em melhores amigas. Pelo caminho, nós improvisávamos materiais como o Destruidor Total de Locais (alerta de procedimento bônus), em que eliminávamos todos os competidores do local dizendo às mulheres, quando elas estavam rindo e gostando de algo que falamos: "Olha, vou dizer um negócio. Escolha qualquer cara desse local. Eu vou até lá pessoalmente falar com ele, apresento vocês dois e garanto que nenhum deles vai ser tão interessante quanto nós." Se elas não escolhessem ninguém, Maddash achava que estavam basicamente admitindo que nós éramos os caras mais interessantes ali. O procedimento a seguir é outra bobagem que inventamos naquela mesma noite. Foi baseado em um princípio que lemos no livro *Persuasão e Influência*, de que a melhor forma de vender algo é diminuir o custo do compromisso. Então decidimos diminuir o custo do compromisso de sair para um encontro. Como a baixa taxa de sucesso deste procedimento

deixa claro, a calibração é fundamental para que ele dê certo. Primeiro, tenha certeza de que a mulher tem algum tipo de atração por você. E se ela relutar em se afastar dos amigos, convide-os para acompanhar vocês dois.

VOCÊ: Você parece legal, eu posso facilmente me imaginar querendo vê-la de novo. Se eu fosse um daqueles caras ali, provavelmente pediria para sair com você. Mas encontros são tão constrangedores. Quem quer passar quatro horas em uma mesa, sentado na frente de um estranho do qual você pode acabar nem gostando?

ELA: Sei como é, tenho várias histórias dessas.

VOCÊ: Então em vez de fazer isso, vamos ter o nosso primeiro encontro agora. Vamos fazer, digamos, um encontro de sete minutos. [*Confere o relógio.*] Agora são 21h50. Que tal me encontrar às 21h52, digamos, naquela mesa ali?

ELA: Tudo bem. Vejo você lá. Não se atrase, hein?

Encontre-a no local definido. Cronometre o início do encontro. Você pode fazer um dos procedimentos de demonstração de valor deste livro durante o encontro.

VOCÊ: Nossa, já são 21h59. O tempo realmente voa com você. Obrigado pela noite maravilhosa. E nem pense em mais nada, porque eu não beijo no primeiro encontro.

Aperte a mão dela formalmente. Depois, pode encerrar o encontro:

VOCÊ: Olha, acho que isso está indo rápido demais. Não é você, sou eu. Não estou pronto para um relacionamento sério agora. Espero que você entenda e não leve para o lado pessoal.

Ou vá para o segundo encontro, após o qual você poderá dar um beijo de boa noite nela.

VOCÊ: Olha, eu me diverti muito com você hoje. Devíamos fazer isso de novo algum dia. Você está livre em, digamos, dois minutos?

OS QUATRO TESTES DA MÃO

Tipo de procedimento: Conexão física
Nível de dificuldade: 3/10
Taxa de sucesso: 91,7%
Saturação: 0%
Resposta: "Sempre que usei este procedimento, tive uma interação divertida e acabei em uma ótima sessão de amassos. Se a garota não concordava, eu dava meia volta, pegava a mão dela e batia de leve, como uma forma divertida de punição. Uma garota fez biquinho para mim. Um biquinho que me beijou logo em seguida." – Drewder
Origem: Um dos maiores erros que eu costumava cometer era simplesmente me inclinar para a frente, procurando o beijo quando achava que era o momento certo. Depois que aprendi a aumentar naturalmente o contato físico até chegar ao beijo, criei o procedimento da evolução da troca de fase incluído em *O jogo*, que acabei usando para conseguir mais amassos do que posso contar. Com tempo, acabei ficando mais confortável com a tensão sexual e descobri que podia atingir o mesmo objetivo com menos palavras e uma linguagem corporal melhor.

Quando você sentir que ela não só ficaria confortável como apreciaria um contato mais íntimo, leve-a até outro local para conhecer um amigo seu, tomem uma bebida, vejam algo interessante ou apenas "deem uma volta". Lembre-se disso quando fizer o contato físico inicial: nunca puxe a garota na sua direção.

VOCÊ: Ei, vem aqui comigo.

PRIMEIRO TESTE

Quando levantar, ande na frente da garota e use a mão direita para segurar a mão dela. Tente deixar a mão reta, para que ela faça o movimento de segurá-la primeiro. Se por algum motivo ela vir sua mão e não segurar ou deixar a mão dela reta, geralmente significa que você não fez a calibração correta e ela ainda não está pronta para o contato físico. Se ela segurar sua mão, vá para o próximo teste.

SEGUNDO TESTE

Quando segurar a mão da garota e andar com ela pelo local, solte um pouco, sem mudar a posição da sua mão. Se ela continuar segurando sua mão, vá para a próxima etapa do procedimento.

TERCEIRO TESTE

Quando chegar ao destino, solte a mão da garota e não tente tocá-la novamente por alguns minutos. Em determinado momento comece a falar com outra pessoa: um amigo, o DJ, um vendedor. Se não houver mais ninguém lá, peça licença para dar um telefonema rápido e ver uma mensagem sobre a festa para a qual você vai depois.

Enquanto estiver distraído por essa pessoa (ou pelo telefone) e falando com a cabeça virada na direção contrária a dela, casualmente pegue a mão da garota. Faça isso com a atitude de quem está apenas garantindo que ainda está ciente da presença dela e mal pode esperar para se livrar dessa distração para que vocês possam retomar a conversa. Quanto menos você olhar para ela e mais o seu corpo estiver afastado da garota em questão, mais confortável ela vai ficar com seu toque. Se ela estiver segurando a sua mão confortavelmente e não fizer o movimento de soltar, passe para o quarto e último teste.

QUARTO TESTE

Quando estiver falando com a outra pessoa, passe o polegar calmamente pela parte externa da mão dela. Se ela massagear sua mão, está pronta para ser beijada.

Contudo, não há necessidade de beijá-la imediatamente. Continuem de mãos dadas por um ou dois minutos e depois solte. Você sempre deve ser o primeiro a quebrar o contato físico. Agora que você sabe que ela está interessada e que a janela para a intimidade física está aberta, pode esperar até 15 minutos antes de fazer a transição para o primeiro beijo.

O PROCEDIMENTO PARA BEIJO DO STYLE

Tipo de procedimento: Conexão física
Nível de dificuldade: 5/10
Taxa de sucesso: 81,5%
Saturação: 3,57%
Resposta: "Tentei este procedimento cinco vezes com os quatro testes da mão e três vezes sem ele. A única vez que não funcionou foi sem o teste da mão. Também aconteceu de uma garota reconhecer o teste. Ela mencionou que o ex tinha falado a mesma coisa durante o primeiro beijo deles. Mas ela me beijou mesmo assim." – ProdigyAlpha
Origem: Não há procedimento que faça uma mulher beijar você se ela não quiser. O único objetivo de um procedimento para beijo é chegar até a intimidade de modo confortável, sem ativar a resposta automática dela de evitá-lo. Usei este procedimento pela primeira vez enquanto fazia um exercício psicológico chamado Cubo com uma dançarina que conheci. Eu ainda tinha dez minutos de procedimento, mas sabia que a janela para o beijo estava perto de se fechar caso eu não agisse logo. Observe que, ao contrário da crença popular, o primeiro beijo funciona melhor no meio do encontro em vez de no final da noite.

Quando estiver no meio de qualquer história ou procedimento, comece a hesitar e faça uma pausa enquanto continua a olhar nos olhos dela, como se estivesse distraído.

VOCÊ: Então aí a gente disse... É... A gente tem que... Levantar. Para.
ELA: O quê?

VOCÊ: Para de me olhar assim. Está me distraindo.
ELA: Assim como?

Segure o alto da cabeça dela e, gentilmente, afaste-a de você.

VOCÊ: Agora sim, melhorou. Onde eu estava mesmo? Ah: então a gente disse que... Ah, foda-se. Vem cá.

A essa altura, se ela estiver olhando para você e sorrindo, você pode se inclinar para a frente e beijá-la (Evite inclinar-se totalmente na direção da garota. Ela precisa fazer pelo menos um pouco do trabalho.) Se você não tiver certeza se ela está pronta para ser beijada, em vez de dizer: "Foda-se. Vem cá", continue com:

VOCÊ: Céus, eu estou fazendo um esforço imenso para *não* te beijar agora. Para de me olhar assim.

Após dizer isso, observe a reação dela. Se a garota mantiver contato visual ou olhar para baixo de modo tímido, você pode iniciar lentamente o primeiro beijo.

Se a linguagem corporal se fechar, ela começar a dar uma desculpa ou fizer um comentário do tipo "Ah, você é um fofo", então diga com um sorriso antes de mudar de assunto:

VOCÊ: Calma aí. Antes eu preciso de confiança, conforto e um vínculo. Eu flerto muito, mas não sou fácil. [*Pausa.*] Ao contrário do que todos dizem.

COMO ELEVAR A TENSÃO DE ÚLTIMA HORA

Tipo de procedimento: Conexão física
Nível de dificuldade: 6/10
Taxa de sucesso: 82%
Saturação: 0%
Resposta: "Embora eu estivesse cético em relação a este procedimento, quando chegou a hora de tirar o sutiã da garota e ela disse não, concordei e fui brincar com meus periquitos. Depois de cinco minutos, estávamos de volta à cama. Em dez minutos, estávamos nus." – Bones
Origem: Embora os homens geralmente fiquem ansiosos antes de abordar uma garota, as mulheres tendem a ficar mais nervosas quando estão prestes a cruzar o ponto sem volta em termos sexuais. A maioria dos caras comete o erro de correr para a linha de chegada quando, ironicamente, diminuir a velocidade e abrir mão de um resultado físico específico vai fazer você chegar lá mais rápido. Este procedimento é uma depuração rápida do conhecimento sobre o assunto que adquiri na comunidade, em livros sobre psicologia feminina e com a prática.

PRIMEIRA ETAPA: ESTABELEÇA CONFIANÇA

A essa altura, bem antes da garota estar pronta para intimidade com você, diga algo nesta linha:

VOCÊ: Muitas mulheres se preocupam com o tempo que devem esperar para dormir com alguém. E sempre que me perguntam quantos dias devem esperar para fazer sexo com um cara de quem gostam, eu só penso: "Vocês não entendem mesmo os homens."

ELA: Como assim?

VOCÊ: Alguns caras vão esperar o tempo que for preciso para dormir com uma garota. Podem ficar esperando meses só para "se dar bem". O que a maioria das mulheres não entende é que antes do final do primeiro encontro, o cara já sabe se ela é para namorar.

ENTÃO A VERDADE MESMO É QUE VOCÊ NUNCA DEVE DORMIR COM UM CARA ATÉ ELE SABER O SEU VALOR. EM OUTRAS PALAVRAS: não durma com ele até saber que ele gosta de você por algo mais do que o sexo, ou seja, por quem você é. Mas às vezes você pode conhecer alguém logo de cara, rolar uma conexão e tudo bem. Se você dormir com ele na mesma noite ou uma semana depois, não vai mudar o que ele sente a seu respeito. Na minha experiência, os relacionamentos mais apaixonados em geral já começam apaixonadamente. A maioria dos caras normais não julga as garotas por transar rápido demais. Eles ficam felizes de tirar o clima estranho para que algo mais possa se desenvolver no relacionamento.

ELA: Talvez. Sei lá.

VOCÊ: É sério. Eu tinha um amigo meio pegador. Uma noite ele saiu, conheceu uma mulher e fez sexo com ela no banheiro em 15 minutos. Agora eles estão casados. Se houver química, não tem jeito. Outra coisa importante, contudo, é você ter a certeza de estar com um cara discreto, que não sai falando por aí. Você não é uma dessas pessoas que conta tudo aos amigos ou escreve no Twitter depois, é?

ELA: Não.

VOCÊ: Que alívio. Eu acho que se chama vida particular por um motivo: ela deve ser particular.

SEGUNDA ETAPA: SEJA O PRIMEIRO A PARAR

Jamais faça a mulher pedir a você para parar ou ir mais devagar. Para evitar que isso aconteça, dê a ideia antes que ela o faça. Aí, se você começar a notar resistência ou ansiedade da parte dela, pare de beijar ou tire as mãos de onde quer que estejam e diga algo nesta linha:

VOCÊ: Opa, melhor a gente parar. Estamos indo rápido demais.

ELA: É.

VOCÊ: Vamos conversar um pouco. Tipo, você já andou a cavalo?

Se ela contar uma história, ouça e converse um pouco, depois retome o amasso. Se ela parecer entediada pela pergunta ou história e quiser continuar o amasso, apenas diga:

VOCÊ: Ah, foda-se. Vem cá.

Você pode fazer isto duas ou três vezes antes de ir para a próxima etapa, se necessário.

TERCEIRA ETAPA: ENTRE NO RITMO DELA

Se você não conseguir parar de beijá-la antes que ela o faça, basta concordar quando a garota disser que as coisas estão indo rápido demais. Lembre-se: no calor da hora, um argumento lógico só vai piorar a situação. Como ela está reagindo a um sentimento, vá mais devagar, ainda mantendo a paixão alta de modo que ambos concordem que você foi "malvado" enquanto continuam a dar amassos e se excitar mutuamente.

ELA: É melhor a gente parar.
VOCÊ: Tem razão. Não deveríamos mesmo estar fazendo isso agora.
ELA: Ah, meu Deus. Nem me fale.
VOCÊ: Somos muito malvados por fazer a gente se sentir assim tão bem.

QUARTA ETAPA: PARE TUDO

Como último recurso, após usar as outras técnicas, se ela continuar a parar você ou afastar a sua mão, basta dar um pouco de espaço, mais do que ela deseja. Faça isso casualmente, sem mostrar qualquer sinal de aborrecimento ou decepção.

Às vezes basta criar distância para ela reiniciar o contato, mas existem momentos em que uma atitude mais extrema pode ser necessária. Nesse caso, acenda a luz, desligue a música e depois cheque seu e-mail no laptop, assista a um programa chato na TV ou atenda o celular e tenha uma ótima conversa com alguém.

ELA: Está tudo bem?
VOCÊ: Não se preocupe. Eu só respeito muito os limites das pessoas. Sempre fiz tudo com calma, talvez até demais, provavelmente pela forma que fui criado. Quando alguém diz não, eu assumo que é sério e paro tudo. Eu sou assim e acho que faz sentido. Quando faço amor com alguém quero

que seja incrível, algo que nos deixe feliz no dia seguinte e faça o sexo ficar ainda melhor a cada vez. E se a pessoa com quem estou sente que não quer isso totalmente, então não é certo continuar. Não tem problema, mesmo.

Após dizer isso, é muito provável que ela vá procurá-lo para reiniciar o contato. Se não for o caso, você pode trabalhar ou assistir à TV por um tempo, depois dizer "Vem cá" e continuar. Geralmente se você apenas disser "Levante os braços" ou "Tire a blusa" ela vai se sentir mais confortável para isso.

QUINTA ETAPA: SEJA EXCELENTE

Apesar de tudo isso, o melhor a se fazer, além de garantir que ela não se sinta como uma vadia ou sendo usada para o seu prazer, é ser realmente bom de cama. Não como um ator pornô, pois esses filmes são feitos para atender às fantasias dos homens, mas como um personagem de romance, que intuitivamente entende tanto o corpo quanto os sentimentos de uma mulher. Se você puder ensiná-la algo sobre o próprio corpo e ajudá-la a sentir um prazer inédito, ela vai querer estar com você só pelo aprendizado. Leia livros como O orgasmo múltiplo do casal, *de Mantak Chia, ou* The Tao of Sexology, *de Stephen Chang, e se você for capaz de demonstrar autoridade sobre o corpo de uma mulher sem parecer desesperado ou carente, ela é quem vai seduzir você.*

O ENCONTRO DUPLO PARA O SEXO A TRÊS

Tipo de procedimento: Conexão física
Nível de dificuldade: 6/10
Taxa de sucesso: 80%
Saturação: 0%
Resposta: "Fiz o meu primeiro sexo a três graças a este procedimento. E nunca tinha nem ficado com a segunda garota. Quando elas chegaram, eu estava com o livro da Nancy Friday em cima da mesa e comecei a falar sobre várias fantasias. Aí eu saí da sala. Quando voltei, elas estavam dando uns amassos. Eu fui para cama e falei: 'Isso não é justo. Venham aqui.' Aí beijei uma garota, depois a outra. Dez minutos depois, elas estavam fazendo sexo oral em mim no colchão inflável e pensei: 'Espero que este colchão não estoure.' Sinceramente, foi a coisa mais incrível do mundo." – Hype
Origem: Em *O jogo*, eu escrevi sobre usar a massagem dupla de indução para iniciar o sexo a três, mas depois que percebi o quanto várias mulheres eram receptivas ao sexo a três desde que ele pareça ocorrer confortavelmente e de modo espontâneo, descobri que poderia ser um pouco mais direto. Então comecei a usar esta metodologia geral. O procedimento foi pensado para juntar duas mulheres com as quais você já esteja dormindo sem nenhuma relação de exclusividade.

1. Quando estiverem a sós, pergunte à Mulher 1: "Você já beijou outra mulher?"

2. Em outra ocasião pergunte o mesmo à Mulher 2.

3. Se ambas tiveram uma experiência da qual não se arrependeram com outra mulher ou sentirem curiosidade em relação a isso, continue o procedimento.

4. Nunca mencione que gostaria de fazer sexo a três com qualquer uma das mulheres. Após fazer a pergunta acima, evite voltar ao assunto.

5. Faça planos com as duas mulheres na mesma noite. Diga a cada uma separadamente: "Vamos nos encontrar lá em casa. Talvez a gente saia para beber com uns amigos meus depois." Se uma das mulheres tiver um relacionamento mais forte com você ou for mais possessiva, marque com ela meia hora antes da outra. Não fale para nenhuma delas que vai haver outra pessoa na casa. Elas devem imaginar que vão dormir com você sozinhas.

6. Ligue para cada uma delas enquanto estiver a caminho da sua casa, dizendo: "Estou convidando uma amiga para se juntar a nós. Acho que você vai gostar dela."

7. Há uma grande probabilidade de a mulher não aceitar, mas provavelmente ela também não vai recusar. Em vez de esperar o sim, logo que a ideia tiver sido assimilada e ela parecer ter concordado de modo não explícito (geralmente dizendo algo fofo e tolerante), mude de assunto e fale de outra coisa. Veja um exemplo de diálogo com uma mulher mais cética:

VOCÊ: Convidei uma amiga para brincar com a gente hoje.

ELA: Como assim?

VOCÊ: O nome dela é [*nome*].

ELA: [*Faz uma longa pausa.*]

VOCÊ: Lembra que a gente ficava falando sobre fazer algo novo e ousado, mas nunca fazíamos nada? Achei que estava na hora de mudar isso.

ELA: Uma amiga falou que acrescentar uma terceira pessoa pode acabar com um relacionamento.

VOCÊ: Bom, não temos nenhuma obrigação com ela, independente do que aconteça. Nós podemos conversar e, se não parecer legal, não precisamos fazer nada com ela. Só vai acontecer se todos os envolvidos se sentirem confortáveis e parecer legal. Se não, podemos falar para ela ir embora.

ELA: Não sei se eu me sinto confortável com outra mulher na cama conosco.

VOCÊ: Faz sentido, porque tudo isso depende de como o cara age. Se o sujeito faz tudo girar ao redor dele, ninguém se diverte. Ele é um cara babaca e nem um pouco legal. Mas se ele fizer tudo girar em torno do prazer da garota e da experiência dela, então pode ser algo excelente e muito confortável.

ELA: [*Silêncio.*]

VOCÊ: [*Mudando de assunto.*] Nossa, eu estou sentado aqui fora e está perfeito. É a temperatura ideal, nem quente demais, nem frio demais. Você chega em quanto tempo?

ELA: Uns 15 minutos.

VOCÊ: Ótimo. Até já.

8. Quando elas chegarem, envolva as duas em uma atividade divertida e não sexual, como jogar um videogame do qual elas gostem, participar de uma demonstração de valor ou ajudar você a vasculhar o armário em busca de roupas para jogar fora.
9. Ofereça uma bebida para ambas, não para deixá-las bêbadas ou altinhas, apenas para criar um clima romântico e transgressor.
10. Em algum momento dos primeiros 15 minutos, peça licença para ir ao banheiro ou dar um telefonema. É importante deixá-las sozinhas por uns instantes para que se conheçam.
11. Assim que voltar, convide-as para a cama, envolvendo-as em uma atividade não sexual (como mostrar fotos ou vídeos no seu computador.) Em vez de se posicionar entre as duas, deixe a mulher com maior probabilidade de ser possessiva (Mulher 1) ficar no meio.
12. A essa altura, as mulheres sabem o que vai acontecer e provavelmente vão tomar iniciativa em tom de brincadeira ou agir de modo sugestivo. Comece a dar uns amassos na Mulher 1, casualmente. Enquanto faz isso, segure a mão da Mulher 2.
13. Agora dê uns amassos na Mulher 2. Durante o processo, guie a cabeça dela para que vocês deem o amasso logo acima da Mulher 1.
14. Agora afaste a cabeça e, se necessário, vire gentilmente o rosto da Mulher 2 na direção do rosto da Mulher 1. Em geral, elas vão começar a

dar uns amassos apaixonadamente, iniciando o sexo a três. Ao longo do processo, faça de tudo para que nenhuma delas sinta ciúme da atenção que você está dando à outra ou da atenção que a outra está dando a você, mesmo se isso significar o sacrifício do seu prazer. Em uma vez a cada vinte, elas podem não querer se beijar, mas vão querer ficar com você. Então basta revezar beijando as duas, garantindo que elas estejam sempre recebendo um pouco da sua atenção, mesmo se for apenas contato visual.

EPÍLOGO
Observação para as leitoras

Você pode estar lendo isto e pensando: "Meu Deus, aquele cara usou exatamente estes procedimentos comigo."

E depois pode pensar: "Fui enganada."

Esta observação é para garantir de modo não sarcástico e muito menos falso que estes procedimentos existem apenas para ajudar os homens a evitar constrangimentos e rejeições.

Você não pode ser levada a dormir com alguém que não desejava. Por outro lado, pode ser facilmente convencida a não dormir com alguém que você *realmente* deseje. Estes procedimentos foram feitos para impedir os homens de afastar ou entediar uma garota de quem eles gostam, amam ou desejam.

Se algum destes materiais a incomoda, lembre-se de que as regras do jogo não foram criadas pelos homens. Nós adoraríamos chegar para vocês e dizer: "Oi, vamos trocar números de telefone", "vamos tomar um café", "vamos nos casar" ou até "vamos foder naquele beco ali". Mas se isso desse certo com frequência, vocês seriam abordadas por centenas de caras dizendo a mesma coisa todos os dias e, consequentemente, desenvolveriam um processo de filtragem para separar os desejáveis dos indesejáveis.

Embora os procedimentos sejam feitos para seguir as suas regras (não as da sua mente consciente e sim as do subconsciente), no fim das contas, a decisão é sua. Você diz sim ou não, pare ou continue. E independente do cara usar esses procedimentos ou não, isso não tem nada a ver com ele ser sincero ou falso ou ser boa ou má pessoa.

Se um homem está usando estes roteiros, isto significa que ele leu este livro e não quer perder você para o nervosismo, inexperiência ou ansiedade.

Então este material é manipulador? Claro que sim. Toda grande comédia romântica começa com algum tipo de manipulação, mesmo se for apenas uma mulher derrubando algo de propósito na frente do cara que deseja conhecer ou um homem fingindo ser mais bem-sucedido do que realmente é. Como seres humanos, manipular está em nossa natureza. Até um bebê chorando está tentando manipular os pais em busca de comida ou atenção. A verdadeira pergunta que você deveria fazer ao encontrar um homem não é "Ele está me manipulando?", mas sim "Ele está me manipulando com boas intenções ou não?"

E se as intenções dele forem boas, você sabe o que fazer.

O DIÁRIO DE STYLE

Apresento aqui, caro leitor, o relato de uma época notável de minha vida, do modo como a vivi. Confio em que será não apenas um registro interessante como, em um grau considerável, útil e instrutivo. É *nessa* esperança que eu o redigi e essas devem ser minhas desculpas por quebrar a reserva delicada e honrosa que em boa parte nos restringe de expor publicamente nossos erros e enfermidades. De fato, nada é mais revoltante às sensibilidades inglesas do que o espetáculo de um ser humano se intrometendo em nossa percepção de suas úlceras ou cicatrizes morais.

Thomas de Quincey,
Confissões de um comedor de ópio, 1821

AS REGRAS DO JOGO GOVERNAM NOSSA
VIDA, PROSPERIDADE E FELICIDADE.

AS REGRAS DO JOGO SÃO EMOCIONAIS E NÃO LÓGICAS.

AS REGRAS DO JOGO NÃO MUDARAM AO LONGO
DA HISTÓRIA, INDEPENDENTEMENTE DE
RAÇA, CULTURA OU NACIONALIDADE.

AS REGRAS DO JOGO SÃO IMUTÁVEIS.

AS REGRAS DO JOGO PODEM FAZER VOCÊ TRANSAR,
SER AMADO, SE CASAR, SE IMORTALIZAR.

ELAS TAMBÉM PODEM FAZER VOCÊ SER TRAÍDO,
ABANDONADO, FICAR DEPRIMIDO, APANHAR,
SER PERSEGUIDO, ESFAQUEADO, BALEADO.

UTILIZE-AS COM CUIDADO, POIS ESTAS PÁGINAS NÃO TÊM O
OBJETIVO DE SER UMA PRESCRIÇÃO, MAS UMA PREVENÇÃO.

SUMÁRIO

INTRODUÇÃO

– Quais são os seus objetivos? – perguntou ele.

– Meus objetivos?

– É. Se você não souber para onde está indo, não vai saber como chegar lá.

– Acho que meu objetivo é quantidade, qualidade e variedade. Meu objetivo é dar amassos com mulheres que acabei de conhecer, receber boquetes em banheiros de boates, dormir com uma pessoa diferente dia sim, dia não, e me envolver em estranhas aventuras sexuais com várias mulheres.

Ele ficou sentado em silêncio, ouvindo, então eu continuei. Nunca tinha articulado antes, seja em voz alta ou para mim mesmo. Isso foi há muitos anos, assim que descobri a Pedra de Roseta da atração na forma daquela sociedade oculta de mestres da arte da sedução.

– Quero corromper jovens virgens, reacender paixões de donas de casa entediadas, seduzir e ser seduzido por estrelas, estudantes, modelos, executivas e deusas tântricas. E depois, entre todas essas mulheres, eu vou escolher uma para amar.

– Como você vai saber quando tiver a encontrado? – perguntou ele.

– Acho que simplesmente vou saber porque não vou querer mais estar com outras mulheres.

– Certo, parece um bom plano. E faz sentido, até certo ponto – disse ele. Esperei. Eu sabia que ele estava prestes a encontrar uma falha no meu raciocínio. "Mas o que acontece depois de um ou dois anos, quando o sexo não for mais tão excitante? O que acontece se você tiver um filho e ela ficar menos disponível para você em termos emocionais e sexuais? O que acontece se vocês enfrentarem um período difícil e começarem a brigar o tempo todo?"

– Se isso acontecer, provavelmente vou querer dormir com outras mulheres – respondi. Eu então o observei quando ele tirou as pernas do chão e as cruzou no sofá, em posição de superioridade espiritual. – Mas eu precisaria me controlar. Acho que conseguiria pensar em outras mulheres como cigarros. Mesmo desejando, eu não cederia à tentação por saber que é ruim para a saúde do relacionamento.

Aí eu esperei pela pergunta inevitável. Ele era produtor musical, mas parecia que nunca estava trabalhando. Eu o conheci em sua casa em Malibu e passamos horas discutindo o sentido da vida enquanto o criado indiano dele nos trazia garrafas de água e pratos de comida vegana.

– Então você ficaria bem dormindo os próximos cinquenta anos com a mesma mulher? – perguntou ele.

Ele tinha exposto a fraqueza da minha estratégia romântica e provavelmente da de muitos homens. Eu amo a risada das mulheres. Amo os lábios, os quadris, a pele, o toque, o jeito que o rosto delas fica durante os espasmos do êxtase sexual. Amo o jeito como elas acalentam, sentem, cuidam, intuem e entendem incondicionalmente. Eu anseio criar essa bolha de paixão que nos leva ao momento exato e nos conecta com a energia do universo. E estimo, mais do que tudo, o momento na cama logo após a primeira vez, quando tudo em que podemos nos agarrar foi dado.

– Bom, isso seria difícil para mim – admiti. – O ideal seria ter o melhor dos dois mundos.

– Acho que é um pedido razoável. Afinal, o mundo está aí para isso. Quem está na vida para não viver?

– Então você está dizendo que existe um jeito de estar comprometido com um relacionamento amoroso e dormir com outras mulheres mesmo assim?

– Não falei isso. Apenas falei que existe um jeito de ter o melhor dos dois mundos.

– Como? Um relacionamento monogâmico já é um desafio. É por isso que 25% de todos os crimes são casos de violência doméstica, que a taxa de divórcio é de 50% e que a maioria dos homens e mulheres já traiu o parceiro. Talvez o paradigma do relacionamento que a sociedade vem nos impondo não seja natural.

Ele me olhou com ar de reprovação. Continuei mesmo assim: – Mesmo se você for fiel ao longo destes cinquenta anos, ainda vai olhar a mulher que passa ao seu lado na rua, ou procurar uma revista ou site pornográfico alguma noite. E isso vai fazer a sua parceira pensar que não é o bastante para você.

– Isso é verdade. Você não pode ter um relacionamento saudável se a parceira não se sentir segura.

– Exatamente. Então, considerando a natureza dos homens, como é possível dar segurança a uma mulher em um relacionamento?

– Provavelmente não querendo o melhor dos dois mundos – disse ele.

– Mas não é natural. Você acabou de falar que o mundo é assim.

– Bom, então você vai ter que encontrar um jeito de fazer o que deseja sem magoar a pessoa que ama.

Às vezes eu o odiava. Porque ele tinha razão.

Nos dias seguintes eu analisei mentalmente a conversa em busca de respostas. Falei com homens e mulheres em todos os lugares que ia, fazendo a mesma pergunta: – Se você não tivesse que se preocupar em ter filhos e nem precisasse de alguém para cuidar de você na velhice, você ainda se casaria?

A maioria dos homens disse não. A maioria das mulheres disse sim. Foi aí que eu percebi que o modelo tradicional de relacionamento é definido pelas necessidades da mulher e não pelas do homem.

Então eu comecei a fazer uma nova pergunta:

– Digamos que você conheceu alguém com quem experimentou uma conexão em todos os níveis e quis namorar essa pessoa. Mas a pessoa disse que após dois anos iria desaparecer da sua vida para sempre e não haveria nada que você pudesse fazer a respeito. Você namoraria essa pessoa mesmo assim?

A maioria das mulheres disse não. A maioria dos homens disse sim, alguns até comentaram que esse seria o cenário ideal.

Então onde fica o mito de "uma mulher e um homem felizes para sempre" que está na base de toda a nossa civilização? Aparentemente fica em uma balança desequilibrada, pois o instinto natural dos homens parece alternar entre períodos de relacionamentos amorosos e de solteirice hedonista, com alguns filhos traumatizados no meio como imperativo evolucionário.

Quando voltei a encontrar meu amigo, contei a minha conclusão:

– É um jeito meio triste de se viver – comentou ele.

– Pois é. E o problema é que venho vivendo exatamente assim. Exceto pela parte das crianças. Como não quero traumatizar ninguém, estou esperando descobrir uma solução para todo esse dilema de relacionamento que satisfaça as necessidades de ambos os sexos.

– Você seria um bom político – disse ele, não como elogio. – Porque é o tipo de cara que não consegue matar uma mosca, abelha ou barata, mas não tem o menor pudor em contratar uma dedetizadora para matar um monte deles.

– O que isso quer dizer?

– Quer dizer que a sua ética está toda fodida – concluiu ele, abaixando sua garrafa d'água.

Vivemos em uma sociedade que gosta de fazer julgamentos claros entre bom e mau, certo e errado, sucesso e fracasso, mas não é assim que o universo funciona. O universo não julga. Desde o início dos tempos ele funciona com base em apenas dois princípios: o da criação e o da destruição. Chegamos a um acordo em relação ao impulso criador – afinal, é por isso que estamos aqui –, mas vivemos com medo da destruição porque ela um dia vai ser o motivo para irmos embora.

Não quero apenas oferecer um livro de autoajuda e dizer que você terá uma vida perfeita em trinta dias se o seguir à risca. Há o outro lado do jogo: o destrutivo. E quanto mais sucesso você tiver, maior será a probabilidade de esbarrar nele. Especialmente considerando que, mais do que qualquer outro instinto, o impulso sexual contém tanto o lado criativo quanto o destrutivo.

A inspiração para este livro foi a série anterior de conversas, que aponta para uma disparidade aparentemente irracional entre as necessidades emocional e sexual de homens e mulheres, sem contar a relutância em admiti-las e expressá-las. Elas também enfatizam uma semelhança que transcende os gêneros: o medo de ficar sozinho e os dramas e comédias que ocorrem porque, como disse o diretor Rainer Werner Fassbinder, "nós nascemos para precisar uns dos outros, mas não aprendemos a conviver uns com os outros".

As 11 histórias a seguir são verdadeiras e todas, exceto duas, aconteceram durante o período em que fiz uma imersão na subcultura dos artistas da sedução e recebi o apelido de Style, conforme relatado em *O jogo*. Ao contrário de *O jogo*, porém, estas histórias falam menos sobre conquistar a garota e mais sobre a natureza do desejo em si. Elas traçam vagamente um arco metafórico da vida amorosa de um homem, chegando à pergunta que nenhum dos gurus da sedução que conheci enquanto aprendia o jogo conseguiu responder: o que fazer após o orgasmo?

Autores de ficção têm sorte: eles podem se esconder atrás dos personagens imperfeitos que criam. Aqui, o único personagem imperfeito sou eu. No processo de abordar milhares de pessoas para dominar o jogo e a mim mesmo, os três motores do meu comportamento (instintos hereditários, criação familiar e forças sociais) entraram em conflito o tempo todo. Como resultado, magoei sentimentos alheios, fiz péssimas escolhas, assumi riscos pouco saudáveis, perdi oportunidades importantes e cometi erros idiotas e irreversíveis.

Também fiz um bocado de sexo incrível.

E aí está o conflito.

De cada uma destas experiências eu tentei tirar uma lição. E isso não foi fácil. Porque algumas delas não deveriam nem mesmo ter acontecido.

REGRA I

A ATRAÇÃO NÃO É UMA ESCOLHA

Estou sentado no sofá e ela espera uma resposta.

Ela está me ensinando francês.

Está sentada muito perto. E fala muito devagar. Acidentalmente, mas de propósito, ela esbarra as costas da mão no meu joelho.

Ela me quer.

Ela deve ter pelo menos 60 anos.

E de alguma forma eu me sinto atraído por ela.

Conheço os sintomas: zonzo, com vertigem, olhos perdem o foco, o ambiente parece derreter, músculo pubococcígeo contrai.

Olho para ela: ela é velha, cara. E não no bom sentido. Apenas velha. E cansada. Cabelos preto-grisalhos quebradiços que se acumulam de modo negligente no alto da cabeça. Poros do tamanho de ervilhas que cobrem o rosto todo. O corpo parece um saco de cascalho. Meias de compressão. Veias com varizes. Óculos de vovó. Buço.

Tenho que sair daqui. Antes que seja tarde demais.

– Preciso voltar a escrever... Eu também... Bom, então tchau... Claro, uma aula de francês seria... Não sei quando... Trabalho e tal... Mas sim, claro... E dê minhas lembranças ao Josh... Obrigado... Para você também.

Jesus. Essa foi por pouco.

Moramos no mesmo andar do mesmo prédio em Pasadena há seis meses. Passamos um pelo outro no corredor muitas vezes. Ela sempre estava com o filho autista, Josh. Eu me sinto mal por ela, que é mãe solteira e sacrificou a vida inteira para cuidar do filho e alimentar o gênio musical autista dele. Josh sabe nome, letra, acordes, data de gravação e número de catálogo de todas as canções dos Beatles e não tem vergonha de recitá-los para estranhos. Ele nunca se esquece de um rosto ou fato. Josh a envelheceu prematuramente.

Mas toda vez que esbarro com ela no corredor ou no elevador, há um negócio. Uma energia. Eu me sinto atraído e hipnotizado. Não consigo descrever de outra forma, mas sei que é atração. Quero beijá-la. Não faz o menor sentido lógico. As únicas mulheres mais velhas com quem dormi eram as que qualquer garoto com sangue nas veias escolheria: pernas compridas, corpos sarados, bronzeado artificial, cabelos de comercial de xampu. Nunca me senti atraído por uma mulher como esta. E ainda assim, às vezes à noite enquanto me preparo para dormir, minha mão desce preguiçosamente para dentro da cueca boxer. E eu me pego pensando nela.

Moro em Los Angeles. Vejo algumas das mulheres mais lindas do mundo todos os dias. Elas estão em toda parte: carregando horrorosos cachorrinhos de madame, sentadas no Starbucks em uma terça-feira à tarde porque são bonitas demais para trabalhar em um emprego convencional, correndo na praia como se estivessem se candidatando a participar de *America's Next Top Model*.

E o que eu faço? Prefiro me masturbar pensando na velha encarquilhada de 60 anos do meu prédio.

Eu poderia ter qualquer uma nas minhas fantasias. E a essa altura poderia ter qualquer uma na vida real também. Por que continuo escolhendo ela?

Dois dias depois, eu pego o elevador para a garagem com minha companhia da noite anterior, Darcy. Ela é sexy, porém misteriosa. Diz que seu trabalho é dar festas para homens em Las Vegas. Gostaria de ir a uma dessas festas algum dia.

– Oi, Neil – cumprimenta uma voz alta e anasalada quando saímos do elevador.

É o Josh. Ele já tinha encontrado a Darcy no prédio uma vez, havia cerca de três semanas. Ele acabou de fazer 15 anos. Está começando a ter acne e sentimentos em relação a garotas que não consegue explicar. Ele gosta de falar comigo sobre masturbação e o quanto odeia a mãe.

– Oi, Darcy. Você tem 26 anos e é de Newton, Massachusetts, não é? – Ele sabe que está certo. Exibido. – Você é bonita.

Nancy dá um sorriso sem graça para nós.

– Desculpem. Josh, venha cá.

Olho para Darcy. Ela fez bronzeamento artificial. Tem peitões dados por um médico de Beverly Hills. É magra como um palito por causa da metanfetamina. Ela é uma boneca de porcelana de juventude, sexualidade e maldição.

Olho para Nancy. Ela está pálida por causa da luz artificial. Pelancuda por conta da idade. Rechonchuda pela falta de exercícios. Ela desistiu da juventude, da sexualidade, de si mesma. A cruz autista que precisou carregar por tantos anos a consumiu, destruiu, arrasou.

Eu estava ficando doido?

– Ei, Neil, "The Long and Winding Road" é uma boa música. Você gosta?

– É ótima – digo ao Josh.

– Foi composta no mesmo dia em que "Let It Be" – informa ele. – É a única música do álbum que tem apenas Paul McCartney no piano, e não Billy Preston. O que você acha que ele quer dizer quando canta "crying for the day"? Por qual dia ele está chorando?

Essa é a tragédia de Josh. Ele conhece os fatos, mas metáforas são vagas demais.

– O dia em que as coisas eram melhores.

– Você não acha que ele podia estar apenas falando do dia anterior?

Ele é literal demais. Não percebe que, se as palavras apenas representassem as definições do dicionário, elas não serviriam mais ao propósito da expressão. Não haveria Beatles, literatura ou poesia. Há algo por baixo de cada palavra que afeta sua expressão e interpretação. Chama-se emoção. A incapacidade de reconhecê-la é algo que Josh e Darcy têm em comum.

– Josh, deixe o Neil em paz – arrulha Nancy de dentro do elevador, com o dedo apertando o botão de abrir a porta.

E depois diz para mim:

– Ele está empolgado porque vai dormir na casa do professor de piano hoje.

A porta se fecha. E eu me pergunto o sentido daquela frase.

Ela estava só se desculpando pelo comportamento dele?

Ou estava tentando dizer que ficaria sozinha aquela noite?

Nem posso ter certeza de que ela já tenha pensado em mim dessa forma. E claro que, após ter visto Darcy, ela não pode imaginar que eu realmente esteja interessado nela.

Tudo isso é simplesmente ridículo. Mas vejo muito potencial no Josh. Gostaria de apresentá-lo a mais músicas boas. Seria bom ele ter um mentor mais próximo da idade dele.

Naquela noite eu me vi na porta da Nancy com um CD do Zombies em mãos. Fico me dizendo que estou apenas emprestando um CD ao Josh porque vai abrir um novo mundo musical para ele. Mas eu sei por que estou realmente aqui: para ver o que acontece.

Eu não acho que realmente iria até o fim, se tivesse a oportunidade. Seria nojento. Quero apenas satisfazer minha curiosidade. E ela parece uma pessoa interessante. Muito culta. Gostaria de saber mais sobre a história dela: como era antes de ter o Josh? Como ganha a vida? Onde aprendeu francês? Coisas assim.

Nancy não parece surpresa quando atende à porta. Ela está usando um vestido preto amorfo, meia-calça volumosa e tem a bochecha atabalhoadamente maquiada com blush. As mangas do vestido apertam os braços na altura do cotovelo, criando um rolo de pele que lembra uma salsicha polonesa.

Ela se afasta e segura a porta aberta. De acordo com as regras da educação, eu devo entrar.

Agora estou no covil. E sinto a energia mudar ao meu redor.

– Isto é para o Josh – digo.

Ela pega o CD da minha mão. Os dedos não tocam os meus.

– Quer um pouco de chá? Acabei de fazer – oferece ela.

A teia está se formando.

– Claro.

Eu sento no sofá. É de um tecido de aniagem, com um cobertor de lã amarelo e branco servindo de capa. Tem cheiro de sândalo e cinzas. Estou tendo dificuldade para respirar. Sinto um aperto no peito. Olho a porta. Parece longe demais.

Estou arruinado.

Meu pau está forçando levemente o tecido da calça jeans. O que está acontecendo?

Olho para a Nancy. Minha avó era mais bonita que ela. Isso não faz sentido.

Ela se enrola um pouco com as xícaras de chá. Eu agradeço.

– *Je vous en prie* – responde ela.

Adoro quando ela fala francês. O sotaque é perfeito.

Nós conversamos sobre o Josh. É o assunto de sempre. Ele está ensaiando para um recital de piano e consegue tocar qualquer música de ouvido. O professor está impressionado. Não consigo me concentrar. Não consigo me concentrar. Não consigo me concentrar.

Ela quer me mostrar fotos, que estão em um álbum cor de creme. Ela se senta ao meu lado, coloca o álbum no colo e o abre com dedos elegantes. A capa cai por cima da minha perna esquerda.

– Este é Josh e o professor dele em frente ao Schoenberg Music Building.

Eu não vejo. Não sei. Não me importo. Minhas narinas estão tomadas pelo aroma dela. O coração bate forte. A sala está girando. Preciso fazer algo para impedir isso.

Levanto a mão e retiro desajeitadamente uma mecha solta de cabelo do rosto dela. Parece um limpador de cachimbo.

Ela para de falar, levanta a cabeça e vira na minha direção. Um golpe de cinzas de sândalo me atinge no rosto. Preciso tê-la.

Meus lábios esmagam os dela. É como se o último acorde de uma sinfonia soasse triunfante na minha cabeça.

Os lábios dela são ásperos e irregulares, mas a língua é macia e gorda. Ela meio que simplesmente a coloca na minha boca, deixando-a lá, e a sensação é boa. Ela emite aquela energia lenta e sensual que tem e a envia por todo o meu corpo.

Sei que é errado. Estou plenamente ciente de que ultrapassei um limite.

Felizmente, ela percebe o meu incômodo.

– Devemos ir para o quarto? – pergunta ela.

Eu não fico chocado com isso. Na verdade, acho uma ótima ideia.

Ela mostra o caminho. Eu sigo e, enquanto vejo o corpo dela se mexendo na minha frente, com protuberâncias para todos os lados e sem forma alguma que possa ser definida como sexual, o feitiço se quebra. Por um momento eu tenho a opção de ir embora. Mas não vou.

Sou compelido por minha natureza a terminar o que começo. E talvez eu nunca tivesse a opção de ir embora, no fim das contas.

Ela senta na beira do que parece uma cama de hospital. Com esforço, tira lentamente as pernas do chão e as coloca no colchão.

Tiro os sapatos e a acompanho. Ela não fala nada, e nem eu. Uma palavra poderia destruir tudo.

As mãos dela enlaçam as minhas costas. Nossas línguas se unem novamente. O cheiro de idosa emana da pele. Não quero fazer isto devagar.

Começo a tirar o vestido enquanto me equilibro por cima dela, depois vou para o lado e a deixo terminar o trabalho.

A pele dela tem cor de jornal velho. A calcinha termina onde começa o sutiã. As duas peças de lingerie parecem excessivamente grandes. E não combinam. A calcinha é branca, o sutiã é o que chamam de nude. Eles são voltados para a função, em vez de para a forma.

Não quero me demorar aqui. Não quero me demorar em lugar algum.

Estendo as mãos e abro o sutiã um colchete por vez. Coloco um dos seios na boca. Parece o certo a se fazer.

Consigo me desconectar por um momento para imaginá-la como desejável enquanto circulo a língua pelo mamilo. Estimulado, decido parar de olhar e escapar para o mundo das sensações.

Mas aí eu estendo a mão para tirar a calcinha. E por baixo dela, em vez de pele eu sinto plástico. Apalpo ao redor. Há algum tipo de bolsa plástica anexada ao quadril.

Não consigo me lembrar de muita coisa depois disso. Eu me lembro de uma estranha onda de náusea tomando conta de mim. E me lembro de continuar mesmo assim porque é a minha natureza. Também me lembro de não ter durado mais do que cinco minutos. E me recordo de conversar o mínimo necessário depois para garantir o conforto dela. Depois, fui embora.

Nos dias seguintes eu não pensei muito em Nancy. Não do jeito que costumava pensar. Falei com ela ao telefone algumas vezes depois para que ela não pensasse que eu a estava evitando no corredor, o que era verdade. Não sei dizer por que não fantasiava mais com ela. Talvez fosse o fato de lhe ter atribuído uma sensualidade que na verdade não existia. Ou talvez fosse a bolsa plástica.

Um mês depois, me mudei. Não por causa da Nancy. E sim porque me sentia isolado e apático em Pasadena. Eu queria morar onde as pessoas estivessem lutando, esforçando-se e tentando ser alguém, porque é ali que está a ação. É onde você encontra vida. Onde você encontra mulheres lindas e desesperadas, se essa for a sua praia.

Liguei para Nancy e me despedi. Prometi manter contato e ver o recital de Josh, que aconteceria em breve.

A história deveria acabar aí, mas não acaba. Na verdade, provavelmente nem deveria ter começado. Mesmo assim, sete meses depois, quando fui pegar as cartas com o síndico, eu a vi de novo.

Ela parecia magra. Tinha perdido ao menos 15 quilos. Os cabelos estavam limpos, tingidos de preto e amarrados em um coque perfeito no alto da cabeça. Ela usava batom, rímel, sombra. Praticamente brilhava.

De braços dados com ela estava um homem, que parecia ter a idade dela. Baixo e careca, mas não feio. Ele era alegre, bronzeado, confiante.

– Oi, você está ótima – falei.

– *Merci* – respondeu ela. Parecia feliz.

– Cadê o Josh?

– Eu o mudei para outro andar – disse ela naquela voz lenta que um dia me encantou. – Ele mora no apartamento 502 agora, com um tutor que contratei.

Ela ficou muda por um instante e sorriu levemente para mim. Até havia clareado o buço.

– *Merci* – repetiu.

Havia uma energia nova em Nancy. Não era atração. Era gratidão. Senti como se tivesse feito algo bom por ela, como se tivesse destrancado e liberado algo que ela nem lembrava mais que tinha. Talvez fosse a energia que senti o tempo todo: uma mulher exuberante tentando se libertar da prisão em que estava desde o nascimento do filho.

Pensei por um instante que talvez tivesse encontrado uma vocação: ser o anjo da foda. Em toda parte existem mulheres que desistiram da sexualidade. Eu as vejo no aeroporto, apavoradas demais para terminar com os maridos infiéis que não valorizam o amor delas. Eu as vejo na praia, tão ocupadas cuidando dos filhos ingratos que se esquecem de cuidar delas mesmas. Eu as vejo na lanchonete 24 horas, ainda curando as feridas de um fim de namoro que aconteceu há décadas, observando as garçonetes de 20 anos com ódio e pensando: "Um dia você vai ver!"

Todas já tiveram 18 anos e emanaram juventude, energia, sensualidade, possibilidade e incontáveis pretendentes em potencial até que um, dois, dez ou vinte deles tiraram toda aquela luz. Eu poderia seduzi-las. Poderia foder lenta e carinhosamente cada uma delas. Fazê-las voltar aos 18 anos. Não por mim, mas por elas. Para que a sexualidade, a paixão e a individualidade pudessem despertar de novo e elas percebessem que ainda há muita vida pela frente e os 18 anos nem são tão bons assim.

Eu poderia fazer isso.

Quando saí de lá, entrei no SUV que tinha acabado de comprar e dirigi para a minha nova casa em Hollywood, percebi a falha no meu plano: não tinha sido eu que havia seduzido e salvo Nancy. Ela me seduziu. E eu segui em frente. Mudei. Cresci.

Talvez a gratidão que senti fosse a minha.

REGRA 2

UM ELO ROMPIDO QUEBRA A CORRENTE

Kevin vai chegar a qualquer momento. Ele quer sair e conhecer mulheres. E ainda estou de cueca boxer. Não tomo banho nem faço a barba há dias, cara. Quando me olho no espelho, vejo o fantasma do Yasser Arafat olhando de volta.

Não deveria sair quando preciso entregar um livro em duas semanas. Mas meus olhos vão derreter nas órbitas se eu continuar olhando para este computador. Estou escrevendo há três semanas sem parar. Está na hora de interagir com seres vivos de novo. Minhas habilidades sociais estão enferrujando.

Preciso me recompor rapidamente. Meu relógio da sorte Vostok, soviético e quebrado, de alguma forma viajou para a cozinha, onde está mergulhado em manteiga de amendoim. Preciso limpar a cozinha. Se alguém entrar aqui, vai ser uma vergonha.

Vou colocar isso na minha lista. Mas primeiro preciso encontrar a lista, que provavelmente está no bolso da minha calça jeans *premium boot-cut* da Levi's. O jeans está na pilha de roupas. É para lá que vão as peças que vesti, mas que não estão fedendo o suficiente para serem lavadas. É o altar a partir do qual componho minha identidade todos os dias.

Ontem tive uma ideia para um livro que também preciso acrescentar à lista. O que era? Algo sobre viver sem tecnologia por um ano.

Merda. A campainha. É o Kevin. Esqueci que vinha e ele já chegou. Tome jeito, Neil. Kevin precisa que você faça o sacrifício de iniciar conversas com as belas mulheres do sul da Califórnia.

Pego a calça Levi's. Cheiro. O aroma da calça é um misto de macadâmia e meu quarto pós-sexo. Serve.

– Oi. – Kevin dá um sorriso torto quando atendo à porta. – Você vai sair assim?

Visto a outra perna da calça. Só preciso encontrar uma camisa. Algo bacana. Algo da minha pilha, porque se é bacana eu provavelmente usei no último mês. E se usei no último mês, definitivamente não lavei.

Procuro a camisa preta. Na dúvida, use preto. É a rede de segurança da moda masculina. Pego a ponta da gravata cinza que comprei em Londres e a puxo da pilha. A gravata parece esquisita. Posso tê-la colocado para lavar acidentalmente mês passado.

Só preciso de um cinto. Preciso remexer a pilha para achar o cinto. Cada peça tem uma história. Como esta camiseta amarelada que comprei há sete anos em um porão de Boston que vende roupas por um dólar o quilo.

– Ei, cara, vai ficar lotado se a gente não chegar lá rápido – avisa o Kevin. Ele chega tarde e fica com raiva de mim, como se eu fosse algum preguiçoso.

Vou usar a gravata esquisita como cinto. Agora preciso de algo para usar no pescoço. Colar com pingente? Discoteca demais. Cadarço de sapato? Muito fino. Fita vermelha de presente de Natal? Boa. É como uma gravata de seda natural.

– Pronto?

– Pronto.

– Assim?

– Estou ótimo. Confio no meu charme.

Kevin é meu amigo, mas não muito. Se o meu carro quebrasse, eu não ligaria para ele pedindo ajuda. Somos unidos apenas na busca por mulheres.

– Você se lembra da garota que fiz ligar para você na outra noite? – pergunta ele enquanto abro a porta do carro. Em algum lugar embaixo dessas garrafas de Coca-Cola e latas de Red Bull está o banco do motorista.– Eu a levei para casa e íamos entrar na jacuzzi, mas minha mãe esvaziou aquela porra.

Tem um resto de precioso e revigorante Red Bull nesta lata. Preciso da minha taurina.

– Nós entramos mesmo assim e ela me pagou um boquete enquanto eu olhava as estrelas – diz Kevin, sentado em cima do meu rascunho.

Parece que há uma névoa na minha cabeça. Preciso espantá-la. Ficar concentrado no momento. Bato palma. Mexo a cabeça. Uso minha caixa vocal.

– Testando, testando. – Deu certo.

– O que você está fazendo? – pergunta Kevin.

– Aquecendo.

Dirijo 3,7 quilômetros até o bar James Beach, entrego as chaves ao manobrista, sorrio, entro, finjo ser normal. Há garotas por toda a parte, bebendo, rindo. Cada uma delas singular, e cada vez mais intoxicada pelo súbito cheiro de macadâmia no recinto.

Duas mulheres que parecem ter 20 e poucos anos se afastam do bar. Preciso começar a falar ou vou ficar engasgado a noite inteira. Sinto a mão do Kevin nas minhas costas me empurrando na direção delas. Eu devia pegar a mão dele e vender para os homens que têm muito medo de abordar mulheres.

– Vocês conhecem o meu amigo Kevin? Ele faz parte da única banda de rock cristão totalmente formada por judeus – apresento.

– O quê? – pergunta uma das garotas. Ela tem altura de modelo, cabelos louros finos, compleição levemente morena e veste um blazer branco com botões de arco-íris. Parece o tipo de garota que você encontraria em uma dessas livrarias que vendem incenso no caixa.

– Ele faz parte de uma banda – repito.

– Eu também – diz ela, de modo amigável e meio gentil. Eu não esperava que ela me levasse a sério. Imagino que botões de arco-íris sejam um sinal de tolerância.

A amiga usa um top tubinho branco e apertado, tem o corpo compacto, cabelos pretos compridos e rosto anguloso. O tipo de garota que você encontraria no escritório de vendas de uma academia.

Preciso voltar a frequentar a academia. E ter uma alimentação mais saudável. E passar fio dental diariamente. Estou perdendo tudo.

– Isso é manteiga de amendoim no seu relógio? – pergunta a Garota da Livraria, pegando a minha mão.

– Cuidado com o material. É manteiga de amendoim militar soviética vintage. Vale uma fortuna.

Enquanto Kevin e eu conversamos com a Garota da Livraria e a Garota da Academia, automaticamente definimos os pares. Por que me dou ao trabalho de escrever? Isto é muito mais divertido.

– Você só tem uma vida para viver – digo para a Garota da Livraria. As palavras não são minhas. Elas pertencem a Joseph Campbell, falecido professor de mitologia. – Marx nos ensina a culpar a sociedade pelas nossas fraquezas, Freud nos ensina a culpar nossos pais e a astrologia nos ensina a culpar o universo.

A névoa se dissipou. Engraçado como tudo volta rapidamente. Vivo esquecendo que as pessoas tendem a ser educadas a menos que pensem que você deseja algo delas, o que obviamente é verdade.

– Mas o único momento para procurar culpa é se você não tiver coragem de trazer à tona o seu eu completo, se não realizar seus desejos, se não aproveitar o que está na sua frente nem viver o seu potencial.

Ela está com lágrimas nos olhos. Obrigado, Joseph Campbell. Pego a mão dela, que faz um carinho leve em troca. Eu me esqueci de cortar as unhas. Preciso acrescentar isso à lista. Mantenho na cabeça uma lista de coisas que preciso acrescentar à lista que está no bolso.

– Isso é exatamente o que eu precisava ouvir – disse ela, tomando outro gole de cerveja –, porque estou grávida de três meses e estou me fazendo um monte de perguntas.

Por algum motivo isso não me assusta. Olho para a Garota da Academia. Kevin está massageando os ombros dela e sussurrando em seu ouvido. Consigo entender as palavras "sexo anal".

A Garota da Livraria diz que mora com o namorado e o ama muito. Também conta que a amiga é casada, tem dois filhos e os ama muito.

A noite é escura.

Uma vez fui apresentado ao Prince em um bar e ele me perguntou o que eu fazia da vida. Falei que escrevia livros. Ele me perguntou o assunto e respondi que eram sobre o lado sombrio.

– Por que o lado sombrio? – perguntou ele.

– Porque é mais interessante – respondi.

– Mas o lado da luz também pode ser interessante – alertou ele.

Queria que o Prince estivesse aqui agora. Ele veria que estava errado. Toda aventura a ser vivida neste local está no lado sombrio. As pessoas do lado da luz estão dormindo agora. E sonhando com o lado sombrio. Porque, quanto mais você tenta reprimir o lado sombrio, mais forte ele fica, até encontrar um jeito de vir à tona. Eu durmo bem. Sonho com anjos, pães de ló e ursos pandas. Não vejo o lado sombrio até abrir os olhos. E hoje parece que esse lado vai ser uma amazona *new age* grávida que mora com o querido namorado.

– Vocês nos levam até o carro? – pergunta a Garota da Academia quando o bar fecha. – Não gostamos de andar sozinhas a essa hora da noite.

– Isso vai custar mais caro – diz Kevin. Elas não riem. – Espere um pouco enquanto procuramos nossos amigos.

Claro que não tem amigo algum. Foi a forma que o Kevin encontrou para ficar sozinho comigo e traçarmos um plano. E isso é ótimo, porque eu gosto de planos.

– Certo – conspiro com ele. – Vamos dizer a elas que nossos amigos foram embora e precisamos de carona para casa.

– Adorei. Mas e o seu carro?

– Deixamos aqui com o manobrista e pegamos amanhã.

As garotas concordam em nos levar para casa sem hesitar. Um plano simples pode fazer a diferença entre ir para casa sozinho ou acompanhado.

Estamos andando pela rua agora de braços dados. Estamos salvando as moças dos criminosos. Elas estão nos salvando dos taxistas. É um acordo justo.

– Uau, é engraçado como formamos casais – comenta a Garota da Livraria. Minha cabeça encosta no ombro dela. E se ela não se importa com isso, eu não me importo.

O carro delas é um BMW conversível, indicando que certamente tinham dinheiro para o manobrista. Talvez elas também tivessem um plano.

A Garota da Livraria quer tocar a música dela. Isso me preocupa, mas também permite que eu continue com a fase dois do plano.

– Parece ótimo – digo. É brega e me dá vontade de socar borboletas. – Mas está ventando demais para ouvir a letra. Leve a música para a minha casa e podemos ouvi-la em um lugar mais tranquilo.

Ela concorda.

Mulheres não são burras: ela sabe com o que acabou de concordar. Estacionamos e andamos de braços dados até a porta da minha casa. A infidelidade está no ar. Ela é sombria e tem cheiro de macadâmia.

Coloco a mão no bolso para pegar a chave.

Não está lá.

Verifico os bolsos de novo, como se tudo estivesse bem. Faço uma revista completa em mim mesmo. Sinto o potencial da noite começando a se dissipar.

As garotas estão me olhando desconfiadas agora. Todas as dúvidas que o álcool e o papo mole afastaram estão voltando à tona mentalmente a cada segundo. Elas sabem que há algo errado.

Tudo bem. Não entre em pânico. Obviamente, devo estar com a chave porque fui dirigindo para a boate. Se não...

Merda. Sou um idiota. Deixei o carro com o manobrista, então minha chave ainda está com ele. E estou trancado fora de casa.

Em um piscar de olhos, crio um plano. Sempre existe um plano.

– Deixei minha chave lá em cima, mas não tem problema. Vou subir pela varanda. Sempre faço isso – explico.

Nunca fiz isso.

– Em que andar você mora? – quer saber a Garota da Academia. Boa pergunta.

– No terceiro. Espere aqui. Já volto.

Corro para a lateral do prédio e olho para cima. É possível. É só um quebra-cabeça. E todo quebra-cabeça tem solução.

Tenho que pensar rápido. Estou perdendo as duas.

Acredito que consigo fazer isto. Sem problema. Se eu cair, vou morrer.

As garotas me seguem e olham para a lateral do prédio, desconfiadas.

– Estou ficando meio cansada. Provavelmente devia ir para casa – comenta a Garota da Livraria.

Imagino que isso faça sentido. Afinal, ela está grávida. E eu realmente não deveria fazer sexo com ela.

– Só vai levar um segundo. Espere na porta e logo vou estar lá para deixar vocês entrarem. Não se preocupem.

É hora de salvar a noite.

Subo na grade do primeiro andar. Ela está solta e treme embaixo dos meus pés. Eu não planejei isto. Preciso andar rápido.

Agarro a parte de baixo da varanda do segundo andar e impulsiono o corpo para cima. Meus antebraços tremem. Não deveria ter parado de ir à academia. Mexo as pernas para dar impulso. Estou meio sem ar. Faço uma pausa aqui, com a parte de trás da minha calça Levi's pendurada ao vento.

Certo, só preciso impulsionar a parte de cima do corpo agora. Silenciosamente. Se eu acordar alguém, podem chamar a polícia. Ou atirar em mim.

Estou no segundo andar agora. Tudo está sob controle. Basta repetir o processo e estarei na minha varanda e em casa, fazendo sexo com essa garota e o embrião dela.

Eu estico o corpo e agarro a parte de baixo da minha varanda, dou o impulso para cima e mexo as pernas para alcançar o peitoril. Estou quase em casa. Só preciso impulsionar a parte de cima do corpo para não ficar com as pernas penduradas no ar.

Há um pequeno problema. Não consigo me mexer. Meu cinto-gravata agarrou em algo. Não consigo ver desta posição, mas provavelmente é um prego.

Preciso apelar para a força bruta. Puxo com força a grade da varanda. Meus antebraços estão ficando cansados. Agora a grade está se curvando na minha direção. Isso não é bom.

Eles fazem gravatas realmente fortes em Londres.

Pense, Neil. Pense. Você é mais inteligente que este prego.

Tem um hotel do outro lado da rua. De repente eu posso fazer um sinal para alguém na janela. Mas o que a pessoa faria? Provavelmente chamaria os bombeiros e causaria uma cena e tanto.

Preciso refazer meus passos. E desfazer a escalada do prédio.

Desço para o segundo andar e a gravata desliza de um prego enferrujado que provavelmente segurou uma jardineira algum dia.

Em pé no balcão do segundo andar, tiro o cinto-gravata e o coloco no bolso. A calça jeans está caída até a metade da bunda. Não vou conseguir subir com a calça caindo. Preciso tirá-la.

Tiro as botas, a calça, inclino o corpo na direção da borda da varanda e jogo tudo para cima, na direção do meu apartamento.

A calça e uma das botas caem no andar de baixo.

Quando olho para baixo para ver se a calça sobreviveu, vejo faróis na rua. É um conversível. As garotas estão indo embora. A noite está arruinada. Eu sabia que devia ter ficado em casa escrevendo. Por que deixo o Kevin me convencer?

– Está tudo bem – grita Kevin, enquanto calço uma das botas de novo. – A garota casada vai voltar.

Ele está falando alto demais. Vai acordar a vizinhança toda.

– Acho que podemos fazer um sexo a três com ela – grita ele.

– Shh!

Uma luz se acende no apartamento em cuja varanda estou de pé. E eu estou de cueca boxer e com uma bota só.

Só existe um jeito de salvar a situação. Corro para a grade, escalo e dou o impulso para a minha varanda. Tudo acontece rápido demais e com um pânico tão grande que nem sei como consegui. Posso ter acabado de provar a teoria da evolução. Obviamente, se eu consigo acessar os genes escaladores dos meus ancestrais macacos, posso viver sem tecnologia para aquela ideia de livro.

Que noite horrível. E meu quarto está uma zona, com roupas por toda a parte. Minha cabeça está martelando de dor. Preciso me lembrar de pegar a bota na varanda de baixo depois.

E de pegar minha calça na rua.

E de buscar a chave e o carro que está a 3,7 quilômetros.

Preciso acrescentar tudo isso à minha lista, mas primeiro definitivamente tenho que verificar meus e-mails. Algo importante pode ter chegado e preciso resolver. O brilho da tela do computador e o barulho do disco rígido acalmam meus nervos. Aqui é o meu lugar. Lá fora é uma selva.

Kristen está vindo para a cidade e quer ficar comigo. Magnus quer que eu conheça uns rappers noruegueses. E Stephen Lynch quer que eu lhe mande trechos de um artigo que escrevi sobre ele.

Tenho um livro para entregar em duas semanas. Definitivamente não vou poder fazer nada disso. Então escrevo para Kristen dizendo que estou trabalhando em um livro, mas que ela pode ficar, desde que entenda que preciso escrever. Digo ao Magnus que estou trabalhando em um livro, mas posso encontrá-los para um jantar rápido, pois preciso comer de qualquer jeito. E digo ao Stephen Lynch que estou muito ocupado para mandar os trechos agora.

Cortar as unhas. Preciso acrescentar isso à lista agora, antes que eu me esqueça de novo.

O interfone. Quem pode ser a essa hora?

– O que você está fazendo aí em cima, porra?

– Já vou descer.

Kevin está sentado na frente do meu prédio. E não está feliz comigo. Provavelmente não sou o tipo de amigo para quem ele ligaria se o carro dele quebrasse.

– Tira esse laço do pescoço. Você está ridículo – ataca ele.

Nós esperamos, esperamos e esperamos. A Garota da Academia volta, mas diz que está cansada e quer ir para casa. E estou bem com isso. Afinal, ela é casada. E nós realmente não deveríamos fazer sexo grupal com ela.

Às vezes os erros acontecem por um motivo. Preciso escrever meu livro. O prazo se esgota em 14 dias. Na verdade, agora são 13.

E um livro dá muito trabalho. Exige uma imensa quantidade de organização e planejamento. Felizmente, sou muito bom nisso.

REGRA 3

O JOGO É UM ESTADO SEM FRONTEIRAS

Estou escrevendo isto caso algo de ruim aconteça.

Se eu desaparecer, por favor me procurem.

Lembrem-se do nome Ali Raj. Ele é mágico, mas pode ter um negócio paralelo ilegal. Ele é supostamente amigo do filho do primeiro-ministro. E caso esteja quebrando algum tabu aqui, quero que você saiba o que aconteceu.

Eu amo o jogo. E acredito que possa estar viciado. Ele mudou minha vida de um jeito que nunca imaginei ser possível. No Ensino Médio e na faculdade, meus amigos voltavam dos intervalos de inverno e primavera falando sobre os amores das férias. Minhas únicas lembranças das férias eram queimaduras de sol e ímãs de geladeira. Jamais consegui relaxar e me divertir. Estava ocupado demais me preocupando com o que todos iriam pensar de mim.

Mas depois que aprendi o jogo, tudo mudou. Novas aventuras me chamavam sempre que saía. Visitei a Croácia e acabei fazendo sexo no mar com uma garota de 19 anos que mal falava inglês. Fui de avião para uma cidadezinha no meio-oeste dos EUA para uma matéria do *New York Times* e fiquei com uma dona de casa rica, depois dormi com a sobrinha dela. E na minha primeira noite na Suécia conheci uma garota que fez striptease no meu quarto de hotel ao som de ABBA como parte das preliminares.

Agora estou em Bangladesh, onde não existem boates, álcool ou namoros. E eu tenho opções.

Mas não conheço as regras aqui. E tenho medo de acabar sendo morto.

Estou hospedado no Dhaka Sheraton. A única pessoa que me conhece aqui é meu companheiro de viagem Franz Harary, o ilusionista. Ele tem cabelos louros compridos, geralmente usa camisas amarelas com enchimento no peito e é muito educado. Pense no Yanni e adicione truques de mágica.

Ele acha que estou doente agora.

Mas estou no meu quarto de hotel, esperando Tripti chegar e torcendo para que Ali Raj e seu capanga não cheguem aqui antes.

Vou contar rapidamente como tudo começou:

Harary está aqui a convite de Ali Raj para se apresentar no Primeiro Festival Internacional de Mágica. Eu estou trabalhando em um livro sobre o qual ainda não contei a ninguém. Estou viajando pelo mundo em busca de pessoas com poderes que desafiem as explicações científicas. Quero encontrar a mágica de verdade, provar a existência do desconhecido, ter algo em que acreditar. E há um vilarejo na periferia de Dhaka, a capital, habitado por uma pequena tribo com um ancião cego que supostamente faz milagres a pedidos.

Tanto o festival quanto o vilarejo não são vistos com bons olhos pelas autoridades locais. Bangladesh é uma sociedade amplamente muçulmana e, como tal, considera mágica e milagres como pecados. De acordo com a rígida lei islâmica, esses atos são punidos com a morte. Importar mágicos do mundo inteiro são um luxo que apenas homens como Ali Raj, com muito dinheiro e ligações com o alto escalão do governo, poderiam ter.

Vimos Ali Raj em pessoa pela primeira vez quando passamos pela alfândega. Magro, com cabelos pretos perfeitamente lisos e um terno escuro, ele me lembrava a estátua de cera de um toureiro. Não acredito que ele tenha falado em momento algum. Acompanhado por uma comitiva diversificada de mágicos, seguranças, parentes e homens com cheiro de água-de-colônia que se apresentavam como negociantes, ele nos levou a uma entrevista coletiva montada em uma sala de espera do aeroporto.

Os repórteres se amontoaram em torno de Harary, que fez uma garrafa de Coca-Cola (símbolo dos Estados Unidos) desaparecer diante das câmeras. Os repórteres ficaram impressionados, mas Ali Raj não. Ele acenou com a cabeça para um dos capangas, um nativo de Bangladesh de rosto gordo e pochete, que encerrou a coletiva.

Os homens de Raj levaram Harary e eu para uma minivan com os mágicos. Enquanto passávamos pelas ruas lotadas de Dhaka, mulheres sem dentes e com gengivas sangrando, homens com tumores no rosto do tamanho de punhos e crianças com pés tortos e camisas rasgadas cercavam a van a cada sinal vermelho, implorando por esmola. E embora a pobreza fosse espantosa, as pessoas nas ruas pareciam mais felizes que os norte-americanos de classe média em geral. Imagino que se você nunca teve nada e não tem nada a perder, o simples fato de sobreviver já é uma proeza. Em casa, costumamos não dar o devido valor à mobilidade social ilimitada.

Vi Tripti pela primeira vez no dia seguinte no saguão do hotel quando voltava para o quarto depois do café da manhã. Ela se destacou não só por ser a única mulher do local como por estar enrolada em um sári totalmente branco e imaculado e usando um xale de lantejoulas da mesma cor em volta do pescoço. Ela tinha cabelos pretos e compridos, lábios carnudos de supermodelo e seios grandes e redondos que pareciam afastar o tecido do corpo.

Ela estava ao lado de Ali Raj, então supus que deveria ser esposa dele e, portanto, eu não deveria estar olhando para os seios dela.

Raj, como sempre, nada falou.

– Harary? – perguntou ela através dos lábios perfeitos.

– Ele está no quarto trabalhando na desaparição do helicóptero – expliquei a ela. Raj traduziu o que eu disse e nós entramos no elevador juntos.

– Gostei – elogiou ela, tocando nos meus brincos.

Os brincos são pequenas estacas de prata que comprei após aprender o conceito de pavonear. A ideia é que, assim como o pavão abre sua plumagem colorida a fim de atrair a fêmea da espécie, o homem também deve se destacar para atrair o sexo oposto. Embora eu estivesse cético no começo, depois que comecei a experimentar essas peças, por mais detestáveis e ridículas que fossem, os resultados foram imediatos, até em Bangladesh.

Ela fez um gesto para a minha cabeça raspada e perguntou:

– Eu tocar?

Sem esperar resposta, ela passou a mão carinhosamente pela minha cabeça. As mulheres em Bangladesh raramente fazem demonstrações de afeto tão físicas em público com homens. O fato de tocar minhas orelhas e minha cabeça equivaleria a uma mulher agarrando o meu saco dentro de um elevador nos Estados Unidos.

Eu os levei ao quarto de Harary e saí quando ele passava a Ali Raj os requisitos para a ilusão: um helicóptero, um piloto, uma área aberta e um lençol do tamanho de um helicóptero.

Pelo resto do dia, Tripti ficou sentada à mesa no saguão do hotel, vendendo ingressos para o espetáculo de mágica com o resto da equipe de Ali Raj. Toda vez que eu passava perto, ela me lançava um olhar cheio de desejo que transmitia um convite para o prazer.

Aí eu decidi aceitar o convite.

– Por que você não tira uma folga e almoça comigo? – sugeri.

Ela me olhou com doçura e deu um sorriso de quem não entendeu. Tradução: não complique.

– Almoço?

Enquanto ela tentava explicar algo complexo demais para quem não sabia inglês, um homem de Bangladesh baixo e musculoso, com cabelos pretos e camisa vermelha, chegou com duas quentinhas contendo alguma mistura de arroz que ele tinha comprado na rua.

Eu me apresentei.

– Sou Rashid, amigo. Sou primo de Tripti – respondeu ele.

– Você também trabalha para Ali Raj?

Ele balançou a cabeça afirmativamente. Todo mundo ali trabalhava para Ali Raj.

Sugeri que comêssemos juntos lá em cima. Se eu não conseguia ficar sozinho com ela, pelo menos podia conquistar a confiança do primo. Aqui era Bangladesh, eu não esperava ir muito longe mesmo.

Eu os levei ao quarto de Harary e me sentei com eles no sofá. O primo de Tripti educadamente me deu um dos pratos de arroz. Experimentei uma pequena colherada e algum tipo de veneno quente e mortal tomou conta dos meus órgãos internos.

– Gostou, meu amigo? – perguntou ele. É interessante como sempre que alguém te chama de amigo quando você não é amigo de verdade parece mal-intencionado.

– É ótimo – falei, engasgando.

Às vezes, no auge da paixão, há a tentação de fazer sexo sem camisinha. Naquele momento eu senti que tinha feito o equivalente culinário disso: todo guia de viagem recomendava evitar a comida de rua de Bangladesh.

Entre a energia sexual que emanava de Tripti, o tempero brutal do prato de arroz e a esquisitice da situação, gotas de suor começaram a brotar na minha testa. Era ridículo pensar que eu poderia ter um caso com aquela garota. Nossas culturas eram diferentes demais em relação a namoro e sexo. Nós preferimos o sexo antes do casamento, eles preferem casamentos arranjados.

Decidi reduzir os danos e tirar um cochilo no meu quarto. Não valia a pena arriscar dias de diarreia por isso.

Quando me levantei para ir embora, porém, Tripti virou e cochichou algo no ouvido do primo. Quando ele fez que sim com a cabeça, ela se levantou para ir comigo.

Ao sair para o corredor, ela me seguiu. Então eu a levei para o meu quarto, sem saber ao certo o que ela queria ou esperava.

Quando entramos, tive o cuidado de deixar a porta aberta para que ela não se sentisse incomodada. Quis demonstrar que entendia a moral da sociedade dela.

Eu sentei na cama e ela se posicionou ao meu lado, perto demais para conversar. Subitamente, a diarreia pareceu um risco que valia a pena.

Já vi vários filmes de Bollywood e uma das coisas mais estranhas neles é que o herói e a heroína nunca se beijam. Eles apenas chegam dolorosamente perto disso ao longo do filme inteiro. Então eu acariciei os cabelos de Tripti. Ela não hesitou. Olhei nos olhos dela e aproximei os lábios. Ela tinha cheiro de uva moscatel, de desejo, de algo proibido.

Subitamente, ela se afastou. Depois ficou em pé e andou na direção da porta. Talvez eu tivesse ido longe demais e interpretado mal as ações dela.

Em vez de ir embora, contudo, Tripti fechou a porta.

– Gosto de você – disse ela, enquanto vinha na direção da cama.

Evidentemente ela é mais fã dos filmes de Hollywood do que dos de Bollywood, que, aliás, são indianos. Em seguida eu a joguei na cama e começamos os amassos.

Foi quando as coisas ficaram meio esquisitas. Percebi que elas já estavam esquisitas, mas ficaram ainda mais.

Tripti colocou as minhas mãos nos seios dela e começou a falar um fluxo incompreensível de bengali e inglês. Para os meus ouvidos parecia uma respiração, era difícil de entender. Só consegui compreender os nomes "Bill Clinton" e "Monica Lewinsky".

E isso me deixou totalmente confuso, porque eu não tinha certeza se ela estava me oferecendo um boquete usando as únicas palavras em inglês que conhecia como sinônimos ou se estava simplesmente expressando sua opinião sobre a política norte-americana.

Supondo o melhor, decidi tentar tirar o sári dela. Como nunca tinha retirado um sári antes, não sabia muito bem por onde começar.

Ela tremeu de prazer quando eu passei as mãos desajeitadamente por seu decote, depois afastou minhas mãos:

– Eu boa garota. Tudo bem. Eu gosto de você – disse ela. Tradução: "Normalmente eu não faço isso, mas na verdade eu faço isso normalmente. Só não quero que você pense que faço isso normalmente".

Ela desabotoou a minha camisa e passou os dedos pelo meu peito. O outro braço foi diretamente na direção do volume na minha calça. Depois, Tripti começou a sussurrar repetidamente de modo sexual. Primeiro eu pensei que ela estava falando "*cholo*". Mas, na décima vez, parecia "*chulatay*".

Todas as células do meu corpo vibravam de desejo por ela, enquanto todas as células do meu cérebro tentavam entender como e por que isto estava acontecendo.

Três *chulatays* depois, ela se desembaraçou de mim, ajeitou o sári e se levantou como se nada tivesse acontecido.

– Ninguém – disse ela, colocando um dedo na frente dos lábios.

Tradução: "Não conte a ninguém" ou "Nunca mais vou beijar ninguém porque agora estamos noivos".

Aí ela disse as duas palavras que instilaram medo no meu coração: "Ali Raj". E fez um gesto de decapitação na direção do próprio pescoço.

– Boa garota – repetiu ela.

Eu sabia que tinha ido longe demais, mas algo me instigava a continuar. Talvez fosse o mesmo impulso que leva uma criança, quando alguém desenha uma linha imaginária na grama com a ponta do sapato e diz para ela não passar dali, "senão...", a cuidadosamente colocar o pé do lado proibido da linha. Não é apenas um ato de rebeldia, é a aventura que chama. O lado dele da linha é entediante, o outro lado abriga o desconhecido, o "senão". O Ali Raj.

Enquanto esperava o festival começar naquela noite, estabeleci a missão de descobrir o que significava *chulatay*. Acabei chegando a duas interpretações: "enforcar" ou "estou com fome". Espero que a última interpretação seja a correta.

Naquela noite as ruas perto do show de mágica estavam cheias de policiais e repórteres. O teatro ficava em um bairro universitário, centro do radicalismo islâmico, e houve várias ameaças de bomba. Sempre que alguém passava de bicicleta com um pacote na cestinha eu imaginava a manchete do dia seguinte: "Terroristas fazem mágicos desaparecer." Mesmo assim, fui para lá. Quem gostaria de viver em um mundo sem mágica?

Encontrei Tripti andando pelo saguão e a levei para a última fila. Enquanto um ilusionista espanhol chamado Juan Mayoral fazia algum tipo de solilóquio mágico do amor para um manequim, Tripti segurou a parte interna da minha coxa. Ela me apalpou e, com a respiração úmida no meu ouvido, sussurrou: – Como está Babu?

E começou a esfregar Babu por cima da minha calça.

Olhei o teatro: havia homens de Bangladesh por toda a parte e algumas famílias espalhadas. Todos eram sérios, educados, reservados, estavam prestando atenção no show, e eu tinha essa garota muçulmana gemendo no meu ouvido. Todo homem tem uma fantasia secreta: acabei de perceber que esta era a minha.

Como acontece com fantasias, porém, a realidade logo se intrometeu. O capanga de Ali Raj que usava pochete e estava na coletiva de imprensa brotou na cadeira ao meu lado. Tripti rapidamente tirou a mão de mim.

– Você é casado? – perguntou. Ele sabia exatamente o que estava acontecendo.

– Não – respondi.

– Vai se casar com ela?

– Acabei de conhecê-la. – Não conseguia dizer se ele estava empatando o lance ou se era algum tipo de plano para casar Tripti com um americano.

Entre os shows eu decidi procurar um lugar isolado para levar Tripti. Havia um monte de escadas e salas nos bastidores, mas, quando levantamos, Pochete fez o mesmo e não desgrudou de nós.

– Meu amigo – cumprimentou uma voz quando eu andava pelo saguão com a minha comitiva, que só aumentava. Era o primo dela. Meu inimigo. Todos os homens aqui eram meus inimigos.

Ele passou o braço direito pelo meu ombro.

– Este é o escritor americano – disse ele aos três homens em volta, que eram parentes ou capangas de Ali Raj. Ou ambos. Eles me cercaram e começaram a fazer amizade ao mesmo tempo. Sempre que eu levantava a cabeça para procurar Tripti, eles redirecionavam a atenção para a conversa: – É a sua primeira vez em Bangladesh? Está gostando daqui? Você precisa ir à minha casa para um jantar bengali tradicional.

Por fim eu vi Tripti, que parecia não ligar para a barreira protetora ou fingia fazê-lo a fim de preservar sua honra. Eu a levei para o teatro, mas a falange de homens de Bangladesh nos seguiu, tropeçando para chegar antes de nós, para ficar entre nós, ou ao nosso lado.

Quando sentamos, eles se colocaram nos lugares ao redor. Pochete acenou para que Tripti saísse, pegou o lugar dela e abriu as pernas até encostar o joelho no meu. Tudo pareceu mal-intencionado. Como se, em vez de brigar, eles apenas ficassem amigáveis demais por aqui.

– Então você gostou da Tripti? Talvez queira conhecer a mãe e o pai dela?

Só então eu senti um chute no abdome. Dobrei o corpo de tanta dor.

O arroz apimentado tinha feito um estrago.

Naquela noite voltei ao hotel derrotado. Passei uma hora no banheiro, desistindo da minha necessidade de transar em Bangladesh. De manhã, tomei um Imosec para poder visitar o vilarejo milagroso com Harary mais tarde.

No saguão eu vi Tripti no lugar de sempre, à mesa dos ingressos, radiante em um sári todo preto e repleto de contas.

– Ali Raj disse não sair da mesa – explicou ela, assustada.

Fiquei chocado com o esforço que esses homens estavam fazendo para nos separar. Era como se nós tivéssemos vindo de algum romance épico: dois amantes de culturas diferentes separados pela família. E por um mágico malvado.

Esses obstáculos só faziam aumentar o meu desejo por ela. Então, como um peixe que pela fome se move na direção da isca da própria maldição, fiz uma tentativa desesperada e apelei para um dos maiores clichês de uma longa tradição de comportamentos clichês na busca por mulheres: dei a ela a chave do meu quarto de hotel.

– Hoje à noite, sem mágica. Venha. Eu espero – disse para ela.

– Mas Ali Raj... – protestou ela. Eu estava cheio de ouvir essas duas palavras.

– Sem Ali Raj – retruquei. – Você. Eu. Hoje. Última chance.

Isso parecia mais uma liquidação de queima de estoque para fechar a loja do que uma tentativa de sedução.

Após um momento de reflexão, ela respondeu devagar, séria:

– Tudo bem. Eu vou.

De modo a dar uma desculpa plausível para a visita, deixei de propósito meus óculos escuros na bilheteria. Pareceu romântico de um jeito meio barato.

Então saí do hotel para me juntar ao Harary na van agendada para nos levar ao vilarejo dos milagres. O único problema era que a viagem tinha sido organizada por Ali Raj. Tudo era organizado por Ali Raj. Assim, a van estava tomada pelos meus novos amigos. O único que parecia confiável era um mágico mais velho e gentil que vestia uma camisa de poliéster duas vezes maior que o seu tamanho. O nome dele era Iqbal.

Pochete sentou ao meu lado, jogou o braço de valentão por cima do meu ombro e perguntou, com sorriso lento e uma piscadela:– Dormiu bem, amigo?

– Dormi – resmunguei. Queria me livrar dele. Essa bosta de amizade certamente era o equivalente bengali à tortura da água chinesa.

– O que é isto? – perguntou Pochete, estendendo o outro braço para tocar o zíper da minha calça jeans.

– Cara, qual é o seu problema? – Eu me levantei e sentei ao lado de Iqbal. Eu entendia empatar o lance, mas colocar a mão no pau era novidade para mim.

– Se estivéssemos nos Estados Unidos, eu partia a cara dele – falei para Iqbal. Os joguinhos deles estavam obviamente me perturbando.

– Os homens aqui gostam de controlar as mulheres – explicou, pacientemente. – Há mais ataques com ácido em Bangladesh do que em qualquer outro país.

Ataques com ácido?

– Sim, quando homens jogam ácido no rosto das mulheres que os rejeitam. Está melhor agora porque a lei ficou mais rígida.

Bangladesh conseguiu mesmo me derrotar e me afastar das suas mulheres. Não valia a pena arriscar que Tripti fosse desfigurada só para eu poder ter uma namorada local que nunca mais veria de novo. Eu nem estava em condições de transar, mesmo. Meu estômago parecia que estava tentando digerir um ouriço-do-mar. Eu precisava encontrá-la na volta e cancelar a escapada de hoje à noite.

Após outra hora e meia de estradas longas sacudindo as minhas entranhas, chegamos ao vilarejo, uma coleção de cabanas mal-pintadas em um campo estéril e sujo. Ninguém tinha TV a cabo ou assinatura de revista de moda, então nós éramos o único entretenimento, ainda mais por que Harary havia trazido uma equipe de filmagem para captar a confraternização com os locais.

As mulheres estavam lindamente maquiadas e cobertas de joias dos pés à cabeça. Enquanto andávamos, notei que um grupo de meninas adolescentes me seguia e encarava. Algumas acabaram criando coragem de se aproximar e apontaram para meus brincos, pulseiras, anéis e minha cabeça raspada.

Pedi a Iqbal para falar com as meninas e descobrir o que elas queriam.

– Todas as meninas gostam de você – contou ele quando voltou.

Em seguida apontou um par de rainhas da beleza descalças e cheias de joias e disse:

– Estas garotas querem se casar com você.

– Por que elas não querem se casar com Harary? É dele que as câmeras estão atrás.

Iqbal falou com elas por um instante, depois virou para mim e sorriu: – Elas gostam de você.

Naquele momento eu aprendi que o jogo é universal. Pavonear, a regra de se destacar em vez de se encaixar, personificando um estilo de vida mais excitante, em vez daquilo com que as pessoas estão acostumadas, parece funcionar em todas as culturas. Eu agora estava oficialmente obrigado a me vestir de modo ridículo pelo resto da minha vida de solteiro.

Quando encontramos o ancião milagreiro do vilarejo, descobri que outra coisa também era universal: os princípios da mágica. Os milagres eram apenas truques de prestidigitação, executados de forma original e exímia usando ossos de frango. Depois vimos um encantador antagonizar uma cobra cujo veneno tinha sido retirado e um homem fazer um velho truque de faquir no qual engolia um barbante e depois parecia retirá-lo do estômago.

Então o que descobrimos não foram pessoas com poderes que não conseguíamos explicar, e sim um vilarejo de mágicos que passavam truques de uma geração a outra e viajavam para outros vilarejos, fazendo esses truques por dinheiro. Em outras palavras, achamos um vilarejo cheio de Franz Hararys pedintes.

Quando voltamos ao hotel, a mesa da bilheteria estava vazia e Tripti não estava lá. Eu não tinha como entrar em contato com ela para desmarcar nosso encontro ilícito.

Então aqui estou eu, às 20h25 em Dhaka, sentado no meu quarto de hotel esperando Tripti chegar, passando o tempo defecando até as tripas e pesquisando ataques com ácido no Google. Houve 341 ataques em Bangladesh em um ano, a maioria envolvendo mulheres. A arma escolhida geralmente é o ácido sulfúrico, retirado de uma bateria de carro, despejado em uma xícara e jogado no rosto da mulher. A deformação resultante é mais horrível do que qualquer coisa vista em filmes de terror. E essas mulheres são as que têm sorte. As azaradas são obrigadas a beber o ácido.

Claro que eu poderia estar terrivelmente errado sobre Ali Raj e seus homens. Talvez eles estivessem na verdade ao meu lado e me protegendo de Tripti. Talvez eles quisessem me salvar da armadilha do casamento que ela armava para mim.

Ou talvez eles não estivessem empatando o lance, mas dando em cima de mim. De acordo com um site, cinco por cento da população de Bangladesh é homossexual.

Eu queria que ela chegasse logo. A internet é uma ferramenta perigosa nas mãos de um homem paranoico e com tempo livre.

Cinco buscas no Google depois, eu ouço passos no corredor. Aproximando-se. Uma batida na porta. Por que ela não usa a chave que eu dei?

Ouço a voz de Tripti. E uma voz de homem também. Ela está com alguém. Isto não é um bom sinal.

– Já vou!

Vou mandar isto para mim mesmo por e-mail. Com sorte, alguém vai verificar minha conta e encontrar a mensagem se algo me acontecer. Talvez eu devesse mandar uma cópia para o Bernard, por via das dúvidas.

Desejem-me sorte. Ou não. Eu provavelmente mereço o que vai acontecer, seja lá o que for.

...E AÍ...

ENTÃO VOCÊ CONSEGUIU VOLTAR INTEIRO.
OI, BERNARD.

RECEBI SEU E-MAIL.
VOCÊ ACHA QUE SOU LOUCO?
NÃO, JÁ ME ACOSTUMEI.

TERMINOU SEU LIVRO?
FALTAM QUATRO PÁGINAS.
MAS CONTE O QUE HOUVE...

...COM QUEM ELA ESTAVA
NAQUELA NOITE?

*Oi, Neil como / com *reiva*. Mas eu acho / *camoseta* e mão difícil. / boa garota isto, mas gosto muito / E eu te amo. Mando o seu / amor e beijo / Tripti.

*Oi Juan, e você? / você com *reiva*. / Eu gosto muito / e amo você. Mando / amor e beijo / Chula

REGRA 4

CONHEÇA O TERRENO ANTES DE INICIAR A JORNADA

MAGGIE

Maggie saiu pingando água da piscina nos fundos de casa, exalando perfume de gardênia e cloro. A água formava poças nas saboneteiras dela, em volta do seu pescoço, nos músculos jovens do abdome, nos vãos da gordura pós-parto que começava a desaparecer das coxas.

Ela caminhava na minha direção, rápida como a felicidade, e eu a levei para o andar de cima, com passos pesados no carpete branco e felpudo. Sentia inveja da forma como ela existia tão completa e livremente em cada momento e lutava para dissipar o redemoinho de ansiedades que rondava a minha cabeça como lobos caçando um cervo.

Eu a joguei na cama e quando ela atingiu o colchão soltou uma risada, preenchendo meu quarto branco e vazio com o som do feminino. Ela deitou lá e esperou pelo que sabia que viria. Se eu pudesse apenas pressionar meu corpo com força suficiente contra o dela, penetrá-la fundo o bastante, acalmar a batida do meu coração o bastante para que se igualasse à dela, talvez eu também pudesse me sentir jovem, livre e feliz.

Não sei ao certo o que ela queria de mim, um homem 12 anos mais velho, fora de forma e consumido pela preocupação com outro de uma série infinita de prazos. Talvez quisesse aceitação, sem saber que se trata de uma necessidade que, além de insaciável, é a origem da maioria dos erros cometidos na vida. Talvez quisesse maturidade, sem saber que é apenas uma jaula para a qual adultos fazem as crianças correrem, de modo que um dia elas possam sofrer tanto quanto eles. Ou talvez ela fosse tão despreocupada que desejasse apenas se doar.

LINDA

Linda enxugou o suor que escorria pela têmpora, mordendo o lábio inferior para meu proveito. Ela sentou cuidadosamente de pernas abertas em cima de mim, mantendo as pernas e os braços tensos e encostados na cama, a fim de impedir a rendição total. O corpo dela era comprido e ágil, como o de uma bailarina, mas com quadris de mulher e cabelos castanhos espessos que corriam pelas curvas planas, escondendo uma nudez que ainda lhe parecia suja. Os lábios de Linda estavam inchados de tantos beijos e as bochechas ruborizadas após as horas de paixão necessárias para deixá-la neste estado. Cada partícula de ar no quarto ínfimo onde ela cresceu, agora livre das lembranças infantis de quem tinha sido, estava tomada pela energia, intensidade e empolgação nervosa dela. Era isso.

– Vai devagar –disse ela. – Com carinho – disse ela. – Talvez só por um segundo – disse ela. Tudo o que uma garota falaria após tomar a decisão de fazer sexo pela primeira vez ela falou.

Foi quando Linda hesitou, como uma laranja balançando no galho pela última vez antes de cair. Ao longo do tempo ela tinha imaginado isto em tantas variações de cenário e tons de emoção, negando um pretendente após o outro porque eram como mercenários querendo colocar um foragido na prisão, não para fazer justiça e sim para receber a recompensa. Tinha que ser do jeito certo para que dez, vinte ou trinta anos depois ela pudesse recordar cada sensação e sorriso com a convicção de ter feito o certo.

Uma risada (nervosa, infantil, de mulher, estranha) escapou dos seus lábios quando Linda se ergueu e deu a volta, decidida, colocando uma perna de cada lado do meu quadril ossudo e encarando meus pés. Ela fixou o olhar no espelho retangular acima da frágil penteadeira de pinho que lealmente tinha guardado seus segredos ao longo de cada idade, etapa e metamorfose. Linda observou-se atentamente, girando o tronco um pouco para a esquerda de modo a formar um arco, semelhante a uma modelo, depois concentrou o olhar no próprio rosto para poder ver como ele ficava no momento da rendição que ela tanto havia controlado. Isto não era para mim, era para ela. E, em um lento segundo, energizado por 19 anos sendo filha, irmã e criança, tudo acabou.

EU

E agora eu me sento com as duas: Maggie à esquerda, usando um vestido de verão, e Linda à direita, com uma saia de camurça, ambas segurando a minha mão, ambas pensando que vou levá-las para casa hoje.

O modo como seguram minha mão reflete suas próprias crenças: a mão de Maggie repousa suavemente sobre a minha, sem preocupação ou urgência porque sabe que vai haver muito tempo para intimidade depois. Mas está errada. Ela não faz ideia de que, a meio metro de distância, a mão da irmã mais nova aperta a minha com força, possessivamente, em conspiração tácita. Em sua inocência, Maggie permitiu que a irmã cúmplice a acompanhasse neste encontro amoroso. E assim a trama nos assentos do cinema se mostra mais complexa que a da tela. Duas irmãs separadas por um homem sem valor. E, do mesmo modo como aconteceu com Esaú e Jacó, Aarão e Moisés, Bart e Lisa, o mais novo deve vencer. A vida é assim.

E eu, que pensei ser o grande sedutor, que me gabei de dormir com irmãs modelos, que me validava no abraço delas como um vampiro bebendo a juventude, não passava de um boneco no joguinho delas.

– Nós nos conectamos imediatamente em um nível muito profundo – contou Linda naquela primeira noite na cama. – Aí a Maggie se jogou em cima de você e eu fiquei, tipo, tudo bem.

Mas talvez nós nunca tivéssemos nos conectado até Maggie ter ficado comigo. Talvez Linda fosse igual a mim e invejasse a liberdade e a espontaneidade de Maggie, querendo tirar algo da irmã mais velha. Talvez tenha decidido em um nível subconsciente perder a virgindade com a pior das intenções. E então, com amor no coração, um sorriso no rosto e inocência nos olhos, ela poderia mais uma vez fazer a irmã se sentir a ovelha negra. Talvez esperar tanto para perder a virgindade nunca tivesse sido uma escolha moral para si mesma, apenas tivesse o propósito de fazer a irmã parecer uma vadia em comparação.

A arma da mais jovem nunca é a força física, e sim a perspicácia emocional. E agora sou cúmplice nesta armadilha. Devo fazer meu papel: Maggie dormiu com 26 homens. Sou apenas uma nota de rodapé em sua história sexual. Mas sou toda a história sexual de Linda, e o cuidador dela. Devo manter a lembrança deste momento preservada em uma redoma de vidro. Se a redoma quebrar e um estilhaço perfurar o coração dela, o dano será permanente. Linda é esperta demais: escolheu o cara certo, amaldiçoado com uma consciência que me obriga a não destruí-la (a não destruir qualquer mulher) para os outros homens.

Assim, eu não tenho escolha. Alguém vai se magoar nesta noite e é melhor que seja a vadia feliz do que a vestal melancólica.

Maggie nunca vai me perdoar por isto, e nem vai perdoar Linda. Enquanto deito na cama da irmã caçula naquela noite, Maggie se consola com um ex-namorado.

Um mês depois, com amor no coração, sorriso no rosto e inocência nos olhos, Linda diz para mim (para o exército de um homem só que ela usou para dar o seu golpe) que Maggie foi morar com ele. Três meses depois, ele viciou Maggie em metanfetamina. Um ano depois, Maggie terminou o namoro porque era agredida. Dois anos e meio depois, Maggie não é mais reconhecida como a jovem despreocupada que saiu pingando água da minha piscina. Ela tinha se casado com ele. E, como bolhas de ar presas no cimento, as decisões que tomamos em um instante nos assombram pelo resto da vida.

REGRA 5

VOCÊ É O QUE PERCEBE

Ela disse que me buscaria em um carro velho.

– Você vai me ouvir antes de me ver – descreveu ela, desculpando-se.

Foi a primeira vez que me apaixonei por um carro.

Ele era ano 1972 e tinha um aspecto horrível. A superfície estava repleta de pequenas marcas, afundamentos e remendos na pintura, os para-choques estavam enferrujados, parecendo ter trabalhado muito nos seus áureos tempos, e o interior de couro estava acabado após tantos anos de uso e constante desleixo.

Mas o corpo dele era lindo. Sinuoso e curvilíneo, sem uma aresta. A caixa da roda fazia um arco suave acima da superfície em cada lado, inclinando-se até um capô tão comprido que não dava para ver o final do banco do passageiro. Quando o carro saiu do aeroporto de Phoenix, as pessoas viraram o pescoço. Ele se destacava dos outros. Era magnífico, orgulhoso, sem medo dos seus defeitos por saber que seu corpo servia de compensação.

– Esse foi o último ano em que fizeram Corvettes assim. Depois de 1972 eles passaram a fazer os para-choques em plástico – explicou ela.

O nome dela era Leslie. E embora estivéssemos nos encontrando pela primeira vez, eu iria dormir com ela. Estava tudo arranjado. Justin, um dos meus alunos, tinha me oferecido a prima como presente de aniversário. Foi bem além da obrigação. Normalmente eu não teria aceitado uma proposta tão repugnante, mas ele prometeu que ela não era apenas uma transa. Era uma aula.

– Ela estuda sexo tântrico há muito tempo. E descobriu um ponto G no fundo da garganta – contou ele.

– Isso é interessante – respondi, quando na verdade queria dizer esquisito. – Como exatamente isso funciona? Devo enfiar o dedo na garganta e massagear?

– Não, é outra coisa – falou ele, sorrindo. – Ela é tipo especialista em garganta profunda. Engole tudo e trabalha os músculos da garganta para fazer você sentir algo inédito. É outro patamar.

Fiquei interessado, no sentido clássico da palavra.

Uma colunista de jornal chamada Fanny Fern cunhou a expressão "o caminho para o coração de um homem passa pelo estômago", provando ao mundo o quanto as mulheres sabem pouco sobre os homens. Sempre podemos sair para comer fora, mas se uma mulher quiser deixar uma impressão inesquecível para nós, que recordaremos mesmo quando estivermos no nosso leito de morte aos 80 anos pensando nos momentos que fizeram a vida valer a pena, tudo o que ela precisa fazer é pagar o boquete mais magistral da nossa vida. Se ela der a entender que é ótima nisso, vamos caçá-la a noite inteira. E se realmente cumprir o prometido, nunca terá que se preocupar com o telefonema no dia seguinte.

É engraçado quanto tempo as mulheres perdem tentando nos entender quando somos tão simples. Acho que o complicado é aceitar o quão simples nós somos.

Enquanto Justin falava das qualidades da prima, eu pensava em todas as pessoas na minha vida que prometeram me arrumar sexo e nunca cumpriram. Eu me lembrei do segurança do Marilyn Manson dizendo que tinha duas garotas no quarto de hotel dando um show de sexo, mas, como era casado e não podia dormir com elas, as mandaria para mim. Fiquei esperando várias horas na cama do hotel, de banho recém-tomado, tentando ficar acordado para evitar que o sono me desse mau hálito e esperando a batida na porta. Mas ela nunca veio.

Apenas eu gozei. Sozinho. De novo.

Por isso, antes da viagem a Phoenix, só para garantir, eu liguei para uma iraniana magra e peituda chamada Farah, de olhos castanhos brilhantes e pálpebras pesadas. Eu a havia conhecido na última vez que estivera em Phoenix e ela falou em comprar um livro sobre sexo tântrico. Assim, imaginei que o negócio tântrico aconteceria de um jeito ou de outro.

– É, agora estou morando com meu pai em Sedona – explicou Leslie enquanto íamos para o James Hotel de carro. – Às vezes fico com meu padrinho em Scottsdale, mas ele vem sendo um babaca ultimamente.

Queria perguntar o que exatamente ela quis dizer com padrinho. Era o mentor de um programa de reabilitação para se livrar das drogas? O cara rico que a bancava? Algum tipo de cliente?

Mas a pergunta pareceu inadequada, como todas as outras que eu gostaria de fazer. Ainda não tinha certeza se o negócio do sexo estava valendo, se ela também tinha sido informada de que iria fazer garganta profunda nesta noite, e não sabia bem a melhor forma de confirmar o compromisso.

Leslie não era o tipo de garota com quem eu normalmente dormiria, ou mesmo falaria. Vivido seria um jeito educado de descrever o rosto dela, cujo tom esquisito de vermelho não era do sol e sim de algum tipo de maquiagem que só vi ser utilizada por mendigas em ônibus. Ela tinha dentes pequenos e bem juntos, o que seria bonitinho se eles não fossem desproporcionais em relação ao rosto largo, sabotando todos os sorrisos.

O corpo dela, porém, era glorioso. Era uma garota grande. Não gorda, mas sólida. Poderosa seria uma palavra melhor. Os seios empoados em cor-de-rosa eram protuberantes, quase saindo do vestido, desafiando você a não olhar para eles. As coxas eram grossas e musculosas e pareciam capazes de realizar todo tipo de trabalho na área da construção civil. E a postura de Leslie gritava sexualidade e orgasmos múltiplos. Dava para dizer pelo jeito como as costas dela arqueavam, afastando-se do banco e lançando a força total dos tremendos seios sobre o volante.

Isso tudo era muito exótico para mim. Embora eu diga às garotas que peso 65 quilos, nunca passei dos 57, não importa o quanto coma ou malhe. Até recentemente eu tinha namorado apenas mulheres baixas (de autoestima idem) porque era o máximo que conseguia arranjar. Essa garota era uma amazona, meio vulgar, talvez até uma verdadeira vadia. Não pode ficar pior do que isso. E eu adoro o pior.

Quando chegamos ao hotel, ela alcançou o banco de trás, pegou uma pequena bolsa de viagem e trouxe para o quarto. Assim que vi isso, sabia que Justin tinha cumprido a promessa.

Restava apenas uma grande preocupação para mim.

– E aí, no que você vem trabalhando ultimamente? – perguntei de forma casual durante o jantar.

– Eu era dançarina, mas agora estou procurando emprego – respondeu.

Ao longo da conversa tentei conseguir mais detalhes. O melhor que obtive foi que ela tinha sido stripper por seis anos, fez alguns filmes pornôs e agora usava antigos clientes para conseguir casa, presentes e viagens. Imagino que isso faça dela uma prostituta, como qualquer mulher que namora ou se casa por dinheiro.

Após o jantar pegamos o elevador para o meu quarto. Ainda não houvera uma palavra ou gesto sequer de intimidade entre nós. Mesmo que ela estivesse fazendo isso pela família e não pelo dinheiro, havia algo inquietante em toda a situação. Alguns caras gostam de fazer sexo como uma transação comercial em vez de um ato de paixão. Mas eu me excito tanto com a conexão e, em nível mais superficial, com a validação através do atrito carnal. Preciso saber que a mulher com quem estou quer ficar comigo porque gosta realmente de mim como pessoa, independente de levar três minutos ou três anos para chegar a essa decisão, ou a rendição mútua tão crucial para o prazer transgressor do sexo não acontece.

Decidi gastar algum tempo tentando me conectar com ela antes de começar o procedimento de garganta profunda.

– Se você tivesse que escolher algo no mundo que fizesse a vida valer a pena, o que seria? – perguntei quando entrávamos no quarto.

– Hmmm... – disse Leslie, acenando com a cabeça e tirando o vestido. Ainda pensando, ela tirou o sutiã. Os seios dela eram imensos. Eu poderia colocar um dicionário ali e eles o segurariam tranquilamente.

Ela se ajoelhou na minha frente e começou a tirar meu cinto.

Sempre podemos nos conectar depois, decidi.

– Por que você não fica em pé na frente da cama? – sugeriu ela enquanto eu tirava a calça.

Obedeci como se seguisse as instruções de uma enfermeira para um exame médico. Ela subiu na cama, rolou e jogou a cabeça para trás na direção da cabeceira. Percebi que era o truque especial dela.

Fiquei em pé na frente de Leslie e me aproximei da boca aberta com o pau no ar. Parecia um jogo de parque de diversões.

Ela usou as mãos para me envolver e me empurrar levemente na direção dela. Depois começou a ajustar a cabeça em pequenos movimentos, guiando-me pela garganta adentro como se fosse um labirinto, até a boca estar na base do meu pau.

Meu corpo foi tomado por uma euforia. Naquele momento eu sabia a resposta para a pergunta que tinha feito quando entramos no quarto.

Ela começou a movimentar a cabeça para frente e para trás, primeiro devagar, prendendo a garganta e os lábios ao meu redor sempre que chegava à base. Olhando para baixo, eu só conseguia ver o queixo e o pescoço estendido dela, que por algum motivo me faziam lembrar a barriga de um pinguim.

Foi apenas por causa dessa imagem que consegui evitar o orgasmo e ir para a penetração.

– Quero trazer uma garota para ficar com a gente amanhã – sugeriu Leslie, fumando gulosamente um cigarro depois do sexo. – Ela tem um corpo incrível. Venho tentando conquistá-la há anos. Talvez você possa me ajudar.

Meu tio costumava me aconselhar: "Quando os porcos engordam, eles são abatidos." Eu estava prestes a ignorar o conselho dele e tentar arranjar um sexo a quatro.

– Isso seria legal – falei para a Leslie. – Eu estava pensando em chamar uma iraniana que conheço e quer aprender sexo tântrico. Falei que você era mestra no assunto, de repente você pode mostrar seu talento após o jantar.

– Ou durante o jantar – provocou ela, sorrindo e expondo os dentes minúsculos. Eu não poderia imaginar uma parceira mais esquisita. Estava realmente começando a gostar de Leslie, algo bom, considerando que acabara de dormir com ela.

Durante a noite seguinte, após Leslie e eu terminarmos outro jogo do pinguim, houve uma batida leve e rápida na porta. Eu a abri e encontrei uma mulher de pernas compridas envoltas em uma calça jeans apertada, com uma barriga chapada e exposta e uma blusa *cropped* sustentando grandes seios naturais. O rosto, porém tinha rugas eternas entalhadas e olheiras, tudo enquadrado em uma explosão de cabelos pretos desvairados e coroado por uma aura de drama. Era Samantha.

As primeiras palavras que saíram de sua boca foram:

– Preciso pegar seu telefone emprestado.

Amiga da Leslie, problema da Leslie.

Ela pegou o celular da Leslie, trancou-se no banheiro e gritou para a secretária eletrônica de alguém enquanto o mensageiro do hotel chegava com três bolsas pretas. Samantha estava de mudança.

Saí do quarto em busca de refúgio temporário no saguão e liguei para Farah a fim de avisar que minhas amigas eram um tanto incomuns. Quando voltei, Leslie usava um vestido com estampa de oncinha e um decote profundo enquanto Samantha tinha trocado de roupa e usava um colete imitando pele de animal sem nada por baixo.

Quando andamos pelo saguão, um careca magrinho imprensado entre duas gigantes curvilíneas vestidas como prostitutas dos anos 1980, todos os olhares se voltaram para nós. Por um instante, achei que tudo isso era uma pegadinha que Justin estava fazendo comigo, mas ele não tem grana para contratar garotas. Só para garantir, no táxi para o restaurante verifiquei a identidade de Leslie para confirmar se ela tinha o mesmo sobrenome que Justin. Felizmente, tudo conferiu direitinho.

– Perdi meu cartão de crédito – reclamou Samantha. – Vocês se incomodam se eu pegar dinheiro emprestado só por hoje?

– Você está sozinha nessa, garota – respondi. Eu é que não ia fazer o papel de papai rico. Se ela quisesse respeito, teria que conquistá-lo.

Farah esperava por nós no restaurante usando um vestido noturno preto tomara que caia. Ela tinha muito mais classe que as minhas companhias. De longe.

– Essa é Leslie, a professora de sexo tântrico – apresentei.

Farah sorriu e a cumprimentou. Apenas uma leve e involuntária ruga no meio da testa entregou a confusão sobre como essa mulher-onça de peitos cor-de-rosa poderia ser uma guru espiritual.

O *maître* nos levou até uma das mesas no jardim externo, onde um filme estava sendo projetado na parede. Convenientemente, era *O último tango em Paris*.

Para quebrar o gelo, pedi uma garrafa de vinho e fiz algumas ilusões que havia aprendido recentemente, incluindo aquela em que faço uma bola de papel sair da mesa e flutuar pelos ares.

– Se ele pode mandar energia para os objetos, imagine o que pode fazer com o seu corpo – disse Leslie a Farah. Ela era uma ótima parceira.

– Isso me assusta – interrompeu Samantha. Cada palavra que saía de sua boca era para exigir pena. – Preciso de mais vinho. Alguém pode chamar o garçom? Acho que estou ficando com enxaqueca.

A refeição foi interminável. Não importa que assunto fosse discutido, Samantha dava um jeito de falar das suas neuroses. Se nós conversávamos sobre o filme na parede, ela reclamava que a TV a cabo estava fora do ar e o técnico nunca aparecia. Se o assunto era sexo, ela reclamava que o cara com quem estava saindo não tinha ligado a semana inteira. Se nós compartilhávamos histórias sobre saídas em Londres, ela desatava a falar mal do irmão, que é agente de viagens e nunca lhe arruma descontos.

Minha cabeça doía só de ouvi-la falar, até que finalmente surtei:

– Você está enxergando o padrão? Seu técnico não vem, seu namorado não liga e seu irmão não te ajuda. Talvez o problema não sejam todos eles, e sim você.

O rosto de Samantha mudou: os olhos incharam e ela ficou em silêncio pelo resto da refeição. Dava para ver que estava acrescentando o comentário ao arquivo de histórias a ser contadas por ela em busca de pena.

Eu tinha acabado de destruir o sexo a quatro daquela noite. E estava bem com isso. Não valia a pena essa dor de cabeça toda. Após o jantar, disse a Leslie e Samantha que iria a uma festa com a princesa iraniana. Elas pareceram aceitar bem e disseram que iriam a uma boate.

Porém, depois dos truques de mágica que fiz, levando Farah a pensar que eu realmente tinha poderes xamânicos, e das minhas companhias, que a levaram a pensar que eu tinha uma vida sexual pervertida, ela levantou a guarda. Quando me deixou no hotel após a festa, tivemos um amasso morno no carro. Farah parecia aceitar meus beijos em vez de retribuí-los.

Andei até o elevador, deprimido. Meu quarteto sexual tinha se transformado em apenas eu, sozinho, de novo. Meu tio estava certo. Quando os porcos engordam, eles são abatidos.

Quando saí do elevador, vi Leslie, Samantha e uma terceira garota que não reconheci fumando no corredor e esperando para entrar no quarto. Eu havia imaginado que elas iriam farrear a noite inteira.

A amiga se apresentou como Dee. Ela era mignon, com uma segurança tranquila e um aplique de trança que ia até o fim das costas. A pele parecia latino-americana, os traços do rosto eram de americana nativa e as nádegas, afro-americanas.

Dentro do quarto, Dee tirou uma garrafa de água da bolsa, tomou um gole e a passou para Leslie, que bebeu um pouco e depois me entregou.

– GHB – avisou Samantha.

Devolvi para Leslie, sem beber. Eu oficialmente devia uma a Samantha.

Leslie procurou na bolsa de viagem e encontrou um vestido verde-metálico com um decote redondo que começava abaixo do pescoço e ia até o umbigo.

– Olha, você precisa experimentar esse – recomendou a Samantha.

Eu admirava o talento de Leslie como instigadora.

Samantha brotou do banheiro pouco depois, parecendo uma árvore de Natal com uma estrela deformada.

– Este aqui é perfeito para você, Dee – disse Leslie, tirando um minivestido *mesh* branco da bolsa.

Dee não usou o banheiro. Ela tirou a calça jeans e a regata, revelando um corpo esculpido para calendários de oficina mecânica, e colocou o vestido.

– Hmmm, você está linda – comentou Leslie, ronronando. Ela foi até Dee, colocou uma das mãos no peito dela e as duas começaram a dar uns amassos.

Eu estava diante de uma profissional.

Em poucos minutos, Dee estava deitada na cama de pernas abertas, com o vestido levantado e o rosto de Leslie entre as pernas. Eu me sentei perto das duas com as roupas que usei no jantar, sem ter tomado GHB, e pensei: "Bacana."

Quando me juntei a elas por meio do seio mais próximo disponível, Leslie olhou para mim com o queixo molhado e sorriu de orelha a orelha. Ela parecia um coiote devorando carniça.

– Está quente demais aqui – disse Samantha, repentinamente. – Preciso de ar.

Por "ar", entenda-se "atenção".

– Vem ficar com a gente – convidou Leslie com voz trêmula, levantando da cama para trazer Samantha para o grupo.

– Quero limpar um pouco o quarto primeiro. Vocês podem continuar. Finjam que não estou aqui.

O quarto nem estava bagunçado.

– Talvez eu me junte a vocês depois – acrescentou ela de modo constrangido e nada convincente. – Parece divertido.

Leslie voltou à cama e tirou as minhas roupas. Ela e Dee fizeram sexo oral em mim ao mesmo tempo.

– Vocês acham que tem ferro de passar aqui? – perguntou Samantha.

Isso estava ficando ainda mais estranho que sexo a quatro.

– Sabe o que você poderia fazer? – sugeri, mais uma vez ignorando o conselho do meu tio. – Pegar a minha câmera em cima da mesa e tirar algumas fotos.

Leslie e Dee não fizeram nenhuma objeção. Provavelmente elas não fariam objeção a praticamente nada. Enquanto o flash trabalhava e as duas conquistavam seus lugares na minha breve lista de lembranças no leito de morte, tentei não gozar. Uma vez liberado, o apetite sexual da mulher é muito mais voraz que o do homem e, se eu gozasse agora, ficaria relegado a um papel secundário pelo resto do jogo.

– Que botão você aperta para ver as fotos?

Eu a ignorei. Essa era a minha hora de brilhar.

– Estou entediada – gemeu Samantha. – Vou tomar um banho.

Leslie pulou da cama:

– Eu te ajudo.

Samantha estava fazendo isso de propósito.

Dez minutos depois, Leslie voltou do banheiro com cara de quem levou bronca e pediu que eu tentasse.

Enrolei-me em uma toalha e sentei na borda da banheira.

Samantha estava sentada, nua, na água rasa e de pernas cruzadas, como se fosse uma criança birrenta.

– Está tudo bem? – perguntei.

– Está sim. Gosto daqui.

Decidi tentar a sorte. É da minha natureza tentar a sorte. Sou um porco gordo.

Deixei cair a toalha e entrei na banheira junto com ela. Enquanto conversávamos, eu massageei seus braços e pernas. Ela não me impediu.

Fiz movimentos circulares com os dedos em volta dos mamilos de Samantha até que eles ficassem rígidos, depois passei a língua sobre eles. Ela não me impediu.

Eu subi a mão pela perna de Samantha até chegar ao ápice e segui com o dedo lentamente em direção à abertura. Ela me impediu.

– Não – retrucou, afastando a minha mão. – Isso é demais.

Eu estava tão empolgado com a atividade no quarto que não a deixei excitada o suficiente. Tudo bem. É melhor dois pássaros na cama do que um na banheira, decidi. Precisava compartilhar esse aforismo com meu tio da próxima vez que o encontrasse.

Quando voltei, Dee estava caindo de boca em Leslie. Eu me juntei a ela e introduzi o dedo até o ponto G. Assim estava bem melhor.

Leslie gemeu e arqueou as costas. Ela tremeu até gozar, depois implorou para que continuássemos. Dee e eu trocamos de lugar e Leslie teve outro orgasmo. E ainda implorava por mais. Pelo que pareceram 45 minutos ela nos manteve lá, dando-lhe um orgasmo após o outro. Minha mandíbula doía, meu pulso doía, comecei a pensar no quanto seria bom uma salada Caesar com imensos croutons temperados naquele momento. Leslie continuava arqueando as costas, fazendo com que nós trabalhássemos mais e mais para obter cada orgasmo. Mas, por mais gananciosa que ela fosse, eu não parei. Queria mostrar meu apreço pelo que ela conseguira naquela noite.

– Uau, esse banho foi uma delícia. – A empata-foda tinha voltado. – Vocês se importam se eu pedir serviço de quarto? Estou morrendo de fome.

– Não – respondi. A última coisa de que precisávamos agora era do serviço de quarto invadindo a cena.

- Não, você não se importa, ou não, não é para eu pedir?

- Não, agora não seria um bom momento.

De alguma forma, Leslie conseguiu ter outro orgasmo nesse meio tempo.

- Só vou fazer um chá.

Não estou nem aí.

Coloco a camisinha, confiro se ela está desenrolada até o fim e penetro Dee enquanto ela cai de boca em Leslie.

- Ah, achei o ferro de passar.

Ela deve estar doidona de metanfetamina.

- Você se importa se eu passar sua camisa?

Eu posso adorar o pior, mas isso estava virando um pesadelo. Era como fazer sexo com a minha mãe no quarto.

Por fim, tanto Leslie quanto Dee acabaram satisfeitas e dormiram. E nem me agradeceram.

- Pode dormir agora - falei para Samantha. - Você está segura.

- Tudo bem - respondeu ela, sentada na cadeira. - Tenho insônia.

Definitivamente metanfetamina.

Com a mente e o coração ainda acelerados por conta daquela noite de aventuras, tive dificuldade para dormir. Consciente disso, Samantha começou a contar a história da vida dela: o pai se matou na frente da família durante um jantar; a mãe a deixou na casa de uma tia e nunca mais voltou; o primeiro amor, que bateu nela durante os dez anos de namoro.

Não surpreende que ela sempre esteja pedindo por ajuda e atenção: Samantha foi abandonada ou agredida por todos que amou. E, décadas depois, ainda procurava a segurança que nunca sentiu quando criança. Graças à forma carente de demonstrar isso, porém, ela acabava reprisando as rejeições da infância a cada nova pessoa que conhecia.

Comecei a me sentir mal de verdade por ela. Depois dormi.

De manhã acordei com a Dee mordendo meu pescoço. Nós estávamos sozinhos na cama, que parecia meio vazia.

- Onde está todo mundo?

- No banheiro - sussurrou ela.

Ela estendeu a mão para me acariciar.

- Você tem outra camisinha? - perguntou.

Coloquei o preservativo. Ela virou as costas para mim e eu a penetrei. Quando comecei a gemer, ela sussurrou para eu ficar quieto, como se temesse que Leslie nos ouvisse. Eu não entendia por que isso seria um problema. Talvez ela achasse que eu era namorado de Leslie. Talvez estivéssemos quebrando alguma lei não escrita do *ménage à trois*. Ou talvez ela tivesse apenas esquecido de trazer o vibrador naquela manhã.

Uma hora depois nós fizemos as malas, saímos do quarto e fizemos a caminhada da vergonha pelo saguão lotado do hotel. Samantha se ofereceu para me levar ao aeroporto e, enquanto esperávamos o manobrista trazer o carro, ela pegou a minha mão.

– Sua pele é tão macia – comentou, em tom de flerte. Isso era tão incomum para ela que eu não soube como reagir.

O carro dela não era velho e elegante como o de Leslie. Era apenas um Malibu branco e gasto dos anos 1990. Seu corpo amassado, freios barulhentos, interior descuidado e luz traseira quebrada não comunicavam nada além de uma vida dura e cheia de má sorte.

Após estacionar no terminal, Samantha passou batom, tirou um envelope da bolsa e o cobriu de beijos. Depois o entregou a mim. Dei uma última olhada para as mulheres no carro. Eu realmente iria sentir saudade delas.

Acho que me conectei com Leslie, no fim das contas. E, por mais que odiasse admitir, com Samantha também.

No avião de volta para a relativa normalidade de casa, abri o envelope. Dentro dele estava um pedaço de papel amassado coberto na frente e no verso por uns garranchos minúsculos:

> *Por favor, me ligue ou mande e-mail na semana que vem. Você me excitou muito e eu não sentia isso que você me fez sentir há muito tempo. Foi uma sensação relaxante e sexual. Uma excitação que nunca senti. Eu adoraria a experiência de estar com você! Acho você um cara maravilhoso. Quero agradecer por fazer com que eu me sentisse daquele jeito sem nem saber. Queria muito chupar o seu pau.*

No dia seguinte passei as fotos tiradas por ela para o meu computador. Eram as imagens mais comprometedoras em que eu já aparecera: era possível ver as entranhas de Leslie. Seria um desastre se aquilo vazasse na internet.

Abri um programa de apagamento seguro para limpá-las do meu computador para sempre. E depois fiquei ali sentado, ouvindo meu disco rígido produzir zeros e uns com esforço até aquela noite nunca ter existido. Elas eram de outro mundo. Um mundo no qual eu tinha me encaixado bem até demais.

REGRA 6

ESPERE O MELHOR, MAS PREPARE-SE PARA O PIOR

Querida Stacy,

Você escreve os melhores e-mails. Eles são muito gentis, cordiais e carinhosos. Às vezes me pergunto como seria beijar você. Eu imagino que você se entregaria totalmente com um beijo, que ele seria como os seus e-mails: gentil e carinhoso. Eu penso no calor da sua boca, na alegria do primeiro toque íntimo e que primeiro você poderia ficar um pouco nervosa, mas, à medida que relaxasse e se entregasse às sensações, se perderia no momento, e nossos corpos, o tempo e o resto do mundo apenas derreteriam nesse único beijo.

Boa noite, Stacy. Espero que esteja tudo bem.

–Neil

P.S.: Fiquei feliz ao saber que John e sua irmã estão noivos. Por favor, transmita meus parabéns e minha gratidão a eles por terem nos apresentado.

Querido Neil,

A sua descrição do nosso beijo me deixou sem palavras. Posso definitivamente sentir o nervosismo inicial, mas depois o amor flui à medida que nós o aceitamos. Não quero parecer piegas, mas é simplesmente assim que visualizo nosso beijo: como o sol, o amor simplesmente nos aquece.

Eu devo avisá-lo de algo, porém: sou novata quando se trata de beijos e sexualidade em geral.

Esta é a versão resumida da história: por vários anos lutei contra a anorexia nervosa e, devido ao meu baixo peso, que mantive durante um certo período de tempo, minha experiência sexual continuou zero. Apenas recentemente comecei a expandir os horizontes e reagir a estímulos sexuais, o que me faz começar tarde, aos 28.

Da próxima vez que o vir, talvez esteja um pouco mais pesada do que em Chicago. Pareço ter superado a doença nos últimos meses. Bom, não totalmente, mas digamos que eu comi muitos biscoitos de chocolate nos últimos tempos!

Então não quero chocá-lo, mas essa é minha história. Sou uma pessoa muito carinhosa e tenho muito amor para dar, mas meu conhecimento do ato sexual é de menos dez. Mas não seria divertido aprender e começar com o beijo mais lindo do século?

Quando podemos nos ver e realizar esse desejo? Posso certamente agitar uma ida a Los Angeles, mas só se você estiver disposto a isso depois de tudo que revelei nesta mensagem.

Continue aproveitando a vida e escreva de volta em breve.

Com carinho,
Stacy

Querida Stacy,

Estou escrevendo da Austrália. Cheguei ontem em segurança e queria lhe agradecer assim que pudesse por ter dividido sua história comigo.

Não quero fazer você esperar e questionar o que estou pensando. Então vou deixar claro que eu realmente gostei da sua sinceridade e honestidade. Eu jamais pensaria diferente a seu respeito, desde que esteja progredindo. Então pode deixar essas preocupações de lado. Prometo ser um professor paciente. Se você for realmente boazinha, vou até comprar uns biscoitos de chocolate.

Continuo disposto e ansioso por sua visita para que possamos ver todos os lugares dos quais venho falando. Entre os dias 21 e 24 de fevereiro está bom para você?

Mande e-mail com seu endereço e vou enviar um cartão postal mostrando a praia na Gold Coast em que surfei hoje. Também estou com saudades. Engraçado, não? Considerando que passamos apenas um total de noventa minutos juntos.

–Neil

Querido Neil,

Não tenho um motivo especial para escrever, só queria bater papo, visto que gosto excepcionalmente de você (de certa forma, vamos encarar: eu te amo). Agora estou olhando para os pedaços de gelo do tamanho de lanças que descem pelas calhas do telhado e pensando em você na Gold Coast cercado de ouro. Ouro: a alquimia que nós criamos, você e eu, juntos.

Mande mensagens, mensagens cheias da sua alegria, de amor e tudo que você tiver para distribuir. Se precisar desabafar, escreva aqui. Se precisar de um canal para empolgação, conte aqui. Se precisar xingar, xingue aqui. Se precisar de qualquer coisa, escreva aqui. Você terá recepção garantida e uma resposta adequada. Apenas porque eu me importo profundamente com você.

Enquanto isso, saiba que a minha paixão fica maior a cada dia. Quando visitá-lo no dia 21, vou derrubá-lo no chão de tanto afeto. Espero que você não se importe!

Amor,
Stacy

Querida Stacy,

Peço desculpas pelo atraso. Mais uma vez obrigado por outro lindo e-mail. Estou ansioso pela sua visita e quero garantir que não tenho expectativas em relação a você ou de que algo aconteça, como espero que você não tenha expectativa nenhuma a meu respeito. Devo admitir que me preocupo com a sua paixão: espero que eu consiga dar conta dela. Estou muito ansioso com a próxima semana. Estarei lá esperando por você no desembarque. Serei o cara carregando uma bandeja de biscoitos de chocolate.

–Neil

Querido Neil,

Obrigada pela agradável viagem a Los Angeles. Tive momentos inesquecíveis explorando o Museu Getty com você e foi emocionante aprender a surfar.

Embora esteja decepcionada pelo fato de as coisas não terem dado certo para nós, vou saborear para sempre a alquimia dos nossos beijos e das minhas primeiras explorações sexuais.

Claro que estou ciente de que você foi aos poucos se distanciando de mim e peço desculpas pela minha falta de experiência sexual, pelo meu afeto esmagador e tudo o mais que provavelmente o assustou. Devido à minha doença, não me sinto tão confortável comigo mesma quanto gostaria.

Acho que você é uma pessoa especial e sempre terei espaço no meu coração para você. Mais uma vez obrigada por me mostrar o seu mundo.

Estou triste, mas vou rezar por você.

Amor,
Stacy

Querida Stacy,

Foi ótimo ver você. E eu me sinto da mesma forma. Você escreve os e-mails mais lindos que já recebi e sempre vou me lembrar deles com carinho.

Imagino que lhe devo uma explicação: estava muito empolgado ao vê-la no aeroporto após todos os nossos e-mails, cuja intensidade só aumentava. E devo admitir: de certa forma, também estava um pouco assustado. Quando fomos para a minha casa, acho que caiu a ficha da realidade. Quando descobri que você ainda tinha o hímen, percebi que não era uma garota comum e essa não era uma experiência comum.

Eu não sabia se conseguiria atender às suas expectativas ou mesmo retribuir o imenso sentimento que você tinha por mim. Então achei melhor me afastar e nós ficarmos amigos, para que você possa ter aquela experiência com a pessoa incrível que você foi feita para encontrar. Posso ser um ótimo amante, mas sempre fui um péssimo amor. Não sei se é uma falha emocional minha ou se os nossos mundos são diferentes demais. Você vai à igreja todo domingo, eu escrevo livros sobre o Marilyn Manson.

Você tem muito amor no coração e bondade na alma, e fico feliz que tenha conseguido dividir um pouquinho disso comigo.

Você conhece a poesia de Ryokan? A primeira parte é de Ryokan e a segunda de Teishin. São o que chamo de bons poemas para a noite.

Carta de Ryokan:
Tendo conhecido você assim
Pela primeira vez na vida
Ainda não consigo deixar
De pensar que foi um sonho lindo
Que ainda perdura em meu coração sombrio.

Resposta de Teishin:
No mundo onírico,
Sonhando, nós falamos de sonhos.
Mas mal sabemos
O que é e não é o sonhar.
Deixe-nos, portanto, sonhar como devemos.

Boa noite, Stacy,
Neil

REGRA 7

O QUE ESTIVER NO CAMINHO É O CAMINHO

– Estava na casa do meu amigo e veio uma tempestade do nada, cara, com nuvens grandes que pareciam cobras se levantando – disse ele, com a voz profunda reverberando nas paredes do quarto de hotel.

"Eu tinha uma dessas camerazinhas de 12 dólares no porta-luvas da caminhonete e tirei fotos. Quando revelei havia uma imagem de Deus em pé na tempestade, com sua barba soprando ao vento."

Ele era um dos músicos mais importantes do século. Após semanas de trabalho, eu finalmente tinha conseguido convencê-lo a dar uma entrevista de duas horas e tudo estava indo bem, até os últimos dez minutos. Foi quando a neta dele entrou no recinto. De repente eu me vi incapaz de manter o foco no que ele dizia.

Ela tinha cabelos pretos grossos, pernas compridas e musculosas, testa alta e seios incríveis empinados no suéter. A silhueta era digna de ser reproduzida em um para-choque de caminhão. A julgar pela postura orgulhosa e ar soberbo, ela parecia totalmente ciente do efeito que tinha nos homens. Mas o pior de tudo é que parecia estar entediada.

A garota deitou na cama e ficou catando penas na fronha. Na cabeça dela eu era apenas mais um cara branco enchendo a paciência do avô em busca de informações sobre acontecimentos de cinquenta anos atrás.

Eu precisava fazer algo para mudar isso.

– Na minha crença, há um ser supremo que pode se mostrar sempre que estiver a fim, mas ele tem raiva do modo como vivemos e tratamos uns aos outros. Ele não queria que nós brigássemos como cães e gatos. Queria que nos déssemos bem e nos amássemos até que a morte nos levasse – concluiu ele.

– Deixe-me fazer uma pergunta, já que você entende a natureza humana tão bem... – comecei. Eu precisava incluir a neta na conversa: – Você também pode ajudar, se quiser.

Ela olhou de modo indolente, com um leve interesse.

– Dizem que as mulheres são mais atraídas pelo poder e pelo status do que pela aparência – continuei, utilizando um quebra-gelo reconhecidamente ridículo que vinha testando ultimamente para iniciar conversas com mulheres. – Eu estava falando com um amigo sobre isso outro dia e ele fez uma boa pergunta: "Então por que a maioria das mulheres preferiria dormir com o Tommy Lee do que com o George Bush? George Bush não é um dos homens mais poderosos do mundo?"

– Quem é Tommy Lee? – perguntou ele.

– O baterista de heavy metal que fez aquela sex tape com a Pamela Anderson – explicou a neta.

– Bom, isso diz algo logo de cara – retrucou ele. – É porque o rock and roll tem alma. Você o escuta para escapar de toda essa babaquice política.

– George Bush é feio – opinou a filha, linda demais para se importar com o verdadeiro assunto em questão. – É por isso que ninguém quer dormir com ele.

Respostas fracas para um quebra-gelo fraco, mas que serviu ao objetivo: o foco da conversa agora havia mudado para ela.

– Ela quer se mudar para cá e ser modelo – explicou ele. – Ela não é como essas garotas magras como um palito. Pele e osso não me excitam. Eles precisam de jovens com a aparência da Alicia.

Ele revirou o bolso em busca de uma bala, que colocou na boca.

– A queimação foi para o lugar errado – disse ele, tossindo.

Isso pareceu lembrar a neta de que ele era velho e o tempo era curto. Ela massageou os ombros do avô, esperou que ele recuperasse a compostura e deixou bem claro seu objetivo:

– Não se esqueça de que você prometeu me levar para fazer compras.

– É a primeira vez dela em Nova York – continuou ele. – Mas acho que vou me arrepender de tê-la trazido.

Tudo isso eram pistas: modelo, compras, nova na cidade, vovô relutante em fazer compras. Antes de usá-las, havia mais uma coisa que eu precisava saber:

– Quantos anos você tem para nunca ter vindo aqui?

– 21 – respondeu ela.

A palavra "neta" tinha me preocupado.

– Ela precisa ir à Century 21 – recomendei, plantando a semente para conseguir passar mais tempo com a moça. – Eles vendem todas as marcas famosas que se pode imaginar a preço de banana. Ela vai passar horas lá.

Após a entrevista, ele decidiu tirar um cochilo. Eu galantemente me ofereci para tirar Alicia de suas mãos e acompanhá-la à Century 21.

Ela deslizava ao meu lado pelas ruas, raramente falando, nunca sorrindo. Era a primeira vez dela em uma Nova York repleta de ruídos, drama, sujeira, cultura, caos, vida, e ela andava sonâmbula em meio àquilo tudo. A garota parecia existir em uma caixa de vidro que a separava do mundo. E eu queria, mais do que nunca, quebrar essa caixa.

Uma vez contei a história da Bela Adormecida a uma prima, que perguntou depois: "Como um príncipe se apaixona por uma garota que está dormindo?"

"Boa pergunta", respondi. "Ela pode ser linda, mas eles nunca nem se falaram. E se ela for uma tremenda escrota?"

Provavelmente é por isso que os pais não permitem que eu fique perto das crianças.

Na época eu não tinha uma resposta para a minha prima. Agora eu tenho: ele a ama simplesmente por ter o poder de acordá-la.

Na Century 21, tentei flertar com Alicia, escolhendo as roupas mais feias e insistindo para que ela as experimentasse. Mas, não importa o que fizesse, eu não conseguia quebrar as barreiras dela. Alicia ainda me via como o colecionador de antiguidades que explorara com afinco o armário da mente do avô.

Ela saiu da loja duas horas depois com um vestido de cetim roxo, uma saia de lacinho e uma camisa polo masculina tamanho GG. A camisa, disse ela, era para o namorado.

Essa complicação teria sido muito mais fácil de lidar se a camisa tivesse um tamanho com o qual fosse mais fácil de competir, como PP.

Naquela noite eu tinha planos de ver uma estilista com quem estava dormindo, chamada Emily. Falei com ela por alguns minutos durante uma festa. Depois, ela encontrou meu e-mail na internet, mandou uma mensagem e sugeriu que tomássemos um café.

– Você é como heroína – disse ela quando cheguei, atrasado, das compras com Alicia. – Todos os meus amigos me dizem para ficar longe de você porque estou começando a me apaixonar.

Quando ela me empurrou para o quarto e começou a tirar a minha roupa, imaginei que as mãos dela eram as de Alicia, vi a boca de Alicia me envolvendo, toquei os cabelos espessos de Alicia.

Fiz sexo com Emily três vezes naquela noite e em todas eu fechei os olhos e imaginei que ela era Alicia.

Foi o sexo mais apaixonado que Emily e eu fizemos.

Após ver o avô de Alicia se apresentar na noite seguinte, fui aos bastidores, a fim de parabenizá-lo e convidar Alicia para uma festa no Tribeca Grand Hotel naquela mesma noite. Lenta e langorosamente, como se tivessem lhe pedido para passar o açúcar no fim de uma longa refeição, ela consentiu:

– Tudo bem, me pegue no hotel depois que eu deixar meu avô lá.

Como era minha última noite em Nova York e eu não sabia se Alicia iria comigo depois do show, tinha convidado uma garota para o Tribeca Grand mais cedo. Ela se chamava Roxanne, tinha 1,57 metro e era uma das garotas mais sexuais que já conheci.

Uma hora e meia após o fim do show, Alicia surgiu do hotel usando o vestido roxo bem justo que havia comprado. O taxista, um grupo de estudantes na rua, um cara passando de bicicleta, todos deram uma olhada.

– Tive que falar com meu namorado – disse ela, desculpando-se pela demora. – Não nos falamos há uma semana. Ele é tão chato.

A Bela Adormecida era novamente minha para que eu a acordasse. De repente, o tamanho GG não significava mais nada.

Roxanne esperava por nós no saguão do Tribeca Grand, usando uma blusa de alças que expunha suas costas de boneca. Ela me abraçou forte, me olhando por trás de um rímel preto pesado. Havia algo perverso em seu olhar, no sorriso e no jeito que comunicava que estava disposta a tentar tudo a qualquer momento.

Conheci Roxanne em um show da última vez que estive em Nova York. Ela tinha um emprego de meio período como modelo para ilustradores e já aparecera em tudo, de latinhas de biscoito a manuais ilustrados de sexo. O namorado tocava bateria na bandinha local a que estávamos assistindo. E ela me convidou para a festa pós-show no apartamento do vocalista.

Roxanne, o namorado e eu passamos boa parte da festa deitados na cama do anfitrião, que estava em uma cadeira ali perto. Enquanto Roxanne e eu conversávamos, o namorado se levantou, foi para a outra sala e arrastou uma loura muito bêbada para a cama conosco. Dentro de alguns segundos ele estava dando uns amassos nela. Dois minutos depois, já tinha deixado a moça nua.

Roxanne não pareceu se importar, basicamente porque estava ocupada demais flertando comigo: toques desnecessários, insinuações pouco sutis, linguagem corporal inegável. Hesitantemente, mordi a isca. Olhei por cima do ombro dela enquanto nos beijávamos para ver se o namorado se importava. Ele já estava enfiando os dedos na garota bêbada.

Esse costuma ser um sinal de relacionamento aberto.

Comecei a dar amassos mais intensos com Roxanne. Ela me pegou pela calça de veludo cotelê enquanto o namorado trepava com a bêbada. Algum tipo de joia brilhava no pau dele, causando um barulho de chocalho a cada estocada. Nessa hora o vocalista saiu do próprio quarto.

Enquanto nos divertíamos, Roxanne continuava olhando para o namorado. Ela parecia angustiada, não necessariamente porque ele estava fazendo sexo com outra pessoa, e sim porque não estava ligando a mínima para ela.

Ela puxou minha calça para baixo e me pagou um boquete agressivo. Depois pegou uma camisinha na bolsa, jogou-se em cima de mim e tentou superar o namorado em termos de sexo. Ela me atacou vigorosamente, enfiou um dedo no próprio ânus e gemeu alto o bastante para acordar o prédio inteiro. Tudo indicava que era assim que eles brigavam.

Não foi uma boa experiência, mas ninguém disse que todas as experiências precisam ser boas. Às vezes elas são apenas experiências.

Eles terminaram alguns meses depois e, agora que Roxanne estava solteira, eu estava ansioso para dormir com ela em circunstâncias normais se nada desse certo com Alicia. Todo homem precisa de uma mulher aventureira em termos sexuais, com quem possa contar para distraí-lo do fato de não ser amado.

– Trouxe um pouco de ecstasy – disse Roxanne após comprar a primeira rodada de bebidas no Tribeca Grand. Ela tirou um vidro alaranjado de comprimidos da bolsa e colocou um comprimido branco na mão.

Não sou fã de drogas psicodélicas, basicamente porque duram tempo demais. A palavra viagem é adequada: como andar de avião, não há como sair até aterrissar. E o mais importante, eu não acho que abraçar uma caixa de som por seis horas aumentaria minhas chances com Alicia.

Fazendo um movimento de pinça com os dedos minúsculos, Roxanne quebrou a pílula em duas. Uma das metades instantaneamente se esfarelou na mão dela. Sem ao menos perguntar se eu queria, ela levantou a mão cheia de pó de ecstasy, abriu-a por cima da minha boca e despejou o conteúdo dentro.

Tentei manter a calma, mas arregalei os olhos, horrorizado, como se tivesse acabado de ver o capeta. Eu precisava arrumar um jeito de não viajar. Como não podia sair cuspindo pela boate inteira, fiquei levando meu copo de Jack and Coke aos lábios pelos próximos cinco minutos e, em vez de beber, casualmente despejei ali o conteúdo da minha boca. Depois fui ao banheiro e derramei a bebida no vaso. Pela hora seguinte fiquei pilhado e paranoico, achando que a pílula tinha sido absorvida pelo sangue mesmo assim.

Foi quando vi Roxanne fazendo uma massagem em Alicia em um sofá no andar de cima. Ela já tinha ido mais longe do que eu com a Bela Adormecida. E eu não via problema nisso, porque significava duas coisas: a primeira era que eu tinha conseguido expelir aquele ecstasy, porque ela obviamente estava em um estado tátil induzido pela droga e eu ainda me sentia normal. A segunda era que uma mudança de planos se fazia necessária. Talvez eu não precisasse escolher entre Roxanne e Alicia no fim das contas.

– Meu amigo Steven tem um loft ótimo, onde estou hospedado – falei para elas quando a massagem acabou. – Ele e os colegas geralmente fazem festa toda noite, então nós podíamos ver o que está acontecendo lá.

Roxanne, Alicia e eu pegamos um táxi até a casa de Steven, parando na mercearia da esquina para comprar suprimentos: uma garrafa de cabernet, batatas Sun Chips e sanduíches de peru em pão amanhecido.

Dentro do loft, a festa já tinha acabado há tempos. Não só Steven e os colegas estavam dormindo, como havia dois outros caras apagados em sofás na sala de estar. Infelizmente, eu não tinha meu próprio quarto e dormia no chão em um futon perto dos sofás.

Roxanne e eu nos sentamos no futon de hóspedes. Alicia pegou um lugar na mesa do café a alguns metros de distância, abriu um sanduíche de peru e começou a mastigar casualmente. Admirei a capacidade dela de não se deixar abalar independentemente do local para onde fosse e do que visse. Porém, meu tempo estava acabando. Tinha que haver um jeito de quebrar aquela caixa de vidro em caso de emergência.

– Ei – cochichei para Alicia, tentando não acordar os dois caras que dormiam no sofá. – Preciso te mostrar o melhor vídeo do mundo antes de você ir embora.

Meu melhor parceiro é o computador.

Ela foi até o futon e se empoleirou na ponta, abraçando os joelhos. Mostrei a ela um vídeo de uma espécie de pássaro que faz o *moonwalk* entre ramos de árvores. Provavelmente exagerei na propaganda, mas serviu ao objetivo de levá-la ao futon.

Agora era a hora de beijar a Bela Adormecida. Do contrário, ela voltaria ao hotel e realmente iria dormir.

Eu contei a Alicia e Roxanne que tinha vivido uma experiência incrível quando duas massagistas trabalharam em mim ao mesmo tempo, em sincronia perfeita. Esse procedimento era conhecido como massagem dupla de indução e eu já o utilizei várias vezes para conseguir sexo a três.

Primeiro, Alicia e eu fizemos massagem em Roxanne, depois tirei a camisa e elas me massagearam. Por fim, pedi a Alicia para abaixar a parte de cima do vestido e deitar de barriga para baixo.

Em geral a energia no recinto começa a mudar durante a massagem dupla de indução e a inevitabilidade de uma experiência sexual segura e gratificante de sexo a três começa a passar pela cabeça de todos.

Mas nesse caso não houve mudança de energia. Em vez de relaxar com o toque e as possibilidades sexuais, Alicia deitou lá e simplesmente aceitou a massagem. Passar minhas mãos pela extensão ampla e macia das costas dela foi tão satisfatório quanto frustrante, como sentir o cheiro de pão quente em uma padaria trancada. Temi que ela estivesse educadamente esperando a oportunidade de ir embora, achando que éramos algum tipo de casal promíscuo bizarro que fazia isso o tempo todo.

Depois Alicia levantou do futon, puxou o vestido para cima e foi ao banheiro. Ela não parecia feliz. Ela não parecia angustiada. Ela não parecia nada.

Pelo menos eu tentei. Estava me enganando ao pensar que Roxanne e eu éramos o Príncipe e a Princesa Encantados. Estávamos mais para os vilões dos quais ela precisava ser resgatada.

– O que você acha que a Alicia está pensando agora? – perguntei a Roxanne.

– Não faço ideia.

– Vamos ver o clima quando ela sair do banheiro. Se não estiver a fim, a gente a coloca em um táxi.

Alicia voltou do banheiro para o lugar na ponta do futon, como se estivesse esperando para ser dispensada. Definitivamente havia ido longe demais com ela.

– Bom, você precisa dormir antes da viagem amanhã, então vamos arranjar um táxi para você.

Ela deitou perto de mim, me deu um abraço de despedida e disse:

– Obrigada.

Quando ela me abraçou, senti que havia algo. A mudança de energia que eu esperava tinha acontecido.

Corri para os lábios dela, temendo que, se hesitasse por mais um segundo, Alicia sairia pela porta. Ela derreteu na hora. Eu pude sentir a caixa de vidro esquentando e se quebrando ao meu toque, caindo da pele em grandes pedaços. Leves sussurros de prazer se formaram nos lábios dela.

Roxanne deitou-se na cama atrás de mim. Eu me virei, puxei-a pra perto e dei uns amassos nela. Então nós começamos a massagear e lamber os seios de Alicia por cima do vestido. Alicia preguiçosamente levantou os braços, indicando que estava pronta para que ele fosse retirado.

Alicia não era de se doar, mas era ótima para receber. Ela arqueou as costas e mexeu o quadril, exibindo um corpo tão perfeito que bastava tê-lo para ser uma boa amante.

Quando tirei a calcinha de Alicia, ela estava ensopada. Corri para a minha mala, peguei uma camisinha e voltei para a cama. Posicionei as duas garotas de barriga para cima e penetrei Alicia enquanto dava uns amassos em Roxanne. Depois penetrei Roxanne e dei amassos em Alicia.

Para minha surpresa as garotas não hesitaram nenhuma vez, mesmo havendo dois caras dormindo (ou fingindo dormir) nos sofás, bem à vista da ação. Um dos meus amigos, quando está fazendo sexo com uma mulher bonita, costuma pensar: "Eu mereço." Eu continuei pensando: "Não acredito que isto esteja acontecendo comigo. Elas são cegas?"

Um casal fã de *swing* que conheço costumava falar do sexo a três que faziam e, com deleite e fascínio no olhar, o homem falava da posição favorita dele: o triângulo.

Havia chegado a hora de viver o lendário triângulo. Deito de costas e falo para Alicia montar em mim. Depois faço Roxanne sentar no meu rosto, de frente para Alicia para que as duas possam dar uns amassos.

Porém, nunca senti o fluxo sexual cósmico do qual meu amigo falava. Em vez disso, me senti cego e sufocado. Roxanne estava sentada em cima dos meus olhos.

Não que estivesse reclamando.

Depois, Alicia foi a primeira a falar:

– Foi a primeira vez que fiz algo assim – contou ela, calmamente.

– Você diz sexo a três ou ficar com uma garota? – Imaginei que ela não estivesse falando do triângulo.

– Os dois – respondeu ela.

– Como você se sente?

– Foi... – disse, e fez uma pausa – bom.

Ela nunca foi muito de falar mesmo.

* * *

Alicia e eu mantivemos contato depois disso. Tivemos longos papos pelo telefone, durante os quais as paredes de vidro continuaram a cair, expondo uma personalidade divertida e um senso de humor irônico.

– Meu avô gosta de você – disse ela em certa noite. – Ele quer que você venha nos visitar aqui em casa.

Uma semana depois, peguei o avião para passar o fim de semana e continuar a entrevista em um cenário que poucos jornalistas viram. Alicia me buscou no aeroporto e fomos de carro para a casa dele.

– Eu não faço isso para todo mundo – disse ele de seu jeito acelerado quando cheguei.

Durante o dia eu o vi trabalhar no estúdio. À noite, Alicia se enfiou na minha cama.

Na manhã seguinte, às seis horas, o avô entrou no quarto. Ele deu uma olhada em nós, que estávamos apavorados embaixo dos lençóis, e disse para ela:

– Sabia que você estava pegando o Neil.

Ele deu uma risada alta e espirituosa e virou-se para mim:

– Venha aqui fora comigo, quero mostrar uma coisa.

Eu o segui pela casa e o acompanhei porta afora. Ficamos em pé na grama e ele apontou para o céu do amanhecer.

– Bem ali – falou. – O que você vê?

– Nuvens.

– Olhe com mais atenção, cara. O que você vê nas nuvens?

Pareciam anéis de fumaça, mas ele aparentava estar tão empolgado que eu não quis decepcioná-lo.

– Deus? – perguntei.

– É, Deus – disse ele, apontando um filete grosso de nuvens que se estendia bem alto no céu. – Nunca se sabe o que Ele tem guardado para você. Ele age de modo misterioso.

– É – respondi. – Definitivamente.

REGRA 8

AS EMOÇÕES SÃO MOTIVO SUFICIENTE

Cometi um erro terrível.

Fiquei bêbado e posso ter me casado ontem.

E agora estou com medo de nunca mais vê-la de novo. Ou talvez eu esteja com medo de vê-la de novo. Não sei o que seria pior.

Não sei a idade dela, onde mora ou o sobrenome.

Bom, acho que agora sei o sobrenome dela.

Não sou do tipo que culpa os outros pelos meus erros, mas se tivesse que apontar alguém seria Ragnar Kjartansson. Tudo o que você precisa saber sobre ele são estes dois fatos: um, ele é o vocalista da única banda country da Islândia; dois, é o primeiro homem a se formar na Husmadraskolinn, uma escola para donas de casa.

Ele é o meu guia turístico aqui em Reykjavík, capital da Islândia, e eu não me importo em dizer que não é muito bom nisso.

A noite em questão começou em Tveir Fiskar, que significa Dois Peixes ou Três Capas de Chuva, dependendo da hora em que você pergunta a Ragnar. Um dos poucos lugares onde servem filé e sushi de baleia na Islândia. Eles também servem tubarão estragado, que é melhor comer em pedacinhos e engolir com uma dose de Morte Negra. O primeiro tem gosto de sujeira de umbigo e o segundo, de Vidrex.

– Temos que beber – disse Ragnar com voz arrastada e me dando a terceira dose de Morte Negra – ao fato de sermos patéticos.

Ele estava nessa bebedeira há meses, desde que a namorada Disa o deixara, levando ainda a TV. Sem TV para distraí-lo, explicou, ele só pensava nela.

– Devia ter me casado com ela – continuou Ragnar, encostando a cabeça na minha. – Só temos uma chance de encontrar o amor perfeito.

Após o jantar, enquanto lutava para colocar um suéter de lã vermelho, Ragnar sugeriu:

– Vamos beber.

– Não é o que estamos fazendo a noite inteira?

– Aquilo não era beber. Vou mostrar como se bebe na Islândia.

Evidentemente, beber na Islândia significava vomitar debaixo da mesa, urinar em um ônibus, arrumar briga com um adolescente e desmaiar em um cruzamento. Porque foi exatamente o que Ragnar fez nas três horas seguintes.

– Levante – ordenei enquanto o cutucava. Era outubro no norte congelado e ele estava vestido com apenas um suéter. – Você vai morrer aqui.

– Continue sem mim – resmungou ele. – Os bares de Reykjavík precisam de você.

Mesmo naquele estupor bêbado, ele tentava me fazer rir. Eu o levantei e o trouxe para a segurança da calçada. Foi quando vi a garota com quem me casaria naquela noite.

Ela estava acompanhada de uns vinte turistas, todos frequentadores do Iceland Airwaves, festival de música que era o motivo da minha visita à cidade e sobre o qual escreveria um texto. Reconheci um fotógrafo do grupo e parei para conversar.

Ele me apresentou aos amigos. A única palavra que lembrei foi "Veronika".

Ela lembrava as cantoras de *new wave* com quem eu costumava fantasiar nos anos 1980. Era mignon, de cabelos pretos espetados, sombra azul forte nos olhos risonhos e lábios carnudos levemente abertos para expor uma fileira perfeita de brancura. Assim que a vi, fiquei impressionado.

– Ele vai ficar bem? – perguntou ela, indicando Ragnar.

– Sim, ele está com dor de cotovelo.

– Queria que minhas dores de cotovelo fossem assim.

– É, ele parece bem feliz para um cara que perdeu o amor da vida dele.

– Nunca encontrei o amor da minha vida. Nem saberia como reconhecê-lo – disse ela.

– Você não precisa reconhecer. Simplesmente sabe.

Uma das coisas que aprendi viajando com bandas de rock (além de jogar FIFA em um ônibus em movimento, sobreviver sem tomar banho por sete dias e dormir a centímetros de distância de pessoas que também não tomaram banho há sete dias) é que os grupos se movem na velocidade do integrante mais lento. E, considerando que os amigos de Veronika estavam bêbados, eles não iriam muito longe. Então eu sugeri que a gente desse uma escapada, encontrasse algo interessante para fazer e depois os encontrasse novamente mais tarde.

– E o Sr. Apaixonado? – perguntou ela, apontando para Ragnar.

– Ele pode segurar vela para nós. Todo encontro precisa de uma vela.

Ela olhou para os amigos e sorriu, dando consentimento. Nós nos afastamos sem falar uma palavra, com Ragnar cambaleando atrás de nós.

– *It's hard to be loved* (*É difícil ser amado*) – começou a cantar ele. – *Baby, I'm unappreciative* (*Querida, eu sou ingrato*).

– Não foi à toa que ela terminou com ele – brincou Veronika.

Gostei dela. Para ficar sozinho com Veronika, porém, teria que dispensar meu desafortunado guia turístico. Sabia que ele entenderia ou, mais provavelmente, que se esqueceria de tudo. Então chamei um táxi e o joguei lá dentro.

Enquanto fechava a porta, ele segurou a parte de baixo do meu casaco.

– Não diga não ao amor – disse com voz arrastada. – Ou você será patético como eu.

– Eu me sinto mal por ele – falou Veronika depois que Ragnar foi embora.

– Não fique assim. Ser patético é uma forma de arte para ele. Ragnar vem de uma família muito bem-sucedida e se destaca sendo incorrigível em tudo: o pior bêbado, o pior cantor country, o pior namorado, o pior dono de casa.

– Imagino que haja uma certa dignidade aí – disse ela.

O centro de Reykjavík em um fim de semana à noite é uma zona de combate, com garrafas sendo jogadas em paredes, carros desgovernados subindo pelas calçadas e hordas de adolescentes bêbados ziguezagueando pelas ruas. Não há maldade no ar, é como depois de um jogo de rúgbi na Inglaterra, apenas uma ausência de controle.

Veronika e eu encontramos refúgio na pequena fila diante de uma boate. Ela era da República Tcheca e estava morando em Nova York no último ano. Foi tudo o que aprendi sobre ela antes de um cara com casaco desabotoado, cabelos castanhos espetados e rosto suave vermelho de frio entrar na fila atrás de nós. Ele tinha uma mochila pendurada no ombro e um grande sorriso alcoólico no rosto.

– Certo, certo – falou ele, entrando no meio da conversa. – Onde vocês residem?

– Nos Estados Unidos – respondi, seco.

– É lindo pelo céu espaçoso – disse ele empolgado, como se tivesse falado palavras mágicas, que lhe trariam a aprovação de qualquer norte-americano. – E posso perguntar se vocês são amigo homem e amiga mulher?

– Na verdade, ficamos noivos hoje – falei, esperando que isso acabasse com qualquer esperança de ele dar em cima de Veronika.

– É uma notícia abençoada – falou, sorrindo de um jeito desleixado. A maioria das pessoas em Reykjavík era quase fluente em inglês, mas ele falava como se tivesse aprendido o idioma em manuais técnicos, cartões de visitas e documentos legislativos. – Qual o período de tempo que vocês namoram?

– Sete anos – respondeu Veronika, entrando no jogo. – Acredita que ele demorou isso tudo para se decidir? Ele tem medo de compromisso.

Essa é para casar.

– É porque ela está sempre me enchendo a paciência, falando do lixo, implicando quando eu fumo charuto e reclamando do meu passado.

– Eu posso ajudar – disse o cara. – Eu posso ajudar. Meu sobrenome é Thor. E vou casar vocês nos sagrados laços do matrimônio.

– Isso seria ótimo – falei. Parecia a oportunidade perfeita para criar uma conexão com Veronika.

– Certo, certo, preciso anel para cerimônia – disse Thor. Ele tirou a mochila do ombro e começou a procurar por algo. – Têm certeza?

– É o meu sonho – disse Veronika, suspirando.

– Certo, – falou Thor – isto vai servir. – Ele tirou uma garrafa de vodca da mochila, desatarraxou a tampa e trabalhou furiosamente para retirar o anel de metal do gargalo, que acabou quebrando.

– Espere, espere. – Sem se abalar, pegou um celular da mochila e retirou dele um aro de metal que parecia um chaveiro vazio.

Thor parecia muito solícito, determinado e empolgado. Nós gostamos de ver o show. Era como se ele tivesse sido enviado por um poder superior para nos entreter e impedir o constrangimento que geralmente ocorre quando duas pessoas que se gostam passam certo tempo juntas pela primeira vez.

Falou algo em islandês para dois caras atrás dele na fila e eles se posicionaram um em cada lado de Thor, que em seguida pigarreou para limpar a garganta e começou: – Meus queridos, nós nos reunimos aqui diante de Deus e das testemunhas para juntar o agradável casal nos laços do sagrado matrimônio, certo, certo. Agradável casal, eu prevejo sua felicidade pelo infinito. O seu amor é como o sol brilhando de manhã. Faz luz no mundo.

Primeiro achei que ele estava apenas bancando o palhaço para nos divertir. Mas enquanto continuava, ele parecia estar fazendo o máximo, com toda a sobriedade e poesia que conseguia arranjar, para tornar o momento especial.

Após mais cinco minutos de discurso grandiloquente, Thor colocou furtivamente o anel de chaveiro na minha mão e falou comigo: – Você aceita esta mulher como sua legítima esposa no sagrado matrimônio? Promete amá-la, honrá-la e protegê-la até que a morte os separe? Você promete amá-la e somente ela na riqueza e na saúde, certo, certo?

– Certo.

– Você aceita este homem como marido no casamento? Promete fazer tudo o que acabei de falar para ele, certo, certo?

– Certo.

– Eu agora os declaro marido e mulher – disse ele em voz alta. – Você pode beijar a noiva.

Enquanto Veronika e eu nos beijávamos, me enchi de gratidão em relação a Thor, que já estava ocupado tirando outra coisa da mochila.

– Insisto no prazer de oferecer o primeiro presente de casamento, certo, certo – disse ele. – Em seguida nos deu uma pequena meia-lua de chocolate embalada em papel azul e prateado e fez outro discurso romântico e incoerente cheio de certos.

Agradecemos pela paixão que ele tinha colocado na cerimônia. Thor brilhava, orgulhoso de si. Em seguida, procurou na mochila de novo e puxou um papel e um bloquinho de anotações.

– Por favor, passem seus endereços, certo, certo – pediu ele.

Nós aceitamos, imaginando que ele quisesse amigos para se corresponder.

– Escrevam os nomes bem direitinho.

Ele dobrou o pedaço de papel e o colocou no bolso, depois acenou feliz com a cabeça e anunciou:

– Vou mandar a certidão de casamento pelo correio, certo, certo.

Fiquei pálido por um instante, depois percebi que ele provavelmente estava falando de um mero cartão de felicitações. Ele realmente foi longe demais com essa farsa.

– Como assim? – perguntei, só para ter certeza.

– Eu sou sacerdote, é claro – disse Thor, como se isso tivesse ficado óbvio o tempo todo. – Tenho certificação com a Igreja. Tudo bem. Aceitamos todas as religiões.

Veronika e eu olhamos um para o outro, com o mesmo pensamento passando pela cabeça: "O que acabamos de fazer?"

Mesmo assim, ninguém disse para ele não preparar os certificados. Thor estava tão orgulhoso quanto uma criança que fez o primeiro cocô no banheiro dos adultos, e não queríamos decepcioná-lo. Se ele realmente era sacerdote, como insistia, então já era tarde demais.

Dentro da boate, pagamos uma cerveja para o nosso sacerdote em troca dos seus serviços, depois saímos para dar uns amassos no andar de cima. Foi o primeiro encontro mais romântico da minha vida, e eu esperava que não tivesse sido o último primeiro encontro.

Não fazia muito sentido ficar na boate já que não tínhamos interesse em falar com as outras pessoas, então saímos em busca de mais aventuras.

Quando viramos a esquina, vimos os amigos de Veronika ainda em pé na calçada, exatamente onde os havíamos deixado. Falamos com eles por alguns minutos, mas a conversa era esquisita. Eles ficaram lá em pé, sem fazer nada, enquanto tínhamos passado por tanta coisa. Nossa vida provavelmente havia mudado por completo. Então, mais uma vez, fugimos.

Ela pôs a mão suavemente sobre a minha e andamos até o Hotel Borg como um casal em lua de mel. Uma vez no quarto, caímos na cama. Parecia óbvio como tudo aquilo acabaria.

Tão óbvio que, pela primeira vez na noite inteira, Veronika ficou nervosa.

– Hoje foi maravilhoso – comentou ela, entre beijos.

Meu coração acelerou. Eu sentia o mesmo. Ela continuou:

– Esta noite é perfeita demais. Não pode ser real.

Nós nos beijamos de novo. Depois:

– Preciso ir.

E depois:

– Isso foi longe demais.

Por fim:

– Sabia que você iria tentar fazer isso.

O que estava acontecendo era bem claro. O espectro do sexo tinha colocado papéis de gênero em nós. Eu era o homem, indo na direção do prazer, e ela era a mulher, fugindo da dor. Os homens têm medo de abordar as mulheres, e a maioria das mulheres têm um outro medo, o de ir longe demais em termos sexuais.

E isso não ocorre apenas por contas das repercussões biológicas (gravidez, trabalho de parto, nascimento, amamentação), e sim porque a maioria das mulheres em algum momento foi magoada por um homem. Por isso, antes de se arriscar e ceder às poderosas emoções sobre as quais têm pouco controle, elas desejam a garantia de que estão com alguém honesto, que as respeita e pode retribuir o que elas têm a oferecer, seja por uma noite ou uma vida. O que muitas mulheres secretamente desejam é se jogar no fogo do amor sem saírem queimadas, com cicatrizes ou machucadas. Porém, até os cientistas inventarem uma camisinha emocional, geralmente caberá ao homem garantir antes, durante e depois que ela está fazendo a escolha certa. Não com a lógica, mas com os sentimentos.

– Antes de ir, quero contar uma história – falei para Veronika.

A história não é minha. É sobre um homem e uma mulher que passam um pelo outro por acaso na rua. Ambos imediatamente têm a intuição de que o outro é a pessoa perfeita para si. E por algum milagre, eles criam coragem para se falar.

Eles andam e conversam por várias horas e se dão perfeitamente bem, mas gradualmente a sombra da dúvida lhes assola o coração. Parece bom demais para ser verdade. Então, para garantir que eles realmente são feitos um para o outro, decidem partir sem trocar informações de contato e deixar o destino decidir. Se eles se esbarrarem de novo, vão saber de verdade que são o amor da vida um do outro e se casarão na hora.

Passa-se um dia, uma semana, um mês, passam-se vários anos e eles não se veem. Ambos acabam namorando outras pessoas, que não são seus verdadeiros amores. Muitos anos depois, eles finalmente passam um pelo outro na rua novamente, mas depois de tanto tempo, não se reconhecem.

– Veja – falei para Veronika depois –, os amantes tiveram a sorte de que o destino os unisse uma vez. Quando duvidaram do que sentiam, foi como rasgar um bilhete premiado de loteria e esperar outro só para garantir que eles realmente tinham ganhado.

Depois, houve silêncio. A metáfora estava sendo assimilada. Passamos a noite juntos falando sobre o nada, apreciando a companhia um do outro, dando uns amassos sem chegar a fazer sexo. Agora eu não só devia a Thor pelo casamento, como devia ao escritor japonês Haruki Murakami pela lua de mel.

Na manhã, enquanto estava semiconsciente, Veronika me deu um beijo de despedida. Reykjavík é uma cidade pequena e nós iríamos aos mesmos shows, então prometemos nos encontrar no dia seguinte. Passei a tarde sonhando com ela e com a nossa conexão inesperada.

Naquela noite fomos ao Gaukar a Stong, um dos pubs mais antigos da Islândia. Como parecia acontecer toda noite, o álcool forte, a música alucinatória, o ar limpo e o povo agradável tomaram conta de mim e me entreguei às aventuras que a cidade tinha a me oferecer.

E elas começaram quando pedi outra cerveja Egil. Uma voz de mulher à minha direita perguntou:

– Você é americano?

Virei e encontrei uma garota levemente sardenta de cabelos curtos e platinados usando coturnos, meia-calça rasgada e uma blusa de moletom preta enfeitada com um raio prateado.

A conversa rapidamente se voltou para histórias de aventuras sexuais e ela começou a falar de uma orgia da qual tinha participado recentemente. Logo ficou claro que o objetivo da história não era apenas dividir, mas excitar.

Funcionou.

Enquanto dávamos uns amassos no bar, uma mulher bateu no ombro dela. Ao me afastar, vi que era Veronika.

– Estou saindo da boate agora – disse ela friamente para a garota. – Você vem comigo?

– Sim – respondeu a garota, pegando a bolsa no balcão. Depois falou para mim: – Minha amiga geralmente não é tão grossa. Desculpe. Foi bom te conhecer.

Tudo aconteceu tão rápido e de modo tão inesperado que nem deu tempo de me explicar para Veronika. Não fazia ideia de que ela estava no bar o tempo todo, assim como ela não fazia ideia de que eu estava lá até me ver aos amassos com a amiga. Imagino que não houvesse nada para dizer além de que ela tinha razão quando comentou que me conhecer era bom demais para ser verdade. Eu já tinha conseguido magoá-la.

E agora estou sentado no avião que vai de Reykjavík para Los Angeles, reprisando todos os momentos na minha cabeça. Não faço ideia de como encontrá-la ou se estou mesmo casado com ela. Tudo o que tenho de lembrança é este chocolate embalado em papel azul e prateado no bolso do casaco.

Dias, semanas, meses se passaram, e nunca mais soube dela, mas não consegui tirá-la da cabeça. Minha alegoria saiu pela culatra e acabei me convencendo de que somos a encarnação viva da história de Haruki Murakami.

Tentei encontrá-la no MySpace, mas existem muitas Veronikas sem foto de perfil em Nova York. Procurei o fotógrafo que nos apresentou, mas ele não sabe como entrar em contato com ela. E a prometida certidão de casamento nunca chegou, o que é mais um alívio do que uma decepção.

Mantenho a meia-lua de chocolate na mesa como lembrança da minha culpa, da minha suscetibilidade aos impulsos mais baixos, do fato de ter sido eu e não ela que rasgou imprudentemente o bilhete de loteria que recebemos.

Então, um ano depois, em uma viagem à Nova York, eu a vi, minha garota cem por cento perfeita. Ela está no Barramundi no Lower East Side, sentada, bebendo com os amigos em uma das mesas.

As palavras "É minha esposa" saem da minha boca. A conversa na mesa para e todos se viram para me olhar.

– Maridão – ela grita, com um sorriso grande no rosto.

Eu me junto a eles e as horas passam. Até ficarmos sozinhos novamente.

Namorei muitas garotas desde que a conheci. E ela me diz que está em um relacionamento sério. E mesmo assim nós nos damos perfeitamente bem.

– Sinto muito – digo finalmente. – Sobre, você sabe, ter ficado com sua amiga. Foi muito idiota da minha parte. Eu me arrependi todos os dias desde então.

– Você é só um homem – responde ela, suspirando.

– Isso significa que meu comportamento é perdoável por causa do meu gênero ou você está decepcionada porque agi como um cara típico?

– Os dois, acho. – Vejo os lábios de Veronika darem um gole do drink de mirtilo com vodca. – Eu devia ter contado que tinha namorado quando nos conhecemos.

– É a mesma pessoa com quem você está agora?

– Sim. Mas não é o amor da minha vida.

– Então por que você está com ele?

– Acho que... – Ela faz uma pausa, reflete, decide. – Porque é um amor conveniente.

Uma hora depois fomos para o apartamento em que estou hospedado. Mostrei o peixe dourado morto que minha anfitriã Jen guarda no congelador embalado em plástico e depois, cansados e bêbados, dormimos no sofá-cama.

Na manhã seguinte fizemos sexo pela primeira vez. Foi perfeito. Depois voltamos a dormir, nos braços um do outro.

Quando acordei, ela tinha ido embora. Procurei na sala, na cozinha e no banheiro por um bilhete. Não encontrei. Mais uma vez, não há como encontrá-la. E sinto que essa é a vontade dela.

O problema com o amor da sua vida é que às vezes ele é inconveniente.

De volta a Los Angeles, um mês depois, eu cedo à tentação. Estou trabalhando a noite toda e não tenho nada para comer em casa. Tiro a folha azul e prateada do presente de casamento que Thor nos deu. Pequenos flocos descoloridos de chocolate caem no chão. O doce ficou quebradiço com o tempo, perdeu a forma e passou de marrom a um cinza não comestível. Não faz mais sentido guardá-lo. Só vai atrair insetos.

REGRA 9

O AMOR É UMA ONDA, A CONFIANÇA É A ÁGUA

– Vou vomitar.

– Você comeu algo esquisito ontem? – pergunto.

– Não, comi o mesmo que você. Como você está?

– Bem, acho.

– Então.

Foi quando comecei a entender que não era uma ligação para falar amenidades. Era o pesadelo de todo homem solteiro – e de muitos casados.

– Você acha que está com infecção alimentar? – pergunto. É difícil encontrar palavras. O impacto delas é grande demais para suportar.

– Não sei.

– Quer que eu compre remédio para náusea? – estou sondando agora.

– Você poderia fazer isso? Agradeço. – Pausa. Espero. – Poderia trazer um teste de gravidez também?

Quando você sabe que está vindo um tapa na cara, na verdade dói mais.

Desligo o telefone, escovo os dentes, jogo água no rosto (uma ex-namorada me convenceu um dia que não faz bem ao rosto usar sabão duas vezes ao dia) e pego a chave do carro.

É a pior viagem de qualquer homem.

Na farmácia compro biscoitos, refrigerante e remédio para náuseas. Depois observo a prateleira de testes de gravidez. O teste E.P.T parece ser o mais simples: faça xixi no bastão branco, espere para ver se aparece um sinal de negativo (indicando liberdade) ou positivo (indicando servidão eterna). Escolho o kit com dois bastões. Posso precisar de uma segunda opinião.

No caixa fica bem óbvio qual é o meu objetivo ali. É muito mais constrangedor do que comprar camisinhas, embora eu imagine que existam produtos mais humilhantes para se adquirir. Como remédio para hemorroida. Ou para herpes. Ou vaselina e um cassetete de plástico.

Eles provavelmente já viram de tudo.

Corro para a casa de Kathy. Ela atende à porta vestindo apenas uma camiseta verde. O rosto pequeno está pálido, os cabelos louros despenteados e o corpo esguio molhado de suor. Ela está linda. Não é piada.

Tiro os produtos do pacote. A primeira coisa que ela pega é o refrigerante.

Observo cuidadosamente o teste de gravidez para ver se ela está pronta, mas Kathy o leva para o banheiro junto com o remédio. Provavelmente quer esperar. É muito para lidar agora.

Ela não o menciona. Nem eu. Kathy já me disse muitas vezes que jamais faria um aborto, então não há o que falar a respeito. Ou estamos ferrados ou não.

Enquanto ela anda pela casa fazendo limpeza, eu me pergunto como devemos administrar o teste. O melhor provavelmente seria irmos ao banheiro juntos. Eu ficaria ao lado dela, educadamente evitando olhar enquanto ela faz xixi no bastão. Depois nós o deixaríamos no balcão e esperaríamos. Poderíamos então imaginar as possibilidades.

Acho que poderia me casar com ela. Quando começamos a namorar, achei que Kathy fosse a pessoa certa. As pessoas dizem que você sabe, e pela primeira vez eu sabia: eu me lembro de dar uns amassos nela no sofá em nosso segundo encontro, pensar "Eu amo esta garota" e saber que precisaria esperar pelo menos um mês antes de dizer isso a ela. Eu me lembro de vê-la dormir e perceber que sempre a amaria, não importa o quanto Kathy fique velha e enrugada.

Mas ultimamente ela tem se mostrado ciumenta. Não gosta quando falo com outras mulheres em festas, mesmo deixando claro que ela é minha namorada. Kathy também não gosta quando atendo ao celular quando estou com ela, mesmo se for no meio de um dia de semana, nós estivermos juntos por 72 horas seguidas e for uma ligação de trabalho. Quando estamos deitados juntos, ela olhando nos meus olhos, se por um segundo eu lembro que preciso tirar as roupas da secadora, tenho que comer o pão que o diabo amassou por pensar em algo que não seja ela. Não posso viver o resto da vida com essa polícia do pensamento.

É melhor esse teste dar negativo.

Kathy zapeia pela televisão e coloca um DVD da terceira temporada de *Sex and the City*. Ela já viu cada episódio pelo menos dez vezes. E os cita com frequência.

Ela diz com regularidade que vai me amar para sempre, mas como pode existir amor sem confiança?

A ansiedade afeta a minha bexiga como cerveja, e vou ao banheiro. Quando lavo as mãos, noto o teste de gravidez no balcão. Ela o deixou lá, pronto para usar. Isso foi meio bonitinho.

Eu o pego e examino. Nunca observei um desses. Tem um pequeno sinal de negativo na janelinha do visor.

Primeiro pensamento: ela não está grávida. Que alívio.

Segundo pensamento: ela fez o teste sem mim?

Saio do banheiro e encontro Kathy deitada no chão na frente da TV, onde a deixei. Ela está vendo o episódio em que Charlotte e Trey decidem dar um tempo.

– Por que você não me disse que deu negativo?

Ela olhou para mim e deu com os ombros:

– Não queria incomodar você.

E ela volta a olhar para a TV. Eu sei como o episódio termina. Sei como todos terminam. Os dois vão se separar. Depois voltam. Depois se separam de novo. Alguns casais não foram feitos para dar certo mesmo.

REGRA 10

A ZONA DE CONFORTO É TERRITÓRIO INIMIGO

O PRIMEIRO DIA

– O seu saco vai parar na garganta e você vai gritar de dor – alertou ela.

– Não, eu consigo fazer isso – afirmo.

– Tem certeza de que não quer esperar mais alguns dias?

– Vou ficar bem. Agora tire a calça.

Gina obedece e eu a deito no sofá. Quero ter certeza de que ela está o mais perto possível do orgasmo a fim de facilitar tudo para mim.

– Sem truques agora – aviso enquanto a penetro. – Se eu pedir pra parar, você tem que parar.

Desse jeito é diferente. Tenho uma sensação de clareza que nunca tive durante o sexo. A mente está alerta e presente em vez de gravar com detalhes as imagens para o banco de dados das fantasias. Estou afastado da fricção e do frisson e, enquanto nossos movimentos se intensificam, o meu corpo começa a ficar mais leve e depois parece se dissolver.

Ela goza em ondas lendas e profundas. Imediatamente depois ela se debate, como se a sensação física fosse demais para o corpo aguentar e fosse necessário sair da própria pele até passar.

– Quero surfar. – Essas são as primeiras palavras que ela diz quando volta ao presente. Ela não tem vontade de surfar há dois anos, desde que o melhor amigo morreu no mar. Ela parecia ter acabado de ver o rosto de Deus.

Creio que esse tenha sido o melhor sexo que ela já fez comigo.

Tudo isso porque estou fazendo o Experimento de Trinta Dias.

O SEGUNDO DIA

Linda me liga para dizer que está na cidade. Não falo com ela há dois meses. Deve ser algum sinal mediúnico que estou mandando ao universo, dizendo "Vai ser bem difícil fazer sexo agora, então por favor venha aqui me tentar".

Assim que os lábios dela tocam os meus, fico de pau duro. É uma excitação diferente: urgente, independente e que definitivamente não vai embora tão cedo. Ela sente e, como se fosse a responsável, diz:

- Eu sempre faço isso.

Linda diz que não quer transar essa tarde e tudo bem. Só de dar os amassos, todos os nervos do meu corpo estão tensos e prontos para explodir. Isso está ficando mais difícil a cada dia.

Peço licença para ir ao banheiro, jogo água fria no rosto e depois volto e conto a ela sobre o Experimento de Trinta Dias.

Naquela noite, converso com Kimberly ao telefone. Tinha mandado mensagem para ela no MySpace duas semanas antes. Com sua franja preta, olhos grandes e inocentes, ela lembrava uma pintura de Mark Ryden. Ela mora do outro lado do país, em Nova York, mas estamos nos falando toda noite. A conversa é fácil e quanto mais aprendo sobre ela, mais gosto de Kimberly. Não só porque nós dois colecionamos rock de garagem dos anos 1960 e apreciamos secretamente ser empurrados por aí em carrinhos de supermercado, mas também porque ela é uma das pessoas mais meigas e sinceras que já conheci. Recentemente, tenho pensado nela ao acordar e verificando o telefone aleatoriamente ao longo do dia para ter certeza de que não perdi nenhum SMS.

Venho me perguntando se Kimberly sente o mesmo por mim. Hoje, eu descobri. Depois que desligamos ela mandou SMS: "Estou me esfregando toda pensando em nós. Espero que você não se importe que eu admita isso."

Eu digo que não me importo e seis mensagens depois já sei a posição sexual favorita dela, com suas respectivas velocidade e ritmo. Enquanto estou tendo relações alfanuméricas com Kimberly, Linda manda SMS: "Quero sexo. Fodam-se os seus trinta dias. Comece amanhã."

Agora ela está interessada.

Kimberly manda SMS: "Meu quadril está se movendo rapidamente e com força na direção da minha mão. Quero engolir você enquanto faço isso. É pedir muito?"

Linda manda SMS: "Amor, eu quero foder. Só uma hora de êxtase."

Esse tipo de coisa nunca acontece.

O sangue corre para a minha pelve. Sinto que vou desmaiar.

O TERCEIRO DIA

Meus amigos acham que eu pirei e perguntam por que eu me coloquei nessa situação.

Eu respondo: "O que faz um homem escalar uma montanha, caminhar sobre brasas ou ler *Finnegans Wake/Finnicius revém*?"

Eu estou fazendo isto, antes de tudo, para ver se consigo.

Rivers Cuomo, vocalista e guitarrista do Weezer, foi o primeiro a botar a ideia na minha cabeça. Ele explicou que recentemente havia feito um voto de celibato como parte de um programa de meditação budista. Isso significava abster-se não só do sexo como também da masturbação. Como resultado, ele disse que nunca se sentiu tão energizado, criativo e concentrado na vida.

Na época eu interpretei isso menos como conselho e mais como outra confirmação das peculiaridades dele. Mas algumas semanas depois, Billy Corgan, do Smashing Pumpkins, disse que não deixa a banda fazer sexo ou ter orgasmo em dia de show para que possam liberar toda a energia no palco.

Semana passada eu abordei o assunto em um jantar e um diretor na mesa disse que após se abster de orgasmos fez o melhor trabalho da sua carreira.

Como um dos meus editores costumava me dizer, é preciso três pessoas para você se convencer de algo. Assim, estas três pessoas, todas muito mais bem-sucedidas do que eu, combinadas a uma grande culpa autoflagelatória adolescente, inspiraram o Experimento de Trinta Dias: nada de ejaculação por um mês.

E hoje foi uma tortura. Mulheres com quem estou dormindo ou quero dormir vêm me ligando sem parar. Para piorar tudo, Kimberly decide passar do sexo por SMS para o sexo por telefone.

Enquanto falávamos sobre o diretor russo Timur Bekmambetov, ela começa a ofegar ao telefone.

- O que você está fazendo agora? - pergunto.

- Estou me esfregando por cima da calcinha. - Só a voz dela, açucarada, falsamente tímida e em tom de brincadeira, já me excita. Assim que Kimberly disse "oi" eu estava com o pau mais duro que um pé de cabra. Não preciso de muito esses dias. Agora a pressão é grande demais para segurar.

Em vez de falar sacanagem comigo, ela apenas geme ao telefone enquanto se masturba. Na verdade isso é mais sexy do que o sexo por telefone convencional porque parece mais que estamos fazendo em vez de discutindo o assunto.

Chego perigosamente perto do limite, depois paro e respiro fundo e lentamente. Eu recomeço quando ela geme mais alto e com mais tesão, respira mais rápido e mais ofegante. Eu a quero muito. Parece haver um fio de energia sexual saindo do meu corpo e indo até o dela, que está lá em Nova York. Nunca vivi algo assim em sexo pelo telefone, provavelmente porque antes estava ocupado demais trabalhando para chegar ao meu orgasmo.

Após alguns ciclos de prazer e negação, outra sensação inédita acontece: a parte interna da minha coxa e a região do estômago, logo acima e abaixo da virilha, começam a formigar intensamente. Parecem ao mesmo tempo quentes e frias, como se estivessem cobertas por aqueles cremes que as pessoas usam para aliviar a dor.

– Você gozou? – pergunta Kimberly após o fim do orgasmo.

– Não posso.

– Como assim? – Ela parece preocupada.

Hesito por um instante e depois decido arriscar e explico o Experimento de Trinta Dias. Silêncio do outro lado da linha. Ela provavelmente acha que sou maluco.

– Quero que você goze – implora Kimberly. – Fico me sentindo mal, como se não fosse boa o bastante.

– Você estava muito gostosa. Nunca fiquei tão excitado pelo telefone – digo.

Ela desliga, deprimida. Eu interferi na ordem natural da vida. As mulheres são tão condicionadas a esperar o cara gozar que quando isso não acontece, mesmo se tiverem um orgasmo, elas tendem a achar o sexo incompleto.

Ainda nem conheci essa garota pessoalmente e já estou destruindo a autoestima dela.

Duas horas depois, parece que enfiaram agulhas na pele quente das minhas coxas e da região do estômago.

O QUARTO DIA

12 vezes 12 é igual a 144.

18 vezes 18 é igual a 324.

23 vezes 23 é igual a 529.

Posso multiplicar qualquer número de dois dígitos até 25 em um instante. Virei uma calculadora humana. É um benefício involuntário do Experimento de Trinta Dias.

O sexo com Crystal não é fácil. Após algum tempo, nem fazer contas de multiplicar na cabeça basta para segurar as ondas do prazer. Faço com que ela pare quando estava quase chegando ao orgasmo porque também estou quase lá. Ela não ficou feliz com isso.

– Você não gosta de orgasmos? – pergunta Crystal.

– Amo orgasmos. É como se fosse heroína natural. Por isso quero ver se consigo largar este vício.

Agora sei como os viciados se sentem. Estou pensando naquele barato praticamente o tempo todo. Todas as células do corpo gritam por isso. E quanto mais você fica sem, maior é o desejo, até sufocar todos os outros pensamentos.

Imagino que este seja outro motivo pelo qual estou fazendo o Experimento. Conheci alguns dos piores viciados do rock and roll, mas nunca me viciei em nada, nem em café ou em cigarros. Costumava dizer que minha personalidade não era propensa a vícios.

Refletindo melhor, porém, percebi que era viciado em uma coisa. Seja com uma mulher ou sozinho, sempre tive pelo menos um orgasmo por dia até onde me lembro.

Para complicar, como a maioria dos viciados, sempre fui atormentado pela culpa em relação ao meu hábito. Quando adolescente, costumava pensar que os homens tinham apenas milhares de ejaculações na vida e tinha medo de gastar minha reserva rápido demais. Na faculdade, sempre que eu gozava pensava que estava de alguma forma esgotando a minha força vital. E desde então, sempre que me masturbo eu me sinto não apenas sujo como acho que fico menos atraente e desejável quando interajo com mulheres ao longo do dia.

Assim, o Experimento de Trinta Dias não era uma opção. Era uma necessidade. Eu precisava descobrir se tinha a força e a coragem para romper esse vício e dispersar as superstições geradas por essa culpa que nutria desde a puberdade.

Claro que o Experimento seria muito mais fácil sem esse sexo todo, mas ao aprender a apreciar mais a jornada do que o destino, eu estou ficando muito melhor de cama. Pelo menos acredito que sim.

– Você é péssimo. – Crystal me dá um soco no peito de brincadeira e sai de cima de mim. – Eu não terminei.

– Talvez você seja muito dependente de orgasmo.

Crystal é uma estudante de psicologia de 1,80 metro que costumava me pressionar para namorar. Quando disse que não sentia o mesmo por ela, Crystal parou de dormir comigo para o bem da própria saúde emocional.

Um mês depois, ela mudou de ideia e explicou:

- Decidi que você é bom demais para não dividir.

Na semana seguinte eu a apresentei a Susanna, e Crystal fez o primeiro sexo a três da vida. Desde então, ela está disposta a experimentar tudo pelo menos uma vez.

- Quero ouvir sobre esse negócio do orgasmo e entender o que você está tentando conquistar - diz ela enquanto corro até a geladeira para beber água, aproveitando outro benefício do Experimento de Trinta Dias: nada de virar para o lado e dormir. O sexo agora me dá energia em vez de tirá-la.

Explico o raciocínio por trás do Experimento para Crystal. Ela pensa por um momento e pergunta:

- Será que as mulheres conseguem fazer isso?

O QUINTO DIA

Kimberly está aos poucos assumindo o lugar da masturbação na minha vida. A cada dia eu fico mais ansioso pelas nossas conversas noturnas. Hoje ela confessou os sentimentos por mim e nem fiquei com medo.

- Quero conhecer você por dentro e por fora - diz ela. - Quero ver uma foto, uma camisa ou uma escova de dente e saber que aquilo é seu. Eu gosto muito, muito mesmo de você, quero saber do que acontece na sua vida e dos seus sentimentos.

Digo que preciso dar uma palestra em Nova York daqui a seis dias e estou estendendo a viagem para passar mais tempo com ela. Imaginamos todos os detalhes da nossa primeira noite juntos até ela gozar berrando meu nome. É um som que me afeta profundamente, mais do que a melhor sinfonia, o pássaro mais musical ou o ruído que o Windows faz ao iniciar.

Depois disso eu alcanço um novo limite de desconforto. A área triangular de carne situada logo acima do meu pau parece sensível e dolorida. E é quase impossível cagar porque, quando comprimo os músculos, surgem fisgadas de dor na área acima da virilha. A pele ali parece inchada, mas eu não costumo olhar muito para essa região, então talvez tenha sido sempre assim.

Agora está muito óbvio que estou fazendo isso do jeito errado. Algo supostamente benéfico não deveria doer tanto. Em um dos meus livros favoritos de autoajuda, *Mastering Your Hidden Self*, o autor Serge Kahili King diz que abandonar um vício exige mais do que força de vontade. Quando você para de fazer algo, deixa um vazio subconsciente, segundo ele. E esse vazio precisa ser substituído por uma nova atividade. É por isso que quem para de fumar mastiga chicletes, por exemplo.

Mas não consigo pensar em nenhum tipo de chiclete forte o bastante para afastar esta urgência e dor que estou sentindo, nem mesmo o Freshen Up. O novo hábito teria que ser algo mais físico, preferencialmente uma atividade que alivie a dor, como banhar meu saco em creme azedo gelado.

Eu me viro para dormir e rezo para ter um sonho erótico que alivie esse fardo. Nunca tive um sonho assim antes, talvez devido a minha masturbação compulsiva. Contudo, sou acordado pelo telefone.

- Quero fazer aquilo com você. - É a Crystal.

- Agora? - pergunto, assustado, talvez pela primeira vez na vida diante da possibilidade de uma ligação para uma rapidinha.

- Não, seu bobo. Quero fazer o Experimento de Trinta Dias.

Estou feliz por ter uma parceira de abstinência. Conto a ela sobre procurar um hábito para substituir o sexo e decidimos por algo construtivo: exercícios físicos.

Então nos próximos 25 dias, sempre que eu estiver excitado, vou fazer flexões em vez de me masturbar. E vou dominar o meu eu oculto.

O SEXTO DIA

Estou ficando excitado com tudo e todos. As palavras "perverso polimorfo" me vêm à mente pela primeira vez desde a faculdade.

Passei vinte minutos repassando os números no meu celular, pensando em mulheres que nunca achei atraentes. Quero mandar SMS de sacanagem para elas e convidá-las para a minha casa.

Vou para o chão e faço trinta flexões. O sangue começa a circular pelo meu corpo em vez de se concentrar em apenas um lugar.

Naquele mesmo dia, enquanto estou vendo *South Park*, no Comedy Central, surge um comercial do programa *Girls Gone Wild*. Essa é a minha primeira exposição a algo remotamente semelhante à pornografia durante o Experimento e, em meu estado enfraquecido, a montagem de seios censurados e universitárias se pegando parece o melhor entretenimento filmado que nossa cultura já produziu.

Aperto o botão de voltar no receptor de TV e vejo o comercial de novo, fazendo uma pausa para admirar algumas garotas comemorando a terça-feira gorda. Enquanto minha mão desce para dentro da calça, tenho uma epifania:

quando me masturbo, mas não ejaculo, não me sinto culpado ou sujo. Isto significa que nunca tive culpa pela masturbação, o problema sempre esteve na ejaculação. E isso faz sentido. O clichê de que todo esperma é sagrado sempre foi martelado na cabeça das crianças, desde a Bíblia até o Monty Python. Mesmo no século II, o filósofo Clemente de Alexandria avisou aos aspirantes à prática do autoerotismo: "Devido a sua instituição divina para a propagação do homem, a semente não deverá ser ejaculada em vão, danificada e nem desperdiçada."

Então eu não sou louco: ao desperdiçar um monte de esperma, estou prejudicando o futuro da espécie. Ou talvez esteja ajudando. Depende de para quem você pergunta.

Trinta flexões.

South Park voltou e estou seguro. As crianças estão viajando de carro com a mãe do Cartman. E o Cartman está chamando a mãe de vadia e piranha.

Olho para ela, aqueles círculos e retângulos mal desenhados, e penso em como seria sensacional dormir com ela.

A minha mão vai para dentro da calça. Acho que enlouqueci: estou excitado com a mãe do Cartman, ou pelo menos o público-alvo de donas de casa desesperadas que ela representa.

Trinta flexões. Vou ficar sarado rapidinho.

E então Kimberly liga. Ela está bêbada. Diz que está com saudade. Também estou com saudade dela e nós nem nos conhecemos ainda. Fazemos sexo por telefone até todos os nervos do meu corpo ficarem contraídos e prontos para explodir. Começo a imaginar como seria sair de cima dela e ejacular com força total, como um tubo de pasta de dente atingido por um martelo.

Peço desculpas pela comparação, mas continuo provocando o meu corpo e ele está se vingando na minha mente.

Mais flexões. Até eu chegar à exaustão.

Não posso continuar assim.

Talvez não baste apenas mudar de hábito. Todo o conceito do Experimento poderia ser um mal-entendido em relação à sabedoria de Rivers Cuomo. Talvez a mudança mágica de energia não aconteça privando-se de ejacular um líquido branco e leitoso e sim de ficar realmente sem desejo. Afinal, é o que a maioria das grandes disciplinas espirituais aconselha. Para citar o Buda, o desejo leva ao sofrimento. E eu definitivamente estou sofrendo, o que é patético considerando que se passaram apenas seis dias.

O SÉTIMO DIA

Crystal liga e me atualiza sobre o primeiro dia de abstinência. Ao contrário de mim, ela o fez com o devido planejamento. Com a ajuda do Google, descobriu uma base espiritual para o Experimento que eu tinha deixado completamente de lado, mais por preguiça do que por ignorância.

– Você só está segurando e isso não é saudável – diz ela.

– Eu sei. Agora dói quando eu sento. Estou com medo de ter câncer na próstata ou algo assim.

– Você tem que pegar a energia vital e fazê-la circular pelo corpo, em vez de segurar como uma represa – diz ela em sua superioridade moral.

– E como exatamente isso funciona?

– Tem que ser feito com um parceiro. – Ela dá a dica.

Crystal me manda links de sites taoistas e tântricos com informações sobre gurus sexuais como Mantak Chia, Stephen Chang e Alice Bunker Stockham. Com a pesquisa de Stockham aprendi uma nova frase: *coitus reservatus*, sexo sem ejaculação. Com Mantak Chia aprendi que é possível ter orgasmo sem ejacular. E com Stephen Chang aprendi o exercício do cervo que se baseia na observação antiga que os monges taoistas fizeram do longevo e potente cervo, especificamente do jeito pelo qual ele abana o rabo para exercitar os músculos glúteos. O ritual deve espalhar o sêmen da próstata para outras partes do corpo. Preciso fazer isso imediatamente.

Eu sento no vaso com o laptop aberto aos meus pés e sigo as instruções, esfregando as mãos para gerar calor e depois segurando o meu saco. Coloco a outra mão logo abaixo do umbigo e faço movimentos circulares lentos, depois troco de posição e repito. Por algum motivo, não consigo imaginar um cervo fazendo isso.

Para a segunda parte do exercício, eu contraio os glúteos, imagino o ar sendo tirado do meu reto e prendo. Depois relaxo e repito. É como fazer flexões para a bunda.

A dor continua, mas agora se mistura à vergonha. Prefiro ser flagrado me masturbando a fazendo flexão de bunda.

Antes de dormir, ligo para Kimberly e experimento o método de Mantak Chia para ter orgasmo sem ejaculação, esperando que dê algum alívio.

Quando ela tira um vibrador da mesa de cabeceira e narra os próximos movimentos com riqueza de detalhes, eu não aguento mais. Aperto o períneo, contraio o músculo PC e faço uma flexão de bunda. Mas mal consigo conter o fluxo e também não consigo ter um orgasmo seco.

– Ah, meu Deus, eu gozei com tanta força, amor – diz Kimberly, arfando. – Você gozou?

– Ainda não posso. – Só fiz piorar a dor. Por que continuo insistindo nisso?

Ouço o silêncio do outro lado da linha e não é um silêncio tranquilizador.

– Vou te falar uma coisa – decido. – Quando encontrá-la em Nova York daqui a quatro dias, vou gozar de verdade. Vai ser incrível terminar esse experimento com você.

– Mas e os trinta dias? – pergunta ela, mais aliviada do que preocupada.

Fodam-se os trinta dias. Estou disposto a fracassar no experimento pelo que pode ser amor. Na verdade, qualquer desculpa para terminar já basta.

O OITAVO DIA

Enquanto tento fazer outro exercício ridículo da Crystal – a meditação do canudinho, que envolve imaginar a energia orgástica sendo sugada da espinha para a cabeça –, eu me lembro da noite em que aprendi a me masturbar.

Eu estava em uma colônia de férias em Wisconsin e, por algum motivo que nunca vou entender, os dois garotos legais do meu quarto decidiram mostrar a todos como bater uma.

Da cama de cima de um beliche, vi Alan entrar na área dos monitores e voltar com uma lata vermelha de espuma de barbear Gillette. Ele ficou em pé no meio da sala, vestindo a camisa azul do acampamento e um short branco sujo, como se estivesse em uma peça de teatro e chamou os outros nove pré-adolescentes do quarto Lenhador II.

"Espalhe um pouco na palma da mão. Depois você tem que mexer a mão assim." Ele enfiou a mão dentro da calça e começou a demonstrar. Seu leal seguidor, Matt, pulou da cama, passou espuma de barbear na mão e se juntou a ele.

Nós éramos jovens demais para saber que a masturbação deveria ser um ato privado, cuja revelação aos colegas seria punida com deboche e ostracismo. No meu cérebro pré-sexual era apenas outra atividade em grupo, como tiro ao arco ou orientação na mata.

O fraco e afeminado Hank rolou para fora da cama e distribuiu porções da espuma de barbear a todos no quarto. Em seguida, fomos ao trabalho.

Em retrospecto, a visão era ridícula. As pessoas geralmente desejam voltar a ser inocentes, mas não existe isso de inocência. Apenas ignorância. E os ignorantes não são felizes, são motivo de piada e nem sabem disso.

Não gozei nem senti muito prazer. Não lembro se outra pessoa gozou, mas de acordo com Alan, esse era o objetivo. Era uma corrida e depois que a colônia de férias terminou, o Hank venceu: ele me escreveu uma carta todo empolgado porque tinha se masturbado e "algumas gotas de gozo até saíram".

Quase um ano depois, em casa e deitado na cama, comecei a me tocar. Pensei na história que um amigo tinha me contado sobre ir ao cinema com uma garota da escola e ela ter tocado uma para ele. Extraí todos os detalhes desse amigo: nunca tinha beijado uma garota, nem ao menos chegado perto disso.

Quando me masturbei naquela noite imaginei que era eu sendo tocado pela garota no cinema. Logo começou a surgir uma pressão e eu parecia estar me separando da realidade. Minha respiração ficou presa na garganta, o corpo ficou paralisado no que parecia *rigor mortis* e depois aconteceu. Uma pequena poça saiu da ponta. Levantei a cabeça e liguei a lâmpada de leitura perto da cama, com cuidado para não estragar tudo. Depois fiz uma análise. Devido à forma pela qual Hank tinha descrito seu gozo, achei que seria limpo como gotas de chuva, mas na verdade era uma poça meio viscosa com partes em tom branco turvo e outras partes transparentes.

Quando escrevo isso, percebo pela primeira vez por que a minha fantasia sexual é transar em lugares públicos como boates, cinemas e festas, onde ninguém pode ver o que acontece: essa é a imagem com a qual tive meu primeiro orgasmo.

"Você precisa ver isso", contei ao meu irmão de 9 anos no dia seguinte. "Vem comigo."

Ele entrou no banheiro atrás de mim. Fiquei em pé no vaso sanitário, abaixei a calça e mexi o quadril de modo que o gozo cairia na pia e não faria uma bagunça. Depois eu coloquei mãos à obra.

Além de suor e lágrimas, nunca havia desconfiado que meu corpo produzisse algo que não fosse lixo. Fiquei orgulhoso. Agora eu era adulto.

O NONO DIA

Acordei ao lado de Gina. Ela passou lá em casa para uma rapidinha após trabalhar como bartender. Mas eram três horas da manhã e além de estar cansado, eu não tinha desejo. Ela levou para o lado pessoal.

– Você cansou disso, não é? – perguntou Gina de manhã.

– Como assim? – protestei, embora soubesse muito bem o que ela queria dizer. Além do meu novo esforço para limitar o desejo, desde que comecei a falar com Kimberly, eu tinha ficado mais distante.

"É porque não fiz sexo com você? Em 21 dias tudo vai voltar ao normal."

– Não é isso. Eu te amo, mas tenho que me amar o suficiente para perceber que você não quer isso.

Logo acima da minha cama está um pequeno quadro que ela fez para mim em uma época mais feliz. Ela o tira da parede e põe no colo. Eu a observo, sentada na cama, as mãos tremendo enquanto Gina luta para retirar a parte de trás da moldura. Os fechos que o prendem são muito pequenos e duros para suas mãos trêmulas.

Ela acaba conseguindo abrir. Em vez de tirar o quadro, ela retira a parte de trás, pega o papel preto que está lá dentro e o arranca. Por baixo dele está um bilhete oculto que evidentemente ela escrevera quando me deu o presente. Nunca soube que estava lá.

Ela joga a parte rasgada no meu peito e vai embora. Eu pego e leio:

"Você será um ótimo marido um dia, quando estiver pronto e encontrar a pessoa certa. Você será um pai incrível para um *baby Neil* inteligente e lindo. Você vai me magoar, mas eu sempre vou te amar."

Meu rosto começa a inchar, os olhos e nariz ficam quentes, vermelhos e, subitamente, lágrimas começam a surgir.

Vou sentir saudade de Gina. E sempre vou respeitá-la: o truque da moldura foi o trabalho de uma verdadeira artista.

O DÉCIMO DIA

Amanhã eu finalmente verei Kimberly. Enquanto meus outros relacionamentos desmoronaram, ela continuou fiel. Sinto que já nos conhecemos, já dormimos juntos e já nos empurramos em carrinhos de supermercado. Há momentos em que eu realmente penso que a amo, mas sei que é apenas uma combinação de atração, obsessão e curiosidade. Tenho certeza de que ela sente o mesmo em relação a mim.

Isto é, até ela me ligar para dizer que precisa aceitar um trabalho de última hora como assistente de produção em Miami e não vai poder me encontrar em Nova York.

– Não tenho escolha – diz ela. Há um tom hostil e defensivo na voz de Kimberly que nunca ouvi antes. – Realmente preciso da grana. Tenho uns 13 dólares no banco agora.

Fiquei arrasado. Estava tão obcecado por encontrar Kimberly em Nova York que não consigo imaginar o fato de estar lá sem ela. Começo a dizer isso.

– Nem vem – retruca ela. – Não há nada que eu possa fazer.

– Não estou chateado – digo, chateado. – Isso só é muito inesperado. Mas não é o fim do mundo. Talvez eu possa visitar você em Miami depois de Nova York.

– Talvez eu tenha que desaparecer por alguns dias – diz ela, com a raiva se dissolvendo em lágrimas. – Preciso pensar sobre nós.

Quanto mais falamos, mais emocionada ela fica. Quanto mais emocionada ela fica, mais ela se retrai.

– Então você não vai me encontrar em Nova York e nem pode fazer planos para Miami? – É como se Kimberly tivesse apagado um cigarro no meu coração. – Preciso saber se vou conseguir te ver.

– Você está me fazendo chorar. – Agora ela está gritando comigo. Estou lidando com emoções. Minha lógica é inútil e minha raiva, contraproducente. Tudo o que me resta é frustração, paranoia e uma náusea em todas as células do meu corpo que antecipavam o fim do Experimento de Trinta Dias e o início de um romance de conto de fadas.

– Se você precisa desaparecer, primeiro me dê um tempo para vê-la, para ter algo pelo qual possa esperar ansiosamente. Do contrário, tudo isso não vai ter passado de um relacionamento de mentirinha – pressiono.

– Relacionamento de mentirinha? – Obviamente, falei algo errado de novo. – Queria muito te ver e você sabe disso. Queria ser sua namorada. – Ela para de chorar e acerta o meu ponto fraco. – Não ponha a culpa disso em mim. É você que é impotente pelo telefone.

Pelo lado mais positivo, após desligarmos e eu me jogar no chão do quarto, percebo algo: meu saco não inchou o dia inteiro. Parece que consegui sobreviver ao período da dor.

O DÉCIMO-PRIMEIRO DIA

Na tarde seguinte, estou em um táxi rumo ao LAX a fim de pegar o avião para Nova York. Ao mesmo tempo, Kimberly está em um táxi rumo ao JFK a fim de pegar o avião para Miami. Nenhum de nós dois dormiu. Passamos a noite discutindo, mostrando um ao outro nosso pior lado. E agora estamos mandando a pior despedida do mundo por SMS: "Tenha uma ótima vida."

No avião, estou arrasado. Insone, barba por fazer, pálido. Seguro a cabeça com as mãos a viagem inteira e repasso a conversa na minha mente, arrependido de todas as idiotices que falei e me perguntando se Kimberly sabotou o relacionamento de propósito. Talvez ela estivesse com medo de me encontrar, temendo me decepcionar ou que eu a decepcionasse. Talvez ela nunca tivesse planejado me encontrar, para começo de conversa, por ter um namorado em Miami ou é uma louca que persegue os outros pelo telefone ou tem um perfil falso no MySpace e na verdade parece um jogador de futebol americano.

Nenhuma destas possibilidades alivia o coração partido. Eu não sabia que podia me sentir assim em relação a alguém que nem cheguei a conhecer pessoalmente.

A cama vazia ocupa o quarto de hotel como uma acusação. Passei tantas noites imaginando estar lá com Kimberly, onde nos veríamos sem roupa pela primeira vez, realizando nossas fantasias telefônicas, tomando um banho juntos à luz de velas e depois entrando embaixo dos lençóis e conversando até dormir um nos braços do outro. Eu me sinto um idiota por ter confiado nela, por ter me apaixonado por ela, gastado tantas horas ao telefone criando um futuro que ela sabia que nunca existiria. Ao mesmo tempo eu me pergunto o quanto dessa paixão por Kimberly foi resultado da transferência causada pelo Experimento de Trinta Dias: substituir um vício pelo outro.

Decido ir ao lugar predileto dela na cidade, Amalia, a fim de procurar alguém igual a ela. Acabei encontrando Lucy, uma jovem brasileira meio burrinha, que pronunciava o th como se fosse s, usava um vestido preto apertado demais e não tinha interesse algum em rock de garagem dos anos 1960 ou em carrinhos de supermercado.

Ela me segue pelo Amalia, aproveitando todas as oportunidades para me tocar. Então eu digo, sem me importar se vou ser aceito ou rejeitado:

– Devíamos levar uma dessas garotas para casa com a gente hoje.

Foi arrogante e eu me preparo para o contra-ataque do tipo "Quem disse que vou para casa com você?".

Contudo, ela ataca dizendo:

– A gente devia levar, tipo, umas cinco para casa.

– Quem é a sua predileta?

Ela aponta para uma garota alta e frágil de pele branca, longos cabelos castanho-avermelhados e um sorriso grande e cheio de dentes.

Duas horas depois, a cama do quarto de hotel está cheia. Lucy pega o meu computador e coloca um vídeo da Shakira. Depois levanta e canta com sotaque e perfeitamente afinada enquanto mexe os quadris em círculos lentos.

A garota alta, uma atriz off-Broadway chamada Mary, está deitada na cama de barriga para baixo assistindo a tudo. No final da dança ela está de barriga para cima e me agarrando.

Mary fica arrepiada toda vez que beijo e mordo seu pescoço, e cada arrepio tira um pouco mais de inibição até ela me dizer:

- Quero ver o seu pau.

Fiquei surpreso pela ousadia súbita. Ela parecia mais disposta a interpretar um papel do que excitada.

- Tire a roupa. Quero ver - ordena.

Eu entro no jogo e em poucos segundos estou completamente nu. As duas ainda estão com os respectivos vestidos. Sem roupas ou desejo eu me sinto esquisito. Sinto falta de Kimberly.

- Quero ver você foder os peitos da Lucy.

Ter algo para fazer ajuda. Lucy se junta a nós na cama e tira a blusa. Eu me ajoelho por cima dela, coloco o pau entre os peitos, que aperto e começo a deslizar para cima e para baixo. É tão pouco sexy quanto parece.

- Gosto de ver você foder os peitos dela. Quero ver você gozar nela toda.

Com esta ordem eu perco o pouco de excitação que consegui arranjar.

- Tem algo que preciso dizer - começo.

As duas ficam tensas, supondo o pior.

- Não, não é isso.

Depois de explicar o Experimento de Trinta Dias, começamos a nos agarrar de novo, mas não foi a mesma coisa. Mary acabou pegando as roupas e indo embora e Lucy dormiu enquanto eu fazia sexo oral nela.

Este é o pior sexo a três de todos os tempos e não estou nem aí. Estou além do desejo. Mas não estou além da solidão.

Quando estendo o braço na direção da mesa de cabeceira para verificar meu telefone, vejo que há um SMS da Kimberly. Meu coração fica apertado. Sinto empolgação, ansiedade, curiosidade, medo e, quando vejo a mensagem "Posso te ligar?", alívio.

Com cuidado para não acordar Lucy, que está deitada nua e de pernas abertas sobre os lençóis, visto jeans e camiseta e ando na ponta dos pés até o corredor. Tem um peitoril de janela perto do hall dos elevadores e eu fico lá a fim de ligar para Kimberly.

- Oi - diz ela. Adoro a voz da Kimberly. É o som da gravidade me sugando para o mundo dela. Pensei que nunca mais a ouviria de novo.

– Estou feliz por você ter mandado SMS. – Quero dizer que gostaria que ela estivesse aqui, mas sei que vai aborrecê-la. – Sinto muito por ter reagido de modo exagerado. É que estava empolgado demais para te ver.

– Eu também. Realmente pensei que poderíamos ficar juntos, tipo, juntos mesmo. Mas ontem mudou tudo. Vi outro lado seu.

– É, entendo. Acho que o relacionamento foi até onde podia no telefone, até não ter mais para onde ir.

Passamos a hora seguinte tentando conversar e deixar tudo como antes. Acabamos conseguindo:

– Queria estar com você agora – sussurra ela.

Minutos depois, sinto uma pressão dentro da minha calça.

– Imagino você fodendo o meu rosto – diz ela. – Você está agarrando a minha cabeça e metendo na minha boca, com toda a força. Depois estendeu a mão pelas minhas costas e enfiou um dedo.

Nem sei se isso é fisicamente possível, mas está fazendo com que eu me sinta com 13 anos de novo, roubando as cópias da revista pornográfica do meu pai para ler as cartas. Abro o botão e imediatamente coloco a mão dentro da calça.

Imagino a noite como deveria ter acontecido. Ela está aqui no meu quarto de hotel, o corpo pálido sobre os lençóis amassados, os lábios inchados e o queixo vermelho dos beijos infinitos, as coxas molhadas pelo...

Ouço um barulho de elevador e pessoas rindo. Eu não paro. Estou meio exposto. A pressão aumenta, o corpo está se separando. *Molhadas pelo...* Essa é a noite em que deveria acabar tudo, a noite da pasta de dente e do martelo. *As coxas molhadas pelo...*

Eu me abaixo e a penetro. Poderia parar. Deveria parar. Não consigo parar. Ela está gozando. Eu também.

Vejo a liberação. Não voa para todos os lados como eu imaginava e, de alguma forma, esperava. O fluxo apenas sai em uma grande poça como da primeira vez que gozei, exceto que, desta vez, em vez de fantasiar sobre estar em um lugar público, eu realmente estava ali.

Uma imensa onda de alívio se espalha ao longo de todas as terminações nervosas. Meus olhos se enchem de lágrimas de alegria e fogos de artifício brancos explodem levemente na minha cabeça.

– Você gozou? – pergunta ela.

– Sim. – Já me sinto culpado. Menos por me masturbar do que por não chegar nem à metade do Experimento de Trinta Dias.

– Não acredito que demorei tanto para conseguir isso. – Kimberly faz uma pausa e consigo ouvi-la puxando o ar. Ela está fumando um cigarro pós--sexo-por-telefone.

"Você estava me deixando complexada, pensando que não era boa. Que não estava te excitando, enquanto você me dava todos esses orgasmos."

Acho que ela precisava dessa conclusão. E eu também. Basicamente tivemos todo um relacionamento pelo telefone: nos conhecemos, nos apaixonamos, namoramos, fizemos sexo, brigamos e terminamos sem ao menos nos encontrar pessoalmente. Hoje foi apenas o sexo da reconciliação.

Está claro que nunca vamos nos conhecer. Assim como aquela ideia de que eu realmente poderia passar trinta dias sem ter um orgasmo, o relacionamento era apenas um castelo de areia.

Antes de dormir, ligo para Crystal em Los Angeles. Ela está enfrentando o experimento muito bem: sem dores, ansiedade, nem atração por personagens de desenho animado. Mas ela é de outro gênero, com maior probabilidade de se machucar depois do orgasmo do que antes.

Conto a ela os benefícios do Experimento: fiquei menos cansado ao longo do dia, possivelmente atraí mais mulheres e definitivamente economizei em lenços de papel. Depois digo a desvantagem: fracassei. Quando ela tenta me consolar, percebo que na verdade eu me programei para fracassar. Fiz uma dieta e passei na confeitaria todos os dias.

Os budistas estão certos. Desejo é o meu piloto. Passo a maior parte dos meus dias cedendo a ele. Quando não estou fodendo, estou caçando. Quando não estou caçando, estou fantasiando. Fiz sexo com dezenas de milhares de mulheres na minha cabeça e, agora que o Experimento terminou, elas vão voltar. Todas elas. Um desfile de inocentes. A universitária mexendo o quadril nos corredores do supermercado. A secretária parada na calçada enquanto passo de carro. A piriguete dando uns amassos na banheira no reality show. As personagens de *Girls Gone Wild*. A mãe do Cartman. Kimberly. Se não posso tê-las na vida real, eu as terei na minha imaginação.

Sou um viciado.

Sou um homem.

REGRA 11

NINGUÉM GANHA O JOGO SOZINHO

I.

O amor é uma prisão de veludo.

É o que penso quando Dana senta em cima de mim. Os olhos dela estão brilhando, os lábios sorriem, mas não muito. Ela não precisa dizer, mas fala:

- Eu te amo.

E aí eu sinto as barras descendo ao meu redor. Elas são feitas de veludo. Tenho a força física para escapar, mas não tenho a força emocional. Por isso, o veludo é mais forte que o aço. Pelo menos eu posso bater a cabeça contra o aço.

Ela me olha na expectativa, em busca de uma resposta. Não consigo. Estou fazendo o que posso para manter os olhos abertos. Quero dormir. Quero ela longe de mim. As emoções dela agora são o meu fardo. Um olhar, palavra ou gesto errado pode queimá-la como um ferro em brasa.

Ela deita em cima de mim, nua, os olhos procurando algo nos meus. Quando não encontra amor, aceita esperança. E assim estou trancado. Nesta prisão de veludo.

II.

- Se uma das suas piranhas vadias desligar na minha cara de novo - esbravejou Jill -, vou acabar com ela.

- Do que você está falando? - Nunca sabia o humor em que a encontraria quando entrasse pela porta. - Quem fez o que agora?

- Uma das suas piranhas ligou - gritou ela. - Falou que era o número errado e desligou.

– Você já parou para pensar que talvez fosse mesmo um engano?

– Ah, ela sabia – afirmou Jill, cuspindo. – Sabia que era eu. Aquela vagabunda.

Saí de casa, entrei no carro e peguei a Pacific Coast Highway. Já tinha visto Jill entrar em tamanho frenesi sobre as vadias e piranhas com quem dormi no passado que chegou a espumar. Precisava ter a minha vida de volta.

Costumava dizer às garotas que se os relacionamentos fossem um funil, eu queria uma mulher que fosse comigo para o lado mais largo. Nunca percebi o erro da metáfora até aquele dia: funis só tem um caminho, para o lado mais estreito.

III.

Dá para sentir o cheiro do Roger a um quarteirão de distância. Ele dorme nas ruas de Boston e grita com postes. As pessoas da livraria local que cuidam dele dizem que Roger tinha sido escolhido para jogar na liga profissional de beisebol no início dos anos 1970. Um dia, porém, alguém colocou ácido na cerveja dele de brincadeira. Roger nunca mais foi o mesmo.

Roky teve um pequeno e influente sucesso de rock and roll no fim dos anos 1960. Preso por estar com um baseado, ele alegou insanidade para evitar a prisão. Conseguiu e foi mandado a um sanatório, onde vários anos de eletrochoque e clorpromazina derreteram a mente dele. Em 1981, Roky assinou uma declaração juramentada dizendo que um marciano estava em posse total do seu corpo. Aos 54 anos, destruído física e mentalmente, ele foi posto sob custódia legal do irmão mais novo.

Minha avó teve um derrame aos 70 e poucos anos e, depois disso, voltou aos 32. Ela não me reconhecia e nem o meu irmão e passava os dias diante do telefone esperando uma ligação da mãe, que estava no hospital. A mãe tinha morrido no hospital havia quarenta anos.

Existe uma linha tênue conectando cada um de nós à realidade. E o meu maior medo é que um dia ela arrebente e eu termine como Roger, Roky ou minha avó.

Exceto que, ao contrário deles, não vai ter ninguém para cuidar de mim.

POSFÁCIO

– Final meio cínico, não acha?

– Não diria cínico. Talvez triste. Ou assustado.

– Depois do seu comportamento com todas estas mulheres, espera que eu sinta pena de você ou algo assim?

– Esta é a última coisa que eu esperaria, ainda mais de você. – Nos anos que se passaram, o cenário não mudou. O produtor, o mordomo, o cachorro nem parecem ter envelhecido. Ele era uma criatura de hábitos. E um destes hábitos era apontar as inconsistências no meu pensamento.

– Então é só você sentindo pena de si mesmo?

– Estou mesmo é confuso. Escrevi as histórias que você acabou de ler após o fracasso de dois relacionamentos. Depois, falei com centenas de homens e mulheres casados que se sentiam infelizes ou presos. Só queria tomar as decisões certas na vida.

– Entendi. – O manuscrito do livro estava em cima de um cobertor no colo dele, como um desenho ofensivo feito por um estudante. – E por que os últimos relacionamentos não deram certo?

– Acho que não deram certo porque as mulheres desenvolveram certos comportamentos que me fizeram duvidar do sucesso de um relacionamento do tipo "para sempre" com elas.

– E imagino que você não tenha nada a ver com o desenvolvimento desses comportamentos?

Eu o encontrei mais uma vez no alto da superioridade moral dele.

– Claro que sim. Sempre é preciso duas pessoas para isso.

– E agora você decidiu ficar sozinho e miserável para sempre?

– Eu tentei muito fazer esses relacionamentos funcionarem.

– Como exatamente você tentou?

– Fui sincero. Fui fiel. Cortei todas as outras mulheres que estava vendo. Não menti, nem tive casinhos secretos ou as traí pelas costas.

– E é assim que você faz um relacionamento dar certo? Não tendo casos com outras mulheres? É como dizer que você aprende a nadar entrando na água. Isso é óbvio. – O sol começou a afundar no oceano fora da janela panorâmica. – Você já parou para pensar que nunca tentou para valer?

– Como assim?

O mordomo colocou uma tigela de cerejas na frente dele e acendeu um incenso *nag champa*. Eu estava indo direto para uma armadilha.

– Você trabalhou muito para aprender o jogo. Leu todos os livros, viajou pelo mundo, encontrou todos os especialistas e passou anos fazendo incontáveis abordagens para aperfeiçoar o ofício.

– Acho que estou vendo aonde você quer chegar.

– O que você acha que é?

– Que talvez eu precise aprender a ter um relacionamento do mesmo jeito que aprendi o jogo.

Ele tirou uma cereja do caule de modo lento e triunfante.

– No fim das contas você vai acabar tendo que fazer uma escolha em algum momento da vida. Decidir: você quer encontrar uma mulher com quem deseja ficar até o fim da vida e formar uma família? Ou quer continuar cedendo aos impulsos e continuar a ter aventuras sexuais e relacionamentos de duração variada até não conseguir mais?

– Não parece exatamente uma escolha.

Ele colocou a cereja na boca e ficou sentado no sofá, contente. Eu costumava pensar que seus gestos lentos e comportamento exageradamente calmo eram uma simulação, um sinal de falsa espiritualidade. Mas desde então passei a invejar a quietude mental dele.

– Então digamos que eu escolha ficar com alguém pelo resto da vida – continuei. – Você está dizendo que preciso fazer deste relacionamento um projeto e dedicar a energia que usei para caçar mulheres a fim de melhorar nisso.

– Sim.

– Sim e mais o quê? – Ele estava me escondendo algo.

– E o desafio é encontrar alguém para amar que não só te ame de volta, como também esteja disposta a trabalhar com você neste projeto para toda a vida.

– É mais fácil falar do que fazer. Como vou saber quando tiver encontrado a pessoa certa?

– Quando você estiver com alguém de quem você se aproxima com o tempo, em vez de se afastar – disse ele. – Muita gente comete o erro de tentar defender princípios em relacionamentos. Meu objetivo é a felicidade a longo prazo e faço escolhas que não vão atrapalhar este objetivo. Mesmo se isso significar sacrificar uma liberdade em troca.

– Cara, isso dá medo. – Odiava o fato de ele estar ganhando. Odiava que a resposta tinha a palavra *trabalhar*. Odiava a ideia de tomar uma decisão que fechava as portas para outras possibilidades e experiências.

– Ou pode ser excitante. Como acontece quando se aprende algo, vai ser difícil e vai haver obstáculos, mas você vai acabar dominando o assunto e encontrando uma força e confiança que nenhuma quantidade de transas de uma noite só e de sexo a três jamais lhe dará.

– Tudo isso pode ser verdade, mas ainda tem um problema que não resolvemos.

Ele ouvia com atenção. Resolver problemas era especialidade dele.

– O que acontece quando o relacionamento já tiver alguns anos e eu sentir o chamado da natureza selvagem e quiser fazer sexo com outra pessoa? Como controlo isso ou não fico ressentido com ela por me privar desta experiência?

– Bom – disse ele, pacientemente –, você pensa no quanto isto afetaria o projeto ao qual dedicou a vida. Quem trabalha em banco geralmente não rouba o dinheiro. Embora eles queiram mais grana no momento, valorizam mais o futuro.

Desde então eu questionei vários homens que estavam em relacionamentos de longo prazo. A maioria simplesmente cedeu ao chamado da natureza selvagem e dormiu com outras mulheres sem a esposa saber. Mas essa é a receita para o desastre. Mesmo que ela nunca descubra, a culpa, o segredo, a mentira e a traição acabam destruindo o amor que o casal teve um dia. Uma alternativa sincera seria um relacionamento aberto. Porém, os casais que conheci e que estavam nesse tipo de relacionamento não só continuavam enfrentando momentos dramáticos, como não estavam mais apaixonados. Apenas dependiam emocionalmente uns dos outros.

Mas há outras opções.

– Supondo que eu queira ter o melhor dos dois mundos, poderia explorar o mundo do swing, do poliamor ou ficar com uma garota bissexual.

– Se ela se sentir bem com isso, imagino que seja algo que você possa tentar. – Ele fez uma pausa e passou a mão no queixo. Vi um brilho nos olhos dele. – Mas há algo que precisa saber antes.

– O quê?

– Quando estava lendo sobre esta nossa discussão, percebi algo. – Ele bebeu um gole d'água. Sabia que não estava com sede, mas era a certeza de que suas próximas palavras revelariam a minha total idiotice. – Toda essa ideia de ter o melhor dos dois mundos, a expressão está errada. Devíamos aceitar que é impossível ter o melhor dos dois mundos.

– Não sei se entendi bem.

– Significa que você deveria ficar feliz por ter o luxo de viver, em primeiro lugar. Então pare de olhar para o mundo e se preocupar com o que vai perder caso se comprometa com algo. Comece a apreciá-lo. O mundo foi feito para ser vivido, não colecionado.

Às vezes eu o odiava. Porque tinha razão.

AGRADECIMENTOS

O Desafio Stylelife é resultado de lições aprendidas em milhares de abordagens, anos de camaradagem com os mestres na arte da sedução citados em *O jogo*, feedback de alunos ao redor do mundo, centenas de livros e artigos científicos e contribuições da equipe de treinadores da Academia Stylelife.

Existem dois colaboradores em particular que merecem um reconhecimento especial. Você os conheceu nas instruções:

Don Diego Garcia é treinador sênior da Academia Stylelife, mora em São Francisco e tem um coração de ouro. Ele avaliou as missões e e-books mais conceituados da atualidade, influenciando positivamente a vida de milhares de alunos, além de ter ajudado a revisar este livro.

Thomas Scott McKenzie é treinador sênior da Academia Stylelife, mora no Meio-Oeste dos Estados Unidos e é um escritor excelente. Trabalhou em vários jornais e revistas, indo do profundo (*Tin House*) ao profano (*Stuff*). Além de contribuir para as instruções, também ajudou a editar os materiais multimídia do Desafio Stylelife para caberem nestas páginas estreitas.

Também agradeço a Dessi, Haze, Organizer, Masters, Julia Caulder, Maddash, DJ, e especialmente a Phoenix e Rourke pela ajuda nos bastidores da versão mais recente do Desafio. Os treinadores do Desafio Stylelife que atendem pelos nomes de Evolve, Tommy D, Gypsy e Bravo também ajudaram a tornar este livro possível. O desafiante conhecido como Exception merece o crédito pelo quebra-gelo do Village People citado no Dia 18. E Rourke e Michael Gregus também fizeram contribuições importantes.

Meu agradecimento especial vai para os gurus da sedução que influenciaram a minha vida e este livro com seus ensinamentos e camaradagem. Entre eles estão Mystery, agora um astro dos palcos e das telas; David DeAngelo, que entrou para o mundo dos negócios; Ross Jeffries, o pai do movimento que gerou esta loucura toda; Swinggcat, o mago por trás das cortinas; e Juggler, um excelente autor que atualmente está casado.

E temos dois homens cujos nomes não posso mencionar. Eles fazem parte de um livro que está por vir, mas devo a eles a ideia do Desafio Stylelife. Você ainda vai ler sobre eles. Mas eu me sentiria negligente se não lhes desse o crédito. Então muito obrigado a... estes dois caras.

A equipe de revisão foi composta por algumas das pessoas anteriormente mencionadas, além de Anna G., Ersin Pertan, M the G, Todd Strauss, Dr. M. J., Nicole Renee, Aimee Moss, Kelly Gurwitz, Lauren, Evelyn Ng e Sarah Dowling. Soa Cho e Kristine Harlan fizeram pesquisas e verificaram informações, descobrindo artigos científicos e psicológicos que confirmavam desde a restrição de tempo até os atributos L.A.S. V.E.G.A.S. para a abordagem, sempre com um sorriso. Obrigado também, Drew Huskey e Neel Vora, por organizarem os times principais que foram às ruas.

Meus agradecimentos mais empolgados vão para a excelente equipe da HarperCollins: Carrie Kania, Michael Morrison, David Roth-Ey, Lisa Gallagher, Rachel Romano, Chase Bodine, Cassie Jones, Brittany Hamblin, Michael Signorelli e Cal Morgan, o editor mais rápido do leste. Agradeço também a Judith Regan, a primeira pessoa que sugeriu transformar o Desafio em livro.

Por fim, gostaria de agradecer a você por terminar o Desafio e assumir o controle da sua realidade. A única coisa melhor do que ouvir as histórias de sucesso é ver as fotos do antes e depois. Vocês estão colocando o pessoal do programa de exercícios *Body for Life* no chinelo. Firmeza.

Este livro foi composto na tipografia
ITC Legacy Serif, em corpo 10/14, e impresso em
papel off-set no Sistema Digital Instant Duplex
da Divisão Gráfica da Distribuidora Record.